L'ÉTRANGE
ODD THOMAS

Du même auteur :

La Dernière Porte, Lattès, 2003.
Au clair de lune, Lattès, 2004.
Le Visage de l'ange, Lattès, 2006.

www.editions-jclattes.fr

Dean Koontz

L'ÉTRANGE
ODD THOMAS

Roman

Traduit de l'anglais (États-Unis)
par Dominique Defert

JC Lattès
17, rue Jacob 75006 Paris

Titre de l'édition originale
ODD THOMAS
publiée par Bantam Dell, un département
de Random House, Inc., New York

ISBN : 978-2-7096-2871-6

Aux vieilles copines :
Marie Crowe, Gerda Koontz,
Vicky Page et Jana Prais.
On va se revoir, les filles.
Au programme : festin,
vin et potins.

« L'espoir a besoin d'un champion
Qui refuse la reddition
Du berceau au souffle dernier
Le cœur devra persévérer. »

The Book of Counted Joys

1.

Je m'appelle Odd Thomas. Évidemment, mon nom ne vous dit rien, et en ces temps où la gloire est la nouvelle icône du monde, il n'y a aucune raison pour que cette seule information suffise à éveiller votre intérêt.

Je ne suis pas une célébrité. Ni même le fils d'une célébrité. Je n'ai jamais été marié à une vedette, ni violé par une quelconque star, et aucune personne connue ne se promène sur la planète avec l'un de mes reins dans son corps. Pis encore, je n'ai aucune envie de devenir célèbre !

Pour tout dire, je suis un être si anodin selon notre échelle des valeurs que les magazines *people* ne m'accorderaient jamais une ligne dans leurs pages ; ils seraient même capables de rejeter ma simple demande d'abonnement de crainte d'être aspirés dans le trou noir de mon insignifiance et de disparaître corps et âmes !

J'ai vingt ans. Aux yeux des adultes, du haut de leur piédestal, je suis encore quasiment un enfant. Mais pour lesdits enfants, je suis déjà trop vieux ; j'éveille leur méfiance et suis définitivement exclu de la communauté des petits êtres imberbes.

Un sociologue en conclurait que mon seul auditoire possible se limite à mes pairs : de jeunes hommes et de jeunes femmes, voguant sur l'océan de la vie entre leur vingtième et leur vingt et unième printemps.

Mais en vérité, je n'ai rien à dire à ce public restreint. Je n'ai pas les mêmes centres d'intérêt que mes compatriotes de vingt ans, ni les mêmes désirs – hormis, évidemment, celui de survivre.

L'existence que je mène est extraordinaire.

Attention, je ne dis pas qu'elle est plus riche que la vôtre. Je suis persuadé que vous avez votre quota d'instants magiques, d'émerveillements et de peurs indicibles et que, sur ce point, vous n'avez rien à envier à personne. Vous et moi appartenons à la même espèce et vivre, pour un être humain, c'est, par essence, de la joie et de la terreur.

Je veux simplement dire que ma vie est atypique. Des événements étranges m'arrivent, des phénomènes, sinon uniques, en tout cas inconnus du commun des mortels.

Et, entre autres incongruités, jamais je n'aurais rédigé ces Mémoires si un géant de deux cents kilos, ayant six doigts à la main gauche, ne m'avait ordonné de le faire.

Le géant en question s'appelle P. Oswald Boone. Tout le monde continue à le surnommer Little Ozzie, car son père, Big Ozzie, est toujours de ce monde.

Little Ozzie a un chat : Chester le Terrible. Le malheureux aime tellement cet animal que si le matou devait finir sa neuvième vie sous les roues d'un trente-huit tonnes, son gros cœur d'obèse n'y résisterait pas.

Pour ma part, je n'ai pas une affection démesurée pour Chester le Terrible. Pourquoi ? Parce qu'entre autres choses, il ne rate pas une occasion d'uriner sur mes chaussures.

Ozzie a tenté de m'expliquer les raisons de ce comportement compulsif (et ses arguments sont crédibles). Mais je doute qu'il s'agisse de la vérité. Entendons-nous bien : ce n'est pas la bonne foi d'Ozzie que je mets en doute, mais celle de Chester le Terrible.

De toute façon, comment faire confiance à un chat qui prétend être âgé de cinquante-huit ans ? Même s'il y a des photos à l'appui, je continue à penser que c'est de l'intox.

Pour des raisons qui vous seront bientôt évidentes, ce manuscrit ne peut être publié de mon vivant. Pas un centime de droits d'auteur ne me sera versé en rétribution de mes efforts. Little Ozzie m'a suggéré de léguer mes royalties à Chester le Terrible (qui, selon lui, nous survivra tous) afin qu'il puisse couler des jours heureux à l'abri du besoin.

Mais j'ai décidé d'en faire don à quelqu'un d'autre. Quelqu'un qui, lui, ne m'a jamais pissé dessus.

Bref, je n'écris pas ce récit pour l'argent. Mais pour conserver la raison. Et puis, je veux voir si je parviens à me convaincre que la vie vaut encore la peine d'être vécue.

Ne vous inquiétez pas. Je ne compte pas me répandre en pleurnicheries incessantes. Sur ce point, P. Oswald Boone s'est montré intraitable : le ton doit rester léger.

— Si tu verses dans le pathos, m'a prévenu Ozzie, je te colle mon cul de deux cents kilos sur le bide. Et crois-moi, il existe des morts plus douces !

Quel vantard, ce Ozzie. Son cul, même s'il est énorme, ne doit pas peser plus de soixante-quinze kilos. Les cent vingt-cinq autres sont répartis tout autour du reste de son pauvre squelette.

Au début, comme je n'arrivais pas à rester léger, Ozzie m'a suggéré d'adopter la posture du narrateur félon.

— Comme Agatha Christie dans *Le Meurtre de Roger Ackroyd*.

Dans ce roman policier, écrit à la première personne, le sympathique narrateur se révèle être le meurtrier lui-même. Un fait qu'il dissimule aux lecteurs jusqu'à la fin.

Ne vous méprenez pas : je ne suis pas un assassin. Je n'ai commis aucun acte répréhensible. Ma fourberie de narrateur consiste à m'octroyer une certaine liberté en ce qui concerne l'emploi du temps des verbes.

Ne vous inquiétez pas. Vous comprendrez bien assez tôt.

Mais je vais trop vite ; en réalité, Little Ozzie et Chester le Terrible n'entrent en scène qu'après l'explosion de la vache.

Tout a commencé un mardi.

Pour vous, c'est juste le jour qui suit le lundi. Pour moi, c'est, comme les six autres de la semaine, une nouvelle journée pleine de mystères, d'aventures, et de peurs.

N'allez pas croire que je mène une vie exaltante et merveilleuse. Trop de mystère ennuie. Trop d'aventure éreinte. Et frayeurs à répétition sont sources de grands maux.

Sans l'aide d'un réveil, j'ai ouvert les yeux ce mardi-là à 5 heures du matin, après avoir vu, en rêve, des employés d'un bowling gisant au sol, baignant dans leur sang.

Je ne me sers jamais du réveil. Mon horloge interne est réglée comme du papier à musique. Si je souhaite être debout à cinq heures, il me suffit de répéter trois fois, avant d'aller me coucher, que je dois me réveiller à quatre heures quarante-cinq.

Car mon horloge interne, bien qu'infaillible, a toujours quinze minutes de retard... J'en ai pris conscience, il y a quelques années, et je me suis adapté.

Ce rêve macabre, avec ces employés de bowling, perturbe mon sommeil une à deux fois par mois depuis trois ans. Les éléments manquent encore de précision pour que je puisse agir. Je suis donc obligé de patienter. J'espère que tout s'éclaircira avant qu'il ne soit trop tard.

À 5 heures, donc, j'étais réveillé. Je me suis redressé sur le lit et ai déclamé :

— S'il te plaît, ne me demande pas l'impossible aujourd'hui.

C'est la prière du matin que ma mamie Sugars m'a enseignée quand j'étais petit.

Pearl Sugars était la mère de ma mère. Si elle avait été la mère de mon père, je me serais appelé Odd Sugars... ce qui aurait compliqué ma vie encore un peu plus.

Mamie Sugars était convaincue qu'il fallait négocier avec Dieu. Elle l'appelait « Le vieux filou ».

Avant chaque partie de poker, elle Lui promettait, à condition qu'Il lui donne de bonnes cartes, de répandre la bonne parole et de donner de l'argent aux pauvres... Le marché devait Lui convenir puisque les gains de mamie aux jeux ont toujours été une source de revenus substantiels.

Comme elle buvait beaucoup, et que le poker n'était pas sa seule passion, mamie Sugars ne dispensait pas la bonne parole aussi souvent que promis. Mais Dieu avait l'habitude de se faire rouler de toute façon, disait-elle, et Il fermerait les yeux.

— Tu peux escroquer Dieu et t'en sortir indemne, disait mamie. Mais il faut le faire avec élégance et intelligence d'esprit. Si dans ta vie, tu fais preuve d'imagination et d'invention, Dieu jouera le jeu, juste pour le plaisir de voir ton prochain numéro.

Dieu vous laissait aussi la bride sur le cou si vous étiez d'une stupidité rare, au point d'en devenir comique et divertissant. C'est ainsi que mamie justifiait le fait que des millions de crétins parvenaient à prospérer sur terre.

Bien entendu, il ne fallait jamais causer de torts graves à autrui, sous peine de cesser de Le divertir. Auquel cas, Il vous faisait payer l'addition au prix fort.

Contre toute attente, alors qu'elle buvait comme un trou, plumait au poker des psychopathes très mauvais perdants, conduisait à une vitesse défiant toutes les lois de la cinétique (mais jamais sous l'emprise de l'alcool) et suivait un régime alimentaire essentiellement composé de charcuterie, mamie Sugars est morte paisiblement durant son sommeil, à l'âge de soixante-douze ans. On l'a retrouvée avec un verre de cognac à moitié vide sur sa table de nuit, un livre de son auteur favori tourné à la dernière page, et le sourire aux lèvres.

De toute évidence, entre mamie et Dieu, c'était l'accord parfait.

Ce mardi matin donc, plein d'entrain et de joie de vivre, j'ai allumé ma lampe de chevet (car l'aube n'était pas encore levée) et j'ai parcouru du regard la pièce qui me servait de chambre-salon-cuisine-salle-à-manger. Précaution élémentaire – ne jamais sortir de mon lit sans avoir vérifié s'il y a quelqu'un chez moi.

Des visiteurs, bienveillants ou malveillants, étaient peut-être venus m'observer pendant mon sommeil, mais aucun d'eux n'avait, apparemment, souhaité prolonger son séjour pour une conversation matinale. Il suffisait d'une mauvaise rencontre durant le trajet entre le lit et la salle de bains pour vous gâcher la journée entière.

Seul Elvis était là, avec son collier d'orchidées, souriant, et pointant son index sur moi comme s'il s'agissait d'une arme.

J'aime vivre au-dessus de ce garage pouvant contenir deux voitures, et je trouve mon nid parfaitement charmant et douillet. Mais il ne ferait jamais la couverture d'*Architectural Digest*, cela va sans dire... Si l'une de leurs ambassadrices distinguées débarquait ici, elle me ferait sans doute remarquer, avec une moue dédaigneuse, que le second mot du titre du magazine n'est pas « Indigestion ».

La silhouette grandeur nature d'Elvis, provenant d'un diorama promotionnel pour le film *Sous le ciel bleu d'Hawaii*, était à sa place habituelle. Parfois, elle bouge durant la nuit – ou plutôt, « quelqu'un » la bouge.

Je me suis douché avec un savon à la pêche, et un shampooing du même parfum – cadeau de Stormy Llewellyn. Son vrai prénom est Bronwen, mais elle trouve que ça fait trop gothique.

Moi, Odd, c'est mon vrai prénom.

Selon ma mère, il s'agit d'une erreur dans la rédaction de mon acte de naissance. Parfois, elle prétend qu'ils désiraient m'appeler Todd. D'autres fois, Dobb, en souvenir d'un oncle tchèque.

Mais mon père soutient *mordicus* qu'ils ont toujours voulu m'appeler Odd, sans pour autant m'en donner la raison. Et à ses dires, je n'ai aucun oncle originaire de Tchécoslovaquie.

Ma mère jure tous ses diables que l'oncle existe bel et bien, mais refuse de m'expliquer pourquoi je ne l'ai jamais rencontré – ni lui, ni sa prétendue femme, Cymry, la sœur de maman.

Certes, mon père admet l'existence d'une tante Cymry. Mais il est formel : elle n'a jamais été mariée. Et cette Cymry, affirme-t-il, est un « monstre ». Un monstre en quoi ? Je l'ignore. Car il refuse d'en dire davantage.

Entendre sa sœur traitée de « monstre » met ma mère dans une fureur noire. Pour elle, Cymry est un « don de Dieu ». Mais à part cette assertion énigmatique, elle ne s'étend jamais sur le sujet.

Finalement, j'ai jugé plus simple de vivre avec mon prénom que de chercher à le renier. À l'âge où j'ai réalisé que Odd était un prénom quelque peu inhabituel[1], je m'en étais accommodé et j'avais grandi avec.

Stormy Llewellyn et moi sommes bien plus que des amis. Nous nous considérons comme des âmes sœurs.

---

1. *Odd* : bizarre, singulier. (*N.d.T.*)

D'abord, dans une fête foraine, une machine diseuse de bonne aventure a écrit, sur une carte, que notre destinée était de vivre ensemble pour toujours.

Et puis, nous avons tous deux la même tache de naissance...

Carte de divination et taches de naissance mises à part, je l'aime de tout mon cœur. Je me jetterais du haut d'une falaise si elle me le demandait (après, bien sûr, qu'elle m'ait expliqué le pourquoi d'une telle requête).

Heureusement pour moi, Stormy n'est pas du genre à exiger de telles choses à la légère. Elle n'attend jamais des autres ce qu'elle serait incapable de faire elle-même. Dans l'océan de duperies et de trahisons qui nous environne, elle se tient droite et inflexible, grâce à une ancre morale de la taille de celle d'un paquebot.

Une fois, elle a passé toute une journée à se demander si elle devait, oui ou non, garder une pièce de cinquante cents qu'elle avait trouvée, le matin, dans une cabine téléphonique. Le soir, elle la renvoyait par courrier à la compagnie de téléphone.

Pour en revenir à l'image de la falaise : ce n'est pas que la Grande Faucheuse me fasse peur. Mais je n'ai aucune envie de lui donner rendez-vous avant l'heure.

Fleurant bon la pêche (tout comme aime Stormy), brave devant la mort et un muffin aux myrtilles dans le ventre, j'étais fin prêt à aller travailler au Pico Mundo Grille ; j'ai quitté mon appartement, non sans avoir lancé à Elvis, avant de sortir, sa maxime favorite, « *faisons ce qu'il faut et faisons-le bien*[1] », dans une imitation très approximative de sa voix de velours.

Le jour se levait tout juste, mais le soleil perçait déjà le ciel comme un gros jaune d'œuf sur l'horizon.

Pico Mundo est l'une de ces villes typiques de la Californie du Sud ; il est impossible d'oublier, malgré toute l'eau acheminée par les aqueducs, que l'endroit, autrefois, était un désert. En mars, on cuit. En août, c'est-à-dire au moment où se passe ce récit, on grille littéralement.

---

1. *Taking care of business* ou « *T.C.B.* » ; le chanteur portait une bague sur laquelle figuraient ces trois lettres. *(N.d.T.)*

L'océan est si loin à l'ouest qu'il n'a pas plus de réalité pour nous que la mer de la Tranquillité sur la face vérolée de la lune.

Il est arrivé, quand les pelleteuses se mettent à l'œuvre pour créer un nouveau quartier résidentiel aux limites de la ville, que les engins exhument de grosses veines de coquillages dans les couches les plus profondes. En des temps anciens, les vagues, ici, venaient lécher le rivage.

En portant un de ces coquillages à vos oreilles, ce n'est plus le son du ressac que vous entendrez, mais un vent sec et lugubre, comme si le coquillage lui-même avait oublié ses origines marines.

Penny Kallisto m'attendait au pied de l'escalier extérieur menant à mon petit appartement ; elle était là, dans le soleil matinal, comme un coquillage échoué sur une plage. Elle portait des baskets rouges, un short blanc, et un chemisier blanc à manches courtes.

D'ordinaire, Penny n'avait jamais ce petit côté « j'en ai marre de la vie » si fréquent chez les adolescentes d'aujourd'hui. Elle portait ses douze ans avec enthousiasme, était extravertie et toujours prête à rire.

Ce matin, pourtant, elle affichait un air grave. Son regard bleu était teinté de reflets sombres, comme la mer sous le passage d'un nuage.

J'ai jeté un regard vers la maison située à une quinzaine de mètres de là, où ma propriétaire, Rosalia Sanchez, m'attendait pour avoir la confirmation qu'elle n'avait pas disparu durant la nuit. Le fait de voir son reflet dans un miroir ne suffisait plus à la rassurer.

Sans dire un mot, Penny a tourné les talons et s'est dirigée vers la pelouse devant la maison.

Tel un couple de grands mâts, dressant leur silhouette de géants devant les rayons du soleil, deux énormes chênes californiens déployaient leurs voiles d'or et de pourpre au-dessus de l'allée.

Penny semblait tour à tour passer du clair à l'obscur en traversant cet entrelacs de lumières et d'ombres. Une dentelle noire, comme un voile de deuil, est venue assombrir sa chevelure blonde et y dessiner des motifs délicats.

Ne voulant pas la perdre de vue, j'ai sauté au bas des marches et l'ai suivie. Mrs. Sanchez devrait prendre son mal en patience.

Penny ouvrait la marche ; elle a dépassé la maison et a quitté l'allée pour se diriger vers le bassin à oiseaux, installé au milieu de la pelouse. Tout autour du bassin, Rosalia Sanchez avait disposé une collection de coquillages, de formes et de tailles différentes, provenant du sous-sol des collines de Pico Mundo.

Penny s'est penchée, a sélectionné un spécimen de la taille d'une orange et me l'a tendu. C'était une sorte de conque. L'extérieur rugueux était blanc et marron et l'intérieur poli, rose nacré. Sa main en creux, comme si elle tenait toujours le coquillage, Penny a fait mine de le porter à son oreille. Elle a incliné la tête comme pour écouter, ce geste signifiant que je devais l'imiter...

Quand j'ai porté le coquillage à mon oreille, ce n'est pas la mer que j'ai entendue. Ni le vent triste du désert, dont j'ai parlé plus haut.

Mais un souffle rauque, bestial. Des halètements, des grognements sourds, vibrant de haine et de désir.

En plein cœur de l'été, dans le désert, un filet de glace a couru dans mes veines.

Voyant, à mon expression, que j'avais entendu ce qu'elle souhaitait, Penny a traversé la pelouse pour rejoindre le trottoir. Elle s'est plantée au bord de la chaussée, son regard rivé vers l'ouest, au bout de Marigold Lane.

J'ai lâché le coquillage et suis allé attendre à ses côtés.

Le Mal allait arriver. J'ignorais encore sous quelle apparence.

Des vieux lauriers indiens bordaient la rue. Leurs racines noueuses, impressionnantes, avaient par endroits craquelé et déformé le bitume.

Pas un souffle d'air ne parcourait les feuillages. C'était un matin étrange, comme à l'aube du Jugement dernier, juste une seconde avant que le ciel ne se fende en deux.

Beaucoup de demeures, dans le quartier, sont de style victorien, comme celle de Mrs. Sanchez, et elles ressemblent toutes, à des degrés divers, à des maisons en pain d'épices. En 1900, quand fut fondée Pico Mundo, la majorité des résidents provenaient de la côte Est, et ces immigrants avaient choisi d'édifier ces constructions baroques, conçues pourtant pour les rivages froids et humides de leur lointaine contrée.

Peut-être espéraient-ils apporter dans cette vallée uniquement de belles choses, et laisser derrière eux les vilaines?

Mais notre espèce n'est pas capable de choisir ce qu'elle transporte dans ses bagages. Malgré les meilleures intentions du monde, nous finissons toujours par nous apercevoir que nous avons aussi emporté avec nous une ou deux valises de noirceurs et de misère.

Pendant une minute, le seul mouvement perceptible était celui d'un faucon planant haut dans le ciel, que l'on apercevait par intermittence à travers les branches des lauriers.

J'étais comme cet oiseau, ce matin-là, aux aguets.

Penny Kallisto devait sentir ma peur. Elle a glissé sa main dans la mienne.

Je lui étais reconnaissant de tant de gentillesse. Son contact était ferme, d'une tiédeur rassurante. Sa force et son calme me donnaient du courage.

Quand la voiture est apparue, elle avançait à une allure très faible, se laissant simplement porter par l'entraînement de la boîte automatique... voilà pourquoi je ne l'avais pas entendue arriver... Ce n'est que lorsqu'elle a amorcé le virage que j'ai reconnu le véhicule et qu'une profonde tristesse est venue s'ajouter à ma peur.

Cette Pontiac Firebird 400 de 1968 avait été restaurée avec amour. Le cabriolet décapotable bleu nuit semblait glisser vers nous sur un coussin d'air, flottant à quelques centimètres au-dessus du macadam, scintillant comme un mirage dans la touffeur matinale.

Harlo Landerson et moi étions ensemble au lycée. Pendant deux années entières, Harlo avait retapé cette voiture, des essieux au sommet de la capote, jusqu'à ce qu'elle soit flambant neuve, comme à l'automne 1967, date de sa première mise en circulation.

Harlo était d'une nature discrète, pour ne pas dire renfermée; cette voiture, pour lui, n'était ni un piège à filles, ni un moyen d'en mettre plein la vue à ceux et celles qui le trouvaient sans attrait. Harlo ne se faisait aucune illusion; il savait qu'il appartenait à jamais aux castes inférieures du microcosme lycéen.

Avec ses 355 chevaux et son moteur V-8, la Firebird pouvait atteindre les cent kilomètres à l'heure en moins de huit secondes. Mais Harlo n'avait rien d'un Fangio et ne tirait aucune fierté d'avoir toute cette puissance sous le capot.

S'il consacrait autant de temps, de sueur et d'argent à sa Firebird c'est parce qu'il était subjugué par la beauté de ses formes et par sa perfection mécanique. Une telle passion, une telle abnégation, frisait la dévotion mystique.

À mon avis, si la Pontiac avait pris tant de place dans la vie de Harlo, c'est parce que ce garçon n'avait personne à qui prodiguer son amour. Sa mère était morte quand il avait six ans. Son père était un ivrogne.

Certes, une voiture ne peut rendre l'amour qu'on lui porte. Mais du plus profond de sa solitude, l'éclat des chromes, le lustre de la peinture ou le ronronnement du moteur peuvent subitement être interprétés comme des signes d'affection.

Harlo et moi n'avons jamais été amis, juste bons camarades. Je l'aimais bien. C'était un garçon réservé et silencieux, et j'appréciais ces silences bien davantage que les fanfaronades bruyantes de nombre d'élèves en mal de reconnaissance.

Sans lâcher la main de Penny Kallisto, j'ai levé le bras gauche pour faire signe à Harlo.

Depuis le lycée, il travaillait dur. De 9 heures à 17 heures, il déchargeait les camions au supermarché et mettait les marchandises en rayon.

Avant ça, dès 4 heures du matin, il livrait les journaux aux habitants des quartiers Est de Pico Mundo. Et une fois par semaine, il distribuait dans *chaque* maison des sacs plastique pleins de dépliants publicitaires et de coupons de réduction.

Ce matin-là, il ne livrait que les journaux, les lançant d'un geste brusque du poignet, comme s'il s'agissait de boomerangs. Chaque exemplaire de l'édition du mardi du *Maravilla County Times*, plié et entouré d'une bague de papier, tourbillonnait en l'air avant d'atterrir avec un bruit sec dans une allée ou sur un perron, à l'endroit exact où l'abonné souhaitait le trouver.

Harlo faisait la distribution de l'autre côté de la rue. Arrivé devant la maison en face de nous, il a appuyé sur le frein pour arrêter la Pontiac qui avançait toute seule.

Penny et moi nous sommes approchés de la voiture.

— Bonjour, Odd, a lancé Harlo. Comment vas-tu par cette belle journée ?

— Pas bien, ai-je répondu. Je suis triste. Atterré.

Il a froncé les sourcils, l'air inquiet.

— Qu'est-ce qui ne va pas ? Je peux faire quelque chose ?

— Il s'agit plutôt de quelque chose que tu as fait…

J'ai lâché la main de Penny, et je suis allé m'installer sur le siège côté passager de la Firebird. J'ai arrêté le moteur et ai retiré la clé du contact.

Harlo a voulu m'en empêcher, mais j'ai été plus rapide que lui.

— Arrête, Odd, C'est pas drôle. Je suis débordé.

Je n'ai jamais entendu le son de la voix de Penny, mais dans la langue muette et si riche de l'âme, je sais qu'elle m'a parlé.

Et j'ai retranscrit à Harlo Landerson l'essentiel de ce qu'elle m'a révélé :

— Tu as son sang dans ta poche.

Un innocent aurait été totalement déconcerté par cette phrase sentencieuse, mais Harlo m'a regardé en silence… puis ses yeux se sont écarquillés soudain, non d'étonnement, mais de peur.

— Cette nuit-là, ai-je repris, tu avais sur toi trois petits carrés de feutre blanc.

Une main toujours posée sur le volant, Harlo m'a quitté des yeux pour regarder la rue à travers le pare-brise, comme s'il espérait que la Pontiac se mette à démarrer et l'emporte loin.

— Après avoir violé la fille, tu as récolté un peu de son sang virginal sur les carrés de feutrine.

Harlo était parcouru de frissons. Son visage était devenu tout rouge, de honte peut-être.

L'angoisse me serrait la gorge.

— En séchant, ils sont devenus rigides et sombres, cassants comme des crackers.

Les frissons de Harlo se sont transformés en tremblements.

— Tu en gardes toujours un sur toi. (Ma voix chevrotait d'émotion.) Tu aimes le renifler. Mon Dieu, Harlo. Parfois, tu le mets dans ta bouche pour mordre dedans...

Brusquement, il a ouvert la portière et s'est enfui.

Je ne suis pas un homme de loi. Pas plus qu'un justicier. Je ne suis pas non plus la main de la vengeance. Pour tout dire, je ne sais pas trop ce que je suis.

Mais dans ces moments-là, il faut que j'agisse... Une sorte de folie s'empare de moi... je dois faire quelque chose... c'est plus fort que moi, fort comme mon désir de voir ce monde déchu retrouver sa grâce originelle.

Quand Harlo a bondi hors de la Pontiac, j'ai regardé Penny Kallisto et j'ai vu la trace rouge sur sa gorge – une marque qui était invisible quand elle m'attendait au bas de l'escalier; cette l'empreinte, hideuse, entaillant la chair, montrait avec quelle violence et fureur on l'avait étranglée jusqu'à ce que mort s'ensuive.

La pitié m'a déchiré le cœur; et je me suis élancé à la poursuite de Harlo Landerson, pour qui je n'éprouvais aucune sorte de compassion.

2.

Bitume, ciment, herbe, Harlo Landerson fonçait droit devant lui, bondissant comme un chevreuil, franchissant tous les obstacles en travers de son chemin... l'allée de la maison en face de celle de Mrs. Sanchez, le jardin du fond, la clôture métallique, la ruelle derrière, puis derrière encore le mur de pierre éboulé...

Où comptait-il aller comme ça? Il ne pouvait pas m'échapper, pas plus qu'il n'échapperait à la justice. Et en aucun cas il ne pourrait échapper à l'homme qu'il était.

Derrière le muret de pierre, un autre jardin, nombrilé d'une piscine. Entre le clair du matin et les ombres des arbres, l'eau était un camaïeu de reflets bleus, saphir, turquoise, comme un coffre de joyaux abandonné par des pirates qui avaient sillonné en des temps anciens cette mer aujourd'hui asséchée.

De l'autre côté du bassin, derrière des baies vitrées coulissantes, une jeune femme se tenait en pyjama, une tasse à la main, buvant je ne sais quel breuvage pour se donner le courage d'affronter la journée.

En l'apercevant, Harlo a obliqué vers cette spectatrice. Peut-être espérait-il trouver refuge dans la maison, prendre la femme en otage? Quoi qu'il en soit, ce n'était sûrement pas pour lui demander un café...

J'ai fondu sur lui et l'ai attrapé par la chemise pour le faire tomber; nous avons perdu l'équilibre et sommes tombés, tous les deux, dans la piscine, côté grand bain.

Après un été dans la fournaise du désert, l'eau n'était pas froide. Des milliers de bulles, comme des piécettes d'argent, ont voleté devant mes yeux et tintinnabulé dans mes oreilles.

Nous avons coulé jusqu'au fond. Durant la remontée, il a rué des quatre membres. Son coude, son genou ou son pied m'a heurté la gorge.

Même si la résistance de l'eau avait amorti une bonne partie de la puissance du coup, j'ai hoqueté sous l'impact et bu la tasse. Dans ma bouche : le goût du chlore, mêlé aux parfums d'huile solaire. Harlo en a profité pour s'échapper ; je suis remonté au ralenti, groggy, empêtré dans un entrelacs de lumières bleues et émeraude... enfin, j'ai crevé la surface sous une averse de rayons.

Je me trouvais au milieu du bassin ; Harlo rejoignait déjà le bord. Il a attrapé la margelle et s'est hissé sur la terrasse. En toussant à qui mieux mieux, crachant de l'eau par tous les orifices, j'ai nagé maladroitement, en soulevant des gerbes d'éclaboussures. Il faut dire qu'en milieu aquatique, j'ai davantage d'expérience en noyade qu'en crawl.

Une nuit particulièrement lugubre, lorsque j'avais seize ans, je me suis retrouvé enchaîné à deux cadavres et jeté par-dessus bord dans l'eau du lac Malo Suerte. Depuis lors, j'éprouve une aversion maladive pour l'élément liquide.

Ce petit lac se trouve dans les faubourgs de Pico Mundo. Et Malo Suerte signifie « mauvais sort ».

Creusé durant la Grande Dépression, le lac, à l'origine, portait le nom d'un obscur homme politique. Bien que des milliers d'histoires circulent sur ces eaux traîtresses, personne ne sait exactement quand ni pourquoi l'endroit a été rebaptisé Malo Suerte.

Toutes les archives concernant ce lac ont disparu dans l'incendie du palais de justice de 1954, lorsqu'un dénommé Mel Gibson, pour protester contre la saisie de ses biens par le fisc, s'était immolé par le feu.

L'individu n'avait aucun lien de parenté avec l'acteur australien qui deviendrait célèbre quelques dizaines d'années plus tard. Ce Mel Gibson n'avait ni charme, ni talent de comédien, aux dires de ses contemporains.

N'étant pas, aujourd'hui, encombré de deux poids morts de soixante-quinze kilos, j'ai pu atteindre le bord en quelques brasses vigoureuses. Et je me suis hissé hors de l'eau.

Harlo s'acharnait sur les baies coulissantes; elles étaient verrouillées.

Et la femme en pyjama avait disparu.

Au moment où je prenais pied sur la terre ferme, Harlo a reculé pour prendre son élan, puis s'est élancé vers la vitre, épaule en bélier, la tête rentrée dans la poitrine.

J'ai fait la grimace... je voyais déjà l'hémoglobine couler, les chairs lacérées, une tête tranchée par une guillotine de verre.

Mais évidemment, le verre Securit de la baie est tombé en une averse de petits morceaux inoffensifs. Harlo s'est engouffré dans la maison, intact et entier, la tête toujours accrochée à ses épaules.

Le verre a crissé sous mes semelles quand je me suis rué dans son sillage. J'ai alors senti une odeur de brûlé.

Nous étions dans le salon familial; tous les meubles étaient orientés vers un téléviseur grand comme deux réfrigérateurs réunis.

La tête de la présentatrice de l'émission *Today* était terrifiante ainsi agrandie. Dans cette dimension, son sourire désinvolte avait des airs de squale. Ses petits yeux pétillants, de la taille de deux citrons, semblaient animés d'une flamme démoniaque.

La grande pièce donnait directement dans la cuisine, séparée seulement par un petit comptoir.

La femme avait choisi de se retrancher dans cette alcôve, un téléphone dans une main, un couteau de boucher dans l'autre.

Harlo hésitait à la jonction des deux espaces, se demandant si une jeune ménagère dans un pyjama à petites fleurs aurait réellement le cran de lui planter une lame d'acier dans le ventre.

La ménagère en question brandissait son arme en criant dans le téléphone :

— Il est dans la maison! Il est ici, devant moi!

À côté d'elle, sur le comptoir, un beignet chauffait sur le grille-pain. Un filet de fumée s'élevait de l'appareil. Ça sentait la fraise et le caoutchouc brûlé. La journée de la pauvre femme avait vraiment mal commencé.

Harlo m'a jeté un tabouret de bar à la figure et s'est rué vers l'intérieur de la maison.

J'ai ramassé le tabouret et l'ai remis sur ses pieds.

— Désolé pour tout ce bazar, M'dame.

Et je me suis lancé à la poursuite de l'assassin de Penny.

Derrière moi, la femme s'est mise à hurler :

— Stevie, ferme ta porte ! Ferme ta porte !

Le temps que j'atteigne l'escalier dans le hall d'entrée, Harlo grimpait déjà vers le palier du premier.

Voilà pourquoi Harlo avait choisi de monter à l'étage au lieu de s'enfuir dans la rue ; au premier étage, il y avait un garçonnet de cinq ans, les yeux écarquillés, en caleçon, tenant son nounours par une patte. Le petit semblait aussi vulnérable qu'un bébé chiot au milieu d'une autoroute.

De l'otage de premier choix.

— Stevie ! Enferme-toi !

Le gamin a lâché son nounours et s'est rué vers sa chambre. Harlo entamait la seconde volée de marches.

Expirant une goulée d'air fleurant le chlore et la confiture de fraises brûlée, je me suis lancé à l'assaut de l'escalier dans le sillage de mon ennemi, avec moins de panache que John Wayne dans *Iwo Jima*.

J'étais bien plus terrorisé que ma proie parce que, moi, j'avais quelque chose à perdre, beaucoup de choses même, dont (et non des moindres) Stormy Llewellyn et notre vie commune de bonheur que la machine de bonne aventure nous avait prédite. Si je tombais sur un mari armé, il tirerait sur moi comme sur Harlo, sans autre distinction.

Au-dessus, une porte a claqué. Stevie avait obéi à sa mère.

Si Harlo avait eu sous la main un chaudron de plomb fondu, dans la tradition de Quasimodo, il me l'aurait versé sur la tête. Mais c'est une commode qu'il a trouvée sur le palier. Le meuble a jailli en haut de l'escalier et dévalé vers moi.

J'ai évité le projectile *in extremis* en me juchant en équilibre sur la rambarde... je ne me connaissais pas cette agilité de singe – enfin de singe mouillé. Le meuble a dégringolé dans les marches, les tiroirs s'ouvrant et se fermant, à chaque impact, telles des gueules avides, comme si l'esprit frappeur d'un crocodile y avait élu domicile.

Sitôt le danger passé, j'ai quitté mon perchoir, et repris mon ascension. Lorsque j'ai atteint le palier, Harlo tentait d'enfoncer la porte de la chambre du petit.

Me sentant arriver, il a redoublé d'ardeur. Le bois a cédé dans un craquement sec et la porte s'est ouverte.

Harlo a continué sa course dans la pièce, emporté par son élan, comme s'il avait été aspiré par un tourbillon d'énergie.

Lorsque j'ai franchi le seuil, en repoussant du coude la porte qui rebondissait, j'ai vu le garçon tenter de se réfugier sous le lit. Harlo l'avait attrapé par le pied gauche.

J'ai saisi sur la table de nuit une lampe, avec un socle en céramique, représentant un panda souriant, et l'ai lancée sur le crâne de Harlo. Une mosaïque d'oreilles, de museau, de pattes velues, et de portions de ventre noirs et blancs ont fusé aux quatre coins de la pièce.

Dans un monde cartésien, régi par des lois physiques immuables et reproductibles dont les scientifiques ne cessent d'affirmer la prévalence, Harlo aurait dû s'écrouler, assommé pour de bon. Malheureusement, le monde n'est pas aussi simple.

De même que la force de l'amour permet à des mères de se transformer en Wonderwoman et de soulever des voitures pour sauver leurs enfants coincés sous les roues, la noirceur de l'âme de Harlo lui a permis d'essuyer ce coup de panda sans broncher. Furieux, il a lâché le petit Stevie et s'est tourné vers moi.

Même si ses yeux n'avaient pas de pupilles elliptiques, Harlo avait une tête de serpent, prêt à mordre et à cracher son venin. D'accord, sa bouche était dépourvue de crocs ou de crochets, mais je vous jure que, dans son feulement silencieux, j'ai vu toute la hargne d'une bête enragée.

Ce n'était plus le garçon que j'avais connu au lycée quelques années plus tôt, ni l'adolescent timide qui avait trouvé joie et sens à sa vie dans la restauration minutieuse d'une Firebird.

J'avais devant moi une âme malade, malveillante et corrompue qui, peut-être, il y a quelques jours encore, était retenue prisonnière dans les replis obscurs de l'esprit de Harlo. Mais aujourd'hui, elle avait rompu ses chaînes ; elle était sortie des oubliettes et était montée à l'assaut du donjon. Elle avait détrôné l'ancien Harlo et à présent, c'était elle qui imposait sa loi.

Sitôt libre, Stevie s'est faufilé sous le lit. Mais moi, je ne pouvais m'y glisser pour trouver refuge... et je n'avais pas non plus de couvertures à portée de main pour y cacher ma tête comme une autruche.

Je ne vous dirais pas que je me souviens de la minute qui a suivi avec une précision d'airain. Cela a été une vraie mêlée ; on frappait à chaque fois qu'on en avait l'occasion, avec tout ce qui nous tombait sous la main – en haut, en bas, d'estoc ou de taille, tous les coups étaient permis, tout ce qui pouvait faire mal. Ça pleuvait de partout, un déluge étourdissant et furieux, qui s'est terminé dans un corps à corps acharné ; j'ai senti son haleine chaude sur mon visage, sa salive sur ma peau, j'ai entendu ses dents claquer contre mon oreille, alors que la panique réveillait en lui des réflexes de bête acculée.

J'ai réussi à le repousser d'un coup de coude au menton et d'un coup de genou mal ajusté qui a manqué l'entrejambe.

J'ai entendu les sirènes retentir au loin, juste au moment où la mère de Stevie apparaissait sur le seuil, couteau à la main, prête au combat : la cavalerie ! L'éclaireur en pyjama à fleurs, et le reste des troupes derrière, en uniforme bleu et noir de la police de Pico Mundo.

Harlo ne pouvait franchir le barrage que nous formions, cette femme armée et moi. Il ne pouvait non plus atteindre Stevie, dans sa retraite sous le lit. S'il sautait par la fenêtre, il arriverait sur le toit du perron, directement dans les bras des flics qui arrivaient.

Les sirènes grandissaient, toutes proches. Harlo a reculé dans un coin de la chambre et s'est mis à haleter et à trembler. Il se triturait les doigts, la face grise d'angoisse, regardait le sol, le plafond, les murs, non à la manière d'un homme pris au piège, évaluant les dimensions de sa cellule, mais avec une sorte d'incrédulité, comme s'il ne se rappelait plus ce qu'il faisait là, ni comment il s'était mis dans cette situation.

À l'inverse des animaux sauvages, les monstres humains, même parmi les plus sanguinaires, une fois acculés, se défendent rarement avec férocité. Au contraire, c'est là que leur lâcheté, cachée au tréfonds de leur cruauté, se révèle au grand jour.

Harlo a cessé de se tortiller les doigts et a porté ses mains à son visage. À travers les interstices des phalanges, j'ai aperçu ses yeux, brillant de terreur.

Dos au mur, il s'est laissé glisser jusqu'au sol, les jambes écartées, le visage enfoui dans ses paumes comme si elles pouvaient former un masque d'invisibilité et lui permettre de disparaître.

Les sirènes se sont faites, un instant, assourdissantes, juste sous les fenêtres, avant de s'éteindre dans un long grognement.

Le jour n'était pas levé depuis une heure, mais j'avais passé ces soixante premières minutes à tenter de faire honneur à mon don.

3.

Les morts ne peuvent pas parler. Je ne sais pas pourquoi.

La police avait emmené Harlo Landerson. Dans son portefeuille, il y avait deux photos polaroïd de Penny Kallisto. Vivante et nue sur la première. Morte sur la seconde.

Stevie était au rez-de-chaussée, dans les bras de sa mère.

Wyatt Porter, le chef de la police municipale de Pico Mundo, m'avait demandé d'attendre dans la chambre du petit. J'attendais donc, assis sur le lit défait.

Il ne s'était pas écoulé une minute que Penny Kallisto a traversé le mur et est venue s'asseoir à côté de moi. Les marques avaient disparu sur sa gorge. Jamais on n'aurait cru qu'elle avait été étranglée, ni qu'elle était morte.

Comme plus tôt, elle est restée muette.

Je crois au schéma traditionnel de la double vie, celle d'avant la mort, et celle d'après. Ce monde d'ici-bas est un voyage de découverte et de purification de l'âme. L'autre propose deux destinations : la première est un palais pour l'esprit et un lieu d'émerveillement sans fin, la seconde un antre froid, obscur et inconcevable.

Je sais, vous me trouvez un peu benêt. Ce n'est pas grave, j'ai l'habitude !

Stormy Llewellyn, une personne beaucoup moins conventionnelle que moi, croit, quant à elle, que notre séjour sur terre est destiné à nous endurcir pour supporter l'autre vie. L'honnêteté, l'intégrité, le courage et la résistance aux forces du mal dont nous avons fait preuve durant notre passage sur terre sont évalués et si, à la revue de détail, nous sortons du lot, nous sommes aussitôt enrôlés dans un bataillon spécial d'âmes afin de mener une grande mission dans l'autre monde. Et ceux qui échouent au test retournent purement et simplement au néant.

En résumé, Stormy considère l'existence terrestre comme un camp d'entraînement. Et l'Au-delà, comme service actif.

J'espère de tout cœur qu'elle se trompe, car l'une des implications de sa cosmologie est que toutes les terreurs que nous connaissons ici-bas sont des injections théra-peutiques destinées à nous permettre d'affronter pis encore après la mort.

Pour Stormy, le jeu en vaut la chandelle, quoi que l'on puisse nous demander dans cette autre vie ; il y aura, évidemment, le plaisir simple de la découverte et de l'aven-ture, mais surtout, nous serons récompensés de tous nos efforts dans notre troisième vie.

Personnellement, et sans vouloir paraître impatient outre mesure, je préférerais recevoir ma récompense une vie plus tôt.

Mais Stormy aime les gratifications qui se font attendre. Si le lundi, elle rêve d'une root beer bien fraîche, elle attendra le mardi ou le mercredi pour en boire une. L'attente décuple le plaisir, dit-elle.

Mon point de vue est quelque peu différent : si vous aimez la root beer à ce point, buvez-en une le lundi, le mardi *et* le mercredi.

Évidemment, Stormy soutient qu'avec cette philo-sophie je vais finir comme ces obèses de deux cents kilos qu'il faut déplacer avec des grues et des chariots éléva-teurs quand ils tombent malade.

— Si tu veux subir l'humiliation d'être transporté à l'hôpital dans la benne d'un pick-up, ne compte pas sur moi pour m'installer sur ta grosse bedaine, comme Jiminy Cricket sur le front de la baleine, et chanter *quand on prie la bonne étoile* !

Je suis à peu près sûr que dans *Pinocchio* de Dis-ney, Jiminy Cricket ne s'est jamais posé sur le front de la baleine. Je ne suis même pas certain qu'ils aient une scène en commun.

Mais je me garderai bien de le faire remarquer à Stormy, si je ne veux pas recevoir en retour l'un de ces regards assassins dont elle a le secret et qui disent en substance : *Tu es stupide ou tu veux juste m'énerver ?* Un regard, je vous assure, que je préfère éviter.

Assis sur le bord du petit lit, j'étais pris d'un profond abattement. Penser à Stormy ne me remontait pas le moral. Même les grimaces de Scoubidou, imprimées sur les draps, ne me réchauffaient pas le cœur.

Je songeais à Harlo qui avait perdu sa mère à l'âge de six ans... faire honneur à sa mémoire aurait pu être le but de sa vie, mais cela a été tout l'inverse. À croire qu'il voulait lui faire honte et la faire se retourner dans sa tombe.

Et je pensais, bien sûr, à Penny ; à sa vie si rapidement interrompue, à la douleur des siens, cette perte qui allait bouleverser leur existence à jamais.

Penny a glissé sa main dans la mienne et l'a serrée pour me rassurer.

Elle paraissait si réelle, comme la main d'une jeune fille vivante... ferme, chaude. Comment Penny pouvait-elle paraître si tangible et en même temps jouer les passe-murailles... être réelle pour moi et invisible aux autres ?

Quelques larmes ont coulé. Ça m'arrive parfois. Je n'ai pas honte de pleurer. Cela permet de faire sortir des émotions qui sinon resteraient en moi, me rongeraient le cœur et me rendraient aigri.

La première larme n'avait pas encore perlé au coin de l'œil que Penny a pris ma main dans les deux siennes. Elle a souri, et battu des paupières, comme pour dire : « Vas-y, Odd Thomas, expulse tout ça, laisse-toi aller. »

Les morts ont de la compassion pour les vivants. Ils ont déjà fait le chemin, ils connaissent nos peurs, nos faiblesses, nos vains espoirs et savent comme nous chérissons ce qui doit périr. Ils ont pitié de nous, je crois, et ils ont bien raison.

Lorsque mes larmes ont séché, Penny s'est levée, m'a souri de nouveau, et a passé la main sur mon front pour me relever les cheveux. « Au revoir, disait-elle en pensée. Au revoir et merci. »

Elle a tourné les talons et traversé le mur de la chambre du premier étage pour rejoindre l'air chaud de cette belle matinée d'août... retrouver un royaume encore plus lumineux que l'été à Pico Mundo.

Quelques instants plus tard, Wyatt Porter est apparu sur le seuil.

Notre chef de la police est un grand gaillard, mais son apparence n'a rien de menaçant. Avec ses yeux de cocker, ses joues tombantes de saint-hubert, son visage semble plus sensible à la gravité terrestre que le reste de sa personne. Il sait se montrer vif et rapide, mais dans l'action comme dans le repos, sa grosse tête paraît toujours un boulet pesant posé sur ses épaules.

Le chef Porter avait dû en voir des horreurs en toutes ces années de service, à mesure que les lotissements nouveaux grignotaient les collines environnantes, que la population croissait et que la cruauté et la vilenie du monde gangrenaient ce havre de civilité sur terre qu'était jadis Pico Mundo. Combien de fois avait-il vu la bassesse et l'ignominie humaines à l'œuvre ? C'étaient peut-être tous ces souvenirs qui affaissaient son visage, un fardeau trop lourd à porter, impossible à cacher.

— On est encore dans de beaux draps, a-t-il articulé en entrant dans la chambre.

— Oui.

— Une baie brisée, des meubles en miettes.

— Je n'ai pas cassé grand-chose moi-même. À part la lampe.

— Mais c'est toi qui es à l'origine de tout ça.

— Oui.

— Pourquoi n'es-tu pas venu me trouver ? Histoire de me donner une chance de piéger Harlo...

On avait travaillé de cette façon par le passé.

— J'ai senti qu'il fallait agir tout de suite, qu'il risquait de recommencer sous peu.

— Tu as « senti » ça ?

— Oui. Je crois que c'est ce que voulait me dire Penny. J'ai perçu en elle comme une urgence silencieuse.

— Penny Kallisto ?

— Oui.

Le chef Porter a soupiré. Il s'est assis sur le seul siège de la pièce : un fauteuil d'enfant, de couleur pourpre, où le poitrail et la tête de Barney le dinosaure formaient le dossier. Ainsi installé, Wyatt Porter paraissait assis sur les genoux de Barney.

— Tu sais que tu me compliques sérieusement l'existence, fiston.

— Ce sont *eux* qui la compliquent. Et, pour tout vous dire, ils compliquent mon existence encore plus que la vôtre, ai-je répondu en faisant allusion aux morts.

— Je veux bien te croire. Si j'étais à ta place, je serais devenu zinzin depuis longtemps.

— Parfois, je me demande si ce n'est pas le cas…

— Cette fois-ci, Odd, je ne veux pas te voir appelé à la barre, s'il y a procès. Il faut éviter ça à tout prix.

— Je suis du même avis.

Peu de personnes sont au courant de mes curieux dons. Seule Stormy Llewellyn les connaît tous.

Je n'aspire qu'à l'anonymat, à une vie simple et tranquille, du moins aussi simple que possible compte tenu des doléances des esprits.

— Je pense que Landerson va passer aux aveux en présence de son avocat. Auquel cas, tu n'auras pas besoin de venir temoigner. Mais dans le cas contraire, la version officielle sera que Landerson a ouvert son portefeuille pour te payer un pari perdu, un résultat de base-ball, par exemple, et que les photos sont tombées par terre.

— Ça tient debout.

— Je vais parler à Horton Barks. Il minimisera ton rôle dans l'affaire.

Horton Barks était le rédacteur en chef du *Maravilla County Times*. Vingt ans plus tôt, lors d'une randonnée dans les forêts de l'Oregon, il avait dîné avec Big Foot – si tant est que des saucisses en boîte et des barres énergétiques puissent être appelées un « dîner ».

J'ignore si Horton a réellement partagé le couvert avec l'abominable homme des bois, mais c'est ce qu'il prétend. Et au vu de ce que je vis quotidiennement, je suis mal placé pour mettre en doute Horton ou n'importe quel quidam soutenant qu'il a cassé la croûte avec des E.T. ou des farfadets.

— Et toi, comment ça va ? m'a demandé Wyatt Porter.

— Pas trop mal. Mais je déteste être en retard au boulot. C'est le coup de feu au Grille.

— Tu as appelé ?

— Oui. (Je lui ai montré mon portable qui était accroché à ma ceinture quand je suis tombé dans la piscine.) Il marche encore.

— Je passerai au resto plus tard, m'enfiler une pelletée de frites et des œufs.

— Petit déjeuner à toute heure ! ai-je répondu d'un ton solennel, citant la devise du Pico Mundo Grille depuis 1946.

Wyatt Porter a changé d'appui pour soulager sa fesse endolorie et Barney le dino a protesté dans un concert de gémissements.

— Tu comptes rester toute ta vie cuistot ?

— Non. Je songe à me reconvertir dans les pneus.

— Les pneus ?

— D'abord la vente, puis le montage. Ils recherchent toujours du monde à Pneu Univers.

— Pourquoi les pneus ?

J'ai haussé les épaules.

— Les gens en auront toujours besoin. Et c'est un secteur que je ne connais pas, un truc nouveau pour moi. Je voudrais bien voir à quoi ça ressemble la vie dans le monde des pneus.

On est restés sans rien dire trente bonnes secondes, et puis Wyatt Porter m'a demandé :

— Et c'est ton seul projet à l'horizon ? Les pneus ?

— L'entretien des piscines est attirant aussi. Avec tous ces gens nouveaux qui s'installent, il se creuse une piscine par jour.

Wyatt Porter hocha la tête, l'air pensif.

— Ou alors travailler dans un bowling, ai-je ajouté. Ça aussi ça doit être bien. On voit plein de monde, et il y a les tournois, la compétition...

— T'y ferais quoi dans un bowling ?

— Je m'occuperais des chaussures de location. Il faut les passer aux rayons ou quelque chose de ce genre à chaque fois entre deux clients. Et les cirer. Vérifier les lacets, aussi...

Wyatt Porter a encore opiné du chef et Barney le dino a poussé des petits couinements de souris.

Mes vêtements avaient séché, mais ils étaient tout froissés. J'ai consulté ma montre.

— Je ferais bien d'y aller. Il faut que je me change. Je ne peux pas aller au Grille comme ça.

On s'est levé de concert.

Un mouvement de trop pour le fauteuil Barney qui a rendu l'âme et s'est effondré au sol.

— Ça aurait pu arriver pendant la bagarre avec Harlo, a déclaré Wyatt Porter en contemplant les débris violets.

— Ça aurait pu.

— L'assurance l'inclura avec le reste de la casse.

— Louées soient les assurances !

On est descendu au rez-de-chaussée. Stevie était juché sur un tabouret dans la cuisine, dévorant une tarte au citron.

— Je suis désolé, mon petit, mais j'ai cassé ton fauteuil Barney, a annoncé Wyatt Porter.

Le chef de la police ne savait pas mentir...

— Il était nul ce Barney, a répondu le gamin. Je suis grand maintenant. Ça fait des semaines qu'il ne me plaît plus.

Avec un balai et une pelle, la mère du petit ramassait les débris de verre près de la baie.

Wyatt Porter s'est approché pour lui narrer la triste fin du fauteuil ; aucune importance, aux yeux de la jeune femme. Mais il a insisté pour qu'elle se renseigne sur le prix afin qu'elle puisse être remboursée.

Puis il m'a proposé de me déposer chez moi en voiture.

— J'aurai plus vite fait de rentrer à pied en reprenant le chemin par lequel je suis venu, lui ai-je répondu.

J'ai donc quitté la maison par le trou béant où se trouvait auparavant la baie vitrée, contourné la piscine (plutôt que de la traverser à la nage), et continué le trajet en sens inverse : le muret, la petite allée derrière, la grille en fer forgé, le jardin, le trottoir de Marigold Lane, et enfin, mon petit appartement au-dessus du garage.

4.

Je vois les morts, c'est entendu. Mais j'essaie que ça serve à quelque chose. J'essaie.

Cette attitude est louable mais non sans danger. Certains jours, mon panier à linge sale déborde.

Une fois enfilé un jean et un T-shirt propres, je suis passé voir Mrs. Sanchez pour lui confirmer qu'elle était toujours visible – un rituel matinal. Par la porte moustiquaire, je l'ai aperçue, assise à la table de cuisine.

J'ai toqué.

— Tu m'entends, là ? a-t-elle demandé.

— Oui, madame. Je vous entends parfaitement.

— Qui parle ?

— Vous. Rosalia Sanchez.

— C'est bon, entre, Odd Thomas.

Sa cuisine fleurait bon les épices, les tacos de maïs, les œufs et le fromage. Je ne me débrouille pas mal derrière les fourneaux, mais Rosalia Sanchez, elle, est un véritable maître queux.

Tout, dans sa cuisine, est ancien, patiné, mais d'une propreté irréprochable. Les vieilles choses sont plus précieuses encore quand l'usage y a déposé son lustre. La cuisine de Mrs. Sanchez est belle comme un salon d'antiquaire, enluminée par des années de bon ouvrage ; on y sent le plaisir et l'amour du travail bien fait.

Je me suis installé en face d'elle.

Ses mains étaient serrées autour de sa tasse à café, pour les empêcher de trembler.

— Tu es en retard, ce matin, Odd Thomas.

Elle m'appelait toujours par mon nom entier. Peut-être imaginait-elle que « Odd » n'était pas un prénom, mais une sorte de titre, comme Prince ou Duc, et que le protocole exigeait que les roturiers l'emploient à mon adresse ?

J'étais sans doute le fils d'un roi détrôné, réduit à la pauvreté par quelque revers du sort, mais je méritais néanmoins tout le respect dû à mon sang.

— Oui, je suis en retard, ai-je répondu. J'ai eu une matinée mouvementée.

Elle ne savait rien de mon commerce avec les morts. La pauvre Mrs. Sanchez avait assez de soucis comme ça ; inutile de lui dire que des revenants venaient en pèlerinage dans son garage.

— Tu peux voir ce que je porte ? a-t-elle demandé, avec un chevrotement d'inquiétude dans la voix.

— Un pantalon beige, un chemisier marron et jaune.

Par malice, elle a ajouté :

— Et la barrette dans mes cheveux, en forme de papillon, tu la trouves jolie, Odd Thomas ?

— Il n'y a pas de barrette. C'est un ruban jaune qui retient vos cheveux. Et c'est très joli comme ça.

Plus jeune, Rosalia Sanchez avait dû être d'une beauté saisissante. À soixante-trois ans, avec un peu d'embonpoint, et les rides de l'âge et de l'expérience, elle avait acquis la beauté d'une sainte – on lisait, sur son visage, cette humilité et cette tendresse particulière que le temps enseigne, cette lumière intérieure, paisible, faite d'amour et d'attention qui doit auréoler toutes les canonisées durant leurs dernières années terrestres.

— En ne te voyant pas venir, j'ai cru que tu étais ici dans la cuisine mais que tu ne pouvais me voir. Et que, moi non plus je ne pouvais te voir… parce que j'étais devenue invisible, parce que c'est comme ça quand on disparaît, on devient invisible l'un pour l'autre…

— J'étais juste en retard, l'ai-je rassurée.

— Ce serait terrible d'être invisible.

— Oui, mais, au moins, je n'aurais plus besoin de me raser tous les jours…

Ma remarque est tombée à l'eau ; Rosalia Sanchez n'avait aucun humour quand il s'agissait d'invisibilité. Son visage s'est creusé en un masque de désapprobation.

— Jusqu'à maintenant, j'étais persuadée qu'une fois invisible, je pourrais encore distinguer les autres gens... que ce serait seulement eux qui ne pourraient ni me voir ni m'entendre.

— Dans les vieux films de *L'Homme invisible*, on voit son haleine quand il est dehors et qu'il fait froid.

— Mais si les autres deviennent invisibles quand je suis invisible, a-t-elle insisté, c'est comme si j'étais toute seule sur terre, rien que le vide et le silence tout autour, juste moi, sans personne à qui parler.

Elle a eu un frisson. Maintenue entre ses mains crispées, sa tasse de café a tremblé sur la table.

Lorsque Mrs. Sanchez parlait de l'invisibilité, elle parlait, en fait, de la mort, mais je ne sais pas si elle s'en rendait compte.

La toute première année du nouveau millénaire, 2001, certes, n'avait été guère heureuse pour le monde en général, mais pour Rosalia Sanchez, elle avait été tragique : tout d'abord il y avait eu le décès de son mari, Herman, en avril. Elle s'était couchée un soir à côté de l'homme avec qui elle vivait depuis plus de quarante ans, et s'était réveillée, au matin, à côté d'un cadavre froid. Pour Herman, la mort avait été aussi douce que possible, la Grande Dame était venue le faucher pendant son sommeil, mais pour Rosalia, le choc de se réveiller au matin à côté d'un mort avait été traumatisant.

Plus tard, la même année, encore en deuil de son mari, elle n'avait pas accompagné ses trois sœurs et leurs familles pour un voyage prévu de longue date en Nouvelle-Angleterre. Le matin du 11 septembre, elle avait appris par les infos que leur avion avait été détourné par des pirates de l'air et utilisé comme missile dans l'un des attentats les plus meurtriers de l'Histoire.

Rosalia voulait des enfants, mais Dieu ne lui en avait pas donné. Herman, ses sœurs, ses nièces, ses neveux, étaient le centre de sa vie. Et ils étaient tous partis pendant qu'elle dormait.

Entre septembre et Noël de cette même année, la raison de Rosalia, à cause du chagrin, avait flanché. Mais rien d'ostentatoire, car elle avait toujours été une personne discrète et mesurée en tout.

Dans sa douce folie, elle refusait de reconnaître que ses proches étaient morts. Ils étaient simplement devenus invisibles. La nature, d'humeur facétieuse, avait activé un phénomène ancien, un phénomène qui pouvait s'inverser à tout moment, comme l'orientation du champ magnétique, et alors tous ces êtres aimés lui réapparaîtraient...

Rosalia savait tout des disparitions d'avions et de bateaux dans le triangle des Bermudes. Elle avait lu tous les livres sur le sujet.

Elle était même au courant de la disparition soudaine, en l'espace d'une nuit, de centaines de milliers de Mayas dans les villes de Copán, Piedras Negras et Palenque, en 610 après J.-C.

Si vous aviez le malheur de vous laisser entraîner sur ce terrain, Rosalia se lançait dans l'inventaire exhaustif de toutes les grandes disparitions de l'Histoire. C'est ainsi que j'en savais long (en tout cas bien plus que je ne l'aurais voulu) sur l'évaporation pure et simple d'une armée de trois mille soldats chinois dans la région de Nanjing, en 1939.

— En tout cas, Mrs. Sanchez, je vous vois parfaitement ce matin. Une nouvelle journée de visibilité totale vous attend, vous voilà tranquille.

La grande terreur de Rosalia, c'était de devoir disparaître le jour même où lui reviendraient les siens.

Même si elle souhaitait de tout cœur les voir réapparaître, elle redoutait la seconde part du marché.

Elle s'est signée, a contemplé sa cuisine cosy, puis, enfin, a esquissé un sourire.

— Je pourrais faire cuire un gâteau ou autre chose ?

— Tout ce que vous voulez... Il n'y a pas meilleure cuisinière que vous.

— Qu'est-ce qui te ferait plaisir, Odd Thomas ?

— Faites-moi la surprise. (J'ai consulté ma montre.) Il faut que j'aille travailler.

Elle m'a raccompagné à la porte et m'a serré dans ses bras pour me dire au revoir.

— Tu es un bon garçon, Odd Thomas.

— Vous me rappelez ma grand-mère, mamie Sugars, sauf que vous ne jouez pas au poker, que vous ne buvez pas de whisky et que vous ne conduisez pas à tombeau ouvert.

— C'est gentil. Tu sais, j'aimais beaucoup Pearl Sugars. Elle était très féminine mais aussi très...

— Bagarreuse ?

— Oui, c'est ça. Une fois, à la fête paroissiale, il y avait un type qui mettait le bazar, ivre ou drogué, je ne sais pas. Pearl l'a mis KO en deux coups de poing.

— Elle avait un crochet gauche redoutable...

— Bien sûr, elle lui avait d'abord mis un coup de pied là où il faut. Mais je crois qu'elle l'aurait quand même eu, rien qu'avec les poings... j'aurais tellement aimé être comme elle.

J'ai salué Mrs. Sanchez et me suis rendu au Pico Mundo Grille, situé cinq cents mètres plus loin, en plein centre-ville.

À chaque minute qui passait, la chaleur montait d'un cran. Les dieux du Mojave ignorent le mot « modération ».

Les ombres rapetissaient à vue d'œil, fuyant les pelouses chaudes, le bitume des rues et des trottoirs où l'on aurait pu déjà faire cuire un œuf aussi facilement que sur le gril de mes fourneaux.

L'air était immobile, écrasé par la fournaise. Les arbres, suffocants, ployaient leurs branches. Les oiseaux soit se réfugiaient sous le couvert des feuilles, soit volaient très haut, là où l'air était moins étouffant.

Dans cette immobilité d'airain, durant mon trajet à pied jusqu'au Grille, j'ai vu trois ombres bouger – toutes trois étrangères à une quelconque source de lumière, car en vérité ce n'étaient pas des ombres ordinaires.

Quand j'étais petit, je les appelais des ombres. Mais c'était juste une autre façon de dire « fantômes », sauf que ce ne sont pas des fantômes comme Penny Kallisto. Pas du tout.

Je ne pense pas que ces fantômes-là aient séjourné ici-bas sous une forme humaine ou sous quelque apparence que ce soit. Ils viennent d'un autre monde, un monde de ténèbres éternelles.

Leur forme est mouvante, comme un liquide. Ils n'ont pas plus de substance qu'une ombre. Leurs mouvements sont silencieux, leurs intentions, quoique mystérieuses, ne sont pas innocentes.

Souvent, ils marchent à quatre pattes comme des chats, mais des chats grands comme des hommes. Parfois, ils se déplacent debout, des créatures de cauchemar, mi-hommes, mi-chiens.

Je ne les vois pas fréquemment. Quand ils apparaissent, c'est de mauvais augure, signe qu'un malheur arrive, plus grand et plus sombre que de coutume.

Ce ne sont plus des ombres pour moi, à présent. Je les appelle des *bodachs*.

J'ai entendu, pour la première fois, prononcer ce mot par un petit Anglais de six ans, en visite avec sa famille à Pico Mundo, pour désigner une harde d'entre eux rôdant dans le crépuscule. Selon la légende, un bodach est une petite créature malfaisante des îles Britanniques, qui descend dans les cheminées pour emporter les enfants qui ont fait des bêtises.

Je ne crois pas que ces êtres soient réellement des bodachs. Et le garçonnet ne le croyait pas plus. Ce nom lui est venu à l'esprit, faute d'en avoir un plus approprié. Je n'ai pas trouvé mieux.

Ce garçon est la seule personne que j'ai rencontrée qui avait le même don que moi. Quelques instants après avoir prononcé le mot *bodach*, il s'est retrouvé écrasé entre un camion et un mur.

Lorsque je suis arrivé au Grille, les trois bodachs étaient devenus une meute. Ils couraient loin devant moi et se sont volatilisés à l'angle d'une maison, comme s'ils n'avaient été qu'un mirage de chaleur, une simple illusion optique née dans l'air surchauffé du désert.

Mais autant croire au père Noël.

Certains jours, j'ai bien du mal à me concentrer sur mon travail en cuisine. Ce matin, j'allais devoir déployer des prodiges d'efforts pour que mes omelettes, mes frites, mes hamburgers, mon bacon grillé soient conformes à ma réputation.

5.

— Une grande baveuse, un Porky assis croquettes et deux doubles cholestérol! a lancé Helen Arches.

Elle a épinglé la commande au rail, a attrapé un pot de café frais et est partie remplir les tasses des clients.

Helen était une serveuse exemplaire depuis l'âge de dix-huit ans, soit quarante-deux ans de métier. Après tant d'années de service, ses chevilles étaient devenues toutes raides et ses pieds plats comme des planches à pain; quand elle se déplaçait, ses chaussures claquaient au sol à chaque pas.

Ce petit *tap-tap-tap* faisait partie de la musique immémoriale du Grille, comme le grésillement de l'huile dans les poêles, le cliquetis des spatules, et le tintement des assiettes. Les clients et les employés, par leurs conversations, se chargeaient d'apporter les paroles à cette mélodie.

C'était le coup de feu, ce mardi. Toutes les banquettes étaient prises ainsi que les deux tiers des tabourets au comptoir.

Et j'aime ça. Le gril des commandes express est le centre névralgique du restaurant, ouvert sur la salle, et j'ai mon public de fans à l'instar d'un acteur sur les scènes de Broadway.

Être au gril quand il n'y a personne dans la salle, c'est être le chef d'un orchestre philharmonique et n'avoir pas de musiciens ou de public. On est là, derrière son pupitre, vêtu d'un tablier blanc au lieu de la queue-de-pie, spatule à la main à la place de la baguette, brûlant de faire retentir non pas la musique des sphères mais celle des pilons de poulets.

Cuire un œuf est un art tout aussi divin. S'il fallait choisir entre Beethoven et deux œufs sur le plat, un homme affamé choisira invariablement les œufs – ou du poulet plus roboratif – et aura l'âme tout aussi ragaillardie qu'avec un requiem, une rhapsodie ou une sonate.

Tout le monde peut casser une coquille au-dessus d'une poêle ou d'un caquelon, mais peu savent faire comme moi une omelette aussi parfumée, des œufs brouillés aussi onctueux et des croquettes aussi *croquantes*.

Ce n'est pas de la vantardise. C'est la réalité. Voyez dans ces paroles la simple fierté du travail bien fait, et non quelque arrogance ou vanité.

Aucune fée cordon bleu ne s'est penchée sur mon berceau. J'ai appris mon art sur le tas, à force de travail et d'entraînement, sous la houlette de Terri Stambaugh, la patronne du Pico Mundo Grille.

Quand personne ne croyait en moi et que tous me tournaient le dos, Terri m'a donné ma chance. Je veux payer ma dette envers elle par des cheeseburgers exemplaires et des pancakes si légers qu'ils paraissent léviter dans l'assiette.

Terri n'est pas seulement ma patronne, mais mon mentor ès cuisine, ma mère de substitution et mon amie.

En outre, elle est un puits de savoir pour tout ce qui concerne Elvis Presley. Citez n'importe quel jour dans la vie du King, Terri vous dira où il était et ce qu'il faisait.

Quant à moi, je suis incollable sur ses activités depuis le jour de sa mort...

Sans relire la commande d'Helen sur le rail, j'ajoutai un troisième œuf aux deux conventionnels pour faire une « *grande* baveuse » et les brouillai énergiquement. « Un Porky assis » signifie une tranche de jambon – le cochon s'asseyant sur ses membres postérieurs (ses jambons) – de même qu'un « Porky couché » désigne du bacon, puisque le cochon se couche sur le ventre et que c'est à cet endroit que l'on découpe cette viande.

Les « doubles cholestérol » sont des toasts grillés avec un supplément beurre.

Et des « croquettes » n'indiquent rien d'autre que des croquettes de pomme de terre. Oui, le monde des cuisines accepte, de temps en temps, un terme du langage usuel ; il accepte bien un cuistot qui a le don de voir les morts !

Mais ce mardi, aucun mort dans la salle du Pico Mundo Grille. Ils sont faciles à repérer puique ce sont les seuls qui ne mangent pas.

À la fin du rush du matin, le chef Wyatt Porter est passé et s'est installé tout seul dans une alcôve.

Comme d'habitude, il a avalé un comprimé de Pepcid avec un verre de lait écrémé avant d'attaquer ses œufs et la « pelletée » de frites à laquelle il faisait allusion plus tôt. Il avait le teint brouillé et cendreux.

Il m'a lancé un faible sourire et un petit salut de la tête. J'ai levé ma spatule en guise de réponse.

Même si, en dernier ressort, j'étais prêt à me lancer dans la vente de pneus, jamais je n'avais envisagé me reconvertir dans la police. C'était un travail trop violent pour l'estomac, et bien trop ingrat.

De plus, j'avais une peur bleue des armes à feu.

La moitié des banquettes étaient libres et il n'y avait plus que deux clients au comptoir lorsqu'un bodach est entré dans la salle.

Apparemment les bodachs sont incapables de traverser les murs comme Penny Kallisto et les autres morts. En revanche, ils peuvent se faufiler dans les crevasses, les fentes et le moindre trou de serrure.

Celui-là était passé par l'interstice entre la porte vitrée et le chambranle métallique, tel un ruban de fumée noire, sans plus de substance qu'un nuage d'encre.

Se déplaçant dressé sur ses membres postérieurs, et non à quatre pattes, ce client indésirable s'est dirigé vers le fond de la salle, visible uniquement de moi – un fluide en mouvement, une forme sans trait défini, mais qui évoquait une chose hybride entre l'homme et le chien.

La créature a observé un à un les clients, en progressant dans l'allée entre les banquettes et les tabourets du bar, marquant parfois un temps d'arrêt devant certaines personnes, comme si celles-ci revêtaient un intérêt particulier pour lui. Même si on ne discernait pas réellement de visage, la partie supérieure de la silhouette évoquait la forme d'une tête, pourvue d'un museau canin.

Finalement, le bodach est revenu sur ses pas et s'est installé au comptoir, côté client, me regardant, de sa face sans yeux, travailler derrière mon gril – m'épiant.

Pour ne pas lui montrer que j'avais remarqué sa présence, j'ai focalisé mon attention sur mes fourneaux bien plus que nécessaire, puisque le coup de feu était passé depuis longtemps. De temps en temps, pour paraître naturel, je relevais la tête pour regarder les clients (mais jamais le bodach), ou pour observer Helen vaquant à ses occupations de ses *tap-tap-tap*, ou encore l'autre serveuse (la douce et ronde Bertie Orbic), ou bien je faisais mine de contempler le paysage derrière les baies vitrées : la rue chauffée à blanc, les jacarandas trop graciles pour apporter de l'ombre, les serpents de chaleur montant du macadam, charmés non par le son d'une flûte mais par les ondes silencieuses du soleil.

Comme cela arrive souvent, le bodach épiait tous mes faits et gestes. J'ignore pourquoi je suscite chez eux un tel intérêt.

Je ne pense pas qu'ils se rendent compte que je les vois. S'ils le savaient, je serais en grand danger.

Les bodachs n'ayant pas de réelle consistance, je ne sais pas comment ils pourraient me porter atteinte, mais je ne suis pas pressé de l'apprendre.

Le spécimen ici présent, qui semblait passionné par les arcanes de la cuisson au gril, a soudain perdu tout intérêt pour ma personne quand un client d'un genre un peu spécial a fait son entrée.

Malgré le feu du désert qui grillait tous les habitant de Pico Mundo, le nouveau venu était blanc comme du pain de mie. Sur son crâne, une moquette de petits cheveux jaune sale, plus serrée qu'un tapis de moisissure.

L'inconnu s'est installé au comptoir, pas très loin de mes fourneaux, et s'est mis à faire tourner son tabouret, de droite à gauche, comme un enfant ne tenant pas en place. Il regardait le gril, les mixeurs à milk-shake, les distributeurs de soda, avec un sourire vague, mi béat, mi amusé.

Le bodach, ignorant désormais totalement ma personne, observait avec attention le nouveau venu. Si c'était bien une tête que je voyais là, cette créature de fumée noire la penchait de droite à gauche, comme pour examiner cet homme souriant sous toutes les coutures. Et si l'extrémité de cette tête était bien un museau, alors il reniflait l'inconnu avec une avidité de loup.

Derrière le comptoir, Bertie Orbic a accueilli le nouveau client :

— Qu'est-ce que je te sers, chéri ?

Tâchant de parler et de sourire tout à la fois, l'homme a répondu si doucement que je n'ai pas entendu ce qu'il a dit. Bertie a paru surprise, puis elle a griffonné la commande dans son carnet.

Les yeux de l'homme, agrandis par les lunettes à monture métallique, me troublaient. Son regard gris acier glissait sur moi comme une ombre à la surface de l'eau, sans remarquer ma présence.

Son visage blême aux traits effacés me rappelait ces champignons blancs que j'avais vus une fois dans le recoin obscur d'une cave, et aussi ces vesses-de-loup agglutinées en chapelets blêmes et humides au pied des arbres.

Occupé à finir sa pelletée de frites, le chef Porter n'avait pas plus remarqué Mr. Champignon que le bodach inquisiteur. À l'évidence, son instinct de flic n'avait pas activé ses voyants d'alerte quand l'inconnu était entré.

Moi, en revanche, je trouvais l'homme champignon des plus inquiétants – en partie (mais en partie seulement) parce que le bodach s'intéressait de près à lui.

Même si je suis accoutumé, d'une certaine manière, à voir la mort de près, je n'ai pas de prémonitions – sauf, parfois, en rêve. Éveillé, je suis tout aussi sujet aux surprises que n'importe quel mortel. Je mourrai peut-être sous les balles d'un terroriste ou à cause d'un pot de fleurs tombant d'un balcon, mais jusqu'à ce que j'entende la détonation finale ou que mon crâne vole en éclats, je n'aurai pas vu le danger arriver.

C'est l'instinct, et non la raison, qui est à la source de mon malaise vis-à-vis de cet homme. Quelqu'un qui sourit comme ça est soit un benêt, soit un dissimulateur.

Ce regard gris paraît vague et lointain, mais je ne vois aucune stupidité en lui. J'y discerne, au contraire, une concentration d'airain, comme celle d'un serpent, immobile comme une pierre, juste avant d'attraper une souris.

Bertie a épinglé sur le rail sa commande :

— Deux vaches qui pleurent, avec litière complète et cochon dessus.

Soit deux hamburgers saignants, avec oignons, fromage et bacon.

De sa voix claire et cristalline, comme celle d'une fillette de dix ans de bonne famille, elle a poursuivi :

— Deux allumettes avec double séjour en Enfer.

Deux portions de frites bien cuites.

— Deux Anglais grillés, avec un Norvégien blanc sur la tête.

Deux muffins toastés, saumon fumé et crème fraîche.

Elle n'en avait pas terminé :

— Un fond de marmite ; et, à suivre, une assiette de péteurs d'Alabama avec zeppelins.

Autrement dit : un hachis de légumes et des haricots noirs saucisses.

— Je lance maintenant ou j'attends que ses potes soient là ?

— Lance ! C'est pour un. Cherche pas à comprendre, t'es trop maigre !

— Qu'est-ce qu'il veut en premier ?

— Il s'en fout. Tu choises.

Mr. Champignon regardait en souriant une salière qu'il faisait tourner sur le zinc, abîmé dans la contemplation des cristaux blancs qui se trouvaient à l'intérieur.

Le type n'était pas une armoire à glace et n'aurait pu servir d'icône à un club de body-building, mais il n'était pas gros non plus, juste un peu enveloppé – rond comme un champignon. Si tous ses repas étaient aussi caloriques, il devait avoir le métabolisme d'un Taz sous amphétamines !

J'ai commencé par les muffins, pendant que Bertie préparait un milk-shake au chocolat et un Coca à la vanille. Notre grand mangeur était aussi une outre assoiffée.

Au moment où j'attaquais les haricots saucisses, un deuxième bodach a fait son apparition. Les deux créatures se sont mises alors à arpenter la salle avec nervosité, à droite, à gauche, ici et là, revenant régulièrement auprès de notre client affamé, qui mangeait en souriant, insensible à leur va-et-vient.

Sitôt que les cheeseburgers au bacon, avec les frites, ont été prêts, j'ai tapé sur la sonnette pour avertir Bertie. Elle lui a servi le plat tout de suite, bien chaud, en posant, comme à son habitude, l'assiette sur le comptoir d'un geste adroit, sans que résonne le moindre tintement de faïence.

Trois autres bodachs se pressaient derrière les fenêtres, des ombres persistantes, occultant les rayons du soleil; ils nous regardaient comme si nous étions des animaux de foire.

Il se passait parfois des mois sans que je ne voie un seul bodach... La meute que j'avais aperçue plus tôt, et cet attroupement, maintenant, derrière les vitres, laissaient présager de sinistres temps pour Pico Mundo.

Les bodachs sont indissociablement liés à la mort, comme les abeilles aux fleurs; ils semblent en boire le nectar.

Un décès ordinaire, cependant, n'attire pas un bodach, et encore moins un détachement entier. Je n'ai jamais vu l'une de ces créatures rôder dans les couloirs d'un service de cancérologie, ni autour d'une personne sur le point d'avoir un infarctus fatal.

C'est la violence qui les attire. La violence et l'horreur. Ils ont un sixième sens pour ça. Ils se rassemblent comme des touristes attendant l'éruption imminente d'un geyser.

Je n'en ai pas vu tourner autour de Harlo Landerson ces derniers jours, avant le meurtre de Penny Kallisto. Et je suis quasiment certain qu'il n'y en avait pas un seul lorsqu'il l'a violée et étranglée.

Pour Penny, la mort a été terrible et terrifiante; personne ne voudrait connaître une fin terrestre aussi tragique, que l'on croie ou non en la vie éternelle au paradis. Pour les bodachs, toutefois, un simple viol avec strangulation ne suffit pas à les faire sortir de leur repaire mystérieux.

Ce qu'ils aiment, c'est l'horreur méticuleuse, orchestrée. La violence qu'ils goûtent doit être d'un raffinement extrême : des morts multiples et prématurées, servies avec une farandole de terreurs, sur un coulis épais de cruauté.

Lorsque j'avais neuf ans, Gary Tolliver, un jeune toxicomane, avait drogué toute sa famille – le petit frère, la sœur, le père et la mère – en trafiquant la marmite de soupe du soir. Il les avait ligotés pendant leur sommeil, puis avait attendu qu'ils se réveillent. Alors, il les avait torturés pendant une semaine entière avant de les achever avec une perceuse électrique.

Durant les jours qui avaient précédé ces atrocités, j'ai croisé à deux reprises le chemin de Tolliver. La première fois, il était suivi par trois bodachs. La seconde fois, ils étaient quatorze.

Je suis sûr que ces êtres d'ombre rôdaient dans la maison de Tolliver durant cette semaine sanglante, invisibles pour les victimes comme pour leur tortionnaire. Ils passaient en catimini de chambre en chambre. Épiant. Faisant bombance.

Deux ans plus tard, une camionnette, conduite par un type ivre, avait percuté les pompes d'une station essence sur Green Moon Road. L'explosion et l'incendie avaient tué sept personnes. Ce matin-là, j'avais vu une dizaine de bodachs traîner dans les parages, comme des morceaux de nuit s'attardant dans le soleil levant.

Les grands fléaux aussi les attirent. Je les ai vus arpenter les décombres de la crèche Buena Vista après le tremblement de terre meurtrier, il y a un an et demi ; et ils sont restés là jusqu'à ce que le dernier survivant ait été sorti des gravats.

Si j'étais passé devant la crèche avant le séisme, je les aurais sûrement vus s'y rassembler. J'aurais pu alors sauver quelques vies…

Quand j'étais enfant, je pensais que ces ombres étaient des esprits malfaisants qui contaminaient l'âme des gens dont ils s'approchaient. Mais je sais, depuis, que les humains n'ont nul besoin d'agents extérieurs pour les inciter à verser dans la barbarie; des gens sont mauvais par essence, et leurs cornes de bouc ont poussé vers l'intérieur pour plus de discrétion.

Aujourd'hui, je doute que les bodachs convoquent l'horreur; je crois plutôt qu'ils s'en nourrissent. Ce sont des sortes de vampires psychiques, semblables (mais en plus effrayants) à ces présentateurs télé qui invitent sur leur plateau des gens malades et perturbés et qui les encouragent à dévoiler, devant nous, leurs âmes torturées.

Environné dorénavant par une garde rapprochée de quatre bodachs, et épié par une dizaine d'autres massés derrière les fenêtres, Mr. Champignon a terminé son repas en vidant son milk-shake et son Coca vanille. Il a laissé un bon pourboire pour Bertie, payé la note, avant de sortir du restaurant accompagné par son escorte d'ombres.

Je l'ai regardé traverser la rue, dans les rais de lumière et les mouvements de convexion de l'air montant du macadam. J'avais du mal à compter les bodachs qui grouillaient autour de lui, mais j'étais prêt à parier un mois de salaire qu'ils avaient dépassé la vingtaine.

6.

Terri Stambaugh a le regard perçant d'un ange, même si ses yeux ne sont ni d'un bleu céleste ni d'un or divin. Elle voit à travers nous, jusqu'au tréfonds de notre cœur, et nous offre quand même son amour, malgré nos failles et nos faiblesses qui ont précipité notre bannissement du jardin d'Éden.

Elle a quarante et un ans ; techniquement, elle pourrait donc être ma mère. Mais elle n'est pas assez « excentrique » pour rivaliser avec ma vraie mère. À côté d'elle, Terri est un monument de conformisme.

Terri a hérité du Grille et a poursuivi valeureusement l'œuvre de ses parents. C'est une patronne honnête qui ne ménage pas sa peine.

Sa passion pour le King et l'univers elvisien est sa seule faiblesse.

Comme je sais qu'elle adore qu'on mette à l'épreuve ses connaissances en la matière, j'ai lancé :

— 1963 ?

— Ok.

— Le mois de mai.

— Quel jour ?

J'en ai choisi un au hasard.

— Le 29.

— C'était un mercredi, a précisé Terri.

Le rush du midi était passé. Ma journée de travail s'arrêtait à deux heures de l'après-midi. On était installés dans un box au fond de la salle, en attendant que Viola Peabody, la serveuse de la deuxième équipe, nous apporte le déjeuner.

Au gril, Poke Barnet m'avait remplacé. De trente ans mon aîné, sec comme un coup de trique, Poke avait un visage brûlé par l'air du Mojave et les yeux azur de Clint Eastwood dans *Pour une poignée de dollars*. Il était aussi bavard qu'un lézard se dorant au soleil, et aussi ouvert qu'un cactus.

Si Poke avait connu, dans une vie antérieure, la conquête de l'Ouest, il devait avoir été une sorte de Lucky Luke taciturne, voire l'un des Dalton, mais sûrement pas le cuistot d'un convoi de pionniers. Et pourtant, il était un dieu des fourneaux.

— Mercredi 29 mai 1963, a repris Terri, Priscilla est sortie du lycée de l'Immaculée Conception de Memphis.

— Priscilla Presley ?

— Elle s'appelait alors Priscilla Beaulieu. Pendant la remise des diplômes, Elvis l'attendait dans sa voiture garée devant l'école.

— Il n'était pas invité ?

— Bien sûr que si. Mais sa présence à la cérémonie aurait provoqué une émeute.

— Quand se sont-ils mariés ?

— Question pour débutant ! Le 1er mai 67, en début d'après-midi, dans une suite de l'hôtel Aladdin, à Las Vegas.

Terri avait quinze ans à la mort d'Elvis. Le King ne faisait plus chavirer les cœurs à cette époque. Il était devenu une parodie bouffie de lui-même, affublé de combinaisons brodées tout en strass et en paillettes, des tenues seyant davantage à un Liberace qu'au chanteur à la voix chaude et au déhanchement suggestif qui avait été numéro un des ventes en 1956 avec son premier morceau, *Heartbreak Hotel*.

Terri n'était pas même née en 1956. Sa passion pour le King était apparue seize ans après sa mort.

Les raisons de cette fascination lui restent en partie mystérieuses. La théorie de Terri, c'est qu'au début de la carrière de Presley, le rock n' roll était encore innocent et apolitique, donc plein d'enthousiasme, d'espoirs, et, de fait, touchait droit au cœur. Alors qu'à la mort du King, les chansons étaient devenues, sans même que leurs auteurs ne s'en rendent compte d'ailleurs, des odes noires et fascistes ; et c'est encore le cas aujourd'hui.

À mon avis, si Terri voue un culte à Elvis, c'est pour d'autres raisons; entre autres, je pense qu'inconsciemment, elle sait qu'il est parmi nous; car Elvis Presley est ici, à Pico Mundo – depuis mon enfance, il est en ville, peut-être même s'y est-il installé dès sa mort. J'ai révélé ce fait à Terri, il y a seulement un an. Terri a sans doute des dons enfouis de médium, elle perçoit la présence de son esprit depuis des années et c'est ce qui nourrit son intérêt pour ce chanteur.

J'ignore pourquoi le King du rock n' roll n'a pas emménagé sur l'Autre Rive et continue, depuis des décennies, de hanter notre monde. Buddy Holly, par exemple, ne traîne pas ses guêtres par chez nous; il est parti avec Dame la mort bien gentiment.

À en croire Terri, qui sait tout des quarante-deux ans de présence du King dans le monde des vivants, il n'a jamais mis les pieds dans notre ville. Dans toute la littérature sur le paranormal, jamais on ne mentionne le cas de fantômes ayant élu domicile si loin de leur terre natale.

Nous nous interrogions, une nouvelle fois, sur ce mystère, lorsque Viola Peabody nous a apporté notre déjeuner. Viola est aussi noire que Bertie est ronde, et aussi menue qu'Helen a les pieds plats.

— Odd, tu veux bien lire en moi, m'a-t-elle demandé en déposant mon assiette.

Comme beaucoup de gens à Pico Mundo, elle croit que je suis une sorte de médium, ou un voyant, un thaumaturge, un prophète, un devin, enfin *quelque chose*! Seule une poignée de personnes sait que mon don, c'est de voir les âmes errantes. Tous les autres se font un portrait de moi sous le verre déformant de la rumeur et pour chacun, j'ai des talents différents.

— Je t'ai déjà dit, Viola, que je ne sais pas lire dans les lignes de la main, ni dans les bosses des crânes. Et les feuilles de thé ne sont pour moi que des déchets bons pour la poubelle.

— Alors lis sur mon visage... Regarde... tu vois à quoi j'ai rêvé cette nuit?

Viola était d'une nature joviale, même si son mari, Rafael, était parti avec une serveuse d'Arroyo City, et n'offrait donc plus de soutien moral ni financier à leurs deux enfants. Mais cette fois, Viola avait l'air vraiment inquiète.

— Lire sur les visages est bien la dernière chose que je sais faire.

Le visage du moindre être humain est pour moi plus énigmatique que la face de pierre du Sphinx.

— Je me suis vue dans mon rêve, a repris Viola, et mon visage était... tout cassé, en morceaux. J'étais morte, et j'avais un gros trou dans le front.

— Une façon pour ton subconscient de t'expliquer que tu n'avais plus toute ta tête quand tu as épousé Rafael !

— Odd, ce n'est pas drôle, m'a sermonné Terri.

— Cela signifie peut-être que quelqu'un va me tirer dessus ?

— Chérie, est intervenue Terri, quand as-tu vu l'un de tes rêves se réaliser ?

— Jamais, je crois.

— Alors pourquoi en serait-il autrement pour celui-là ?

— Mais je ne me suis jamais vue comme ça dans un rêve, de face...

Je comprenais la pauvre Viola... Même dans mes cauchemars qui, eux, parfois se réalisaient, je n'avais jamais vu mon visage.

— J'avais un trou dans le crâne, a-t-elle insisté. Et mon visage était... horrible, tout tordu.

Une balle de gros calibre, en perforant le front, pouvait engendrer une onde de choc suffisante pour déformer le crâne et modifier tous les traits du visage.

— Mon œil droit était injecté de sang et... à moitié sorti de l'orbite.

Dans nos rêves, nous ne sommes jamais des observateurs extérieurs, à l'inverse de ce que l'on nous montre au cinéma. Ces petits films internes se déroulent à la première personne, du point de vue subjectif du rêveur. Dans les cauchemars, on ne voit jamais ses propres yeux, sauf accidentellement en reflet dans un miroir... peut-être de peur d'y voir les monstres qui nous habitent.

Le visage de Viola, appétissant comme du chocolat au lait, était creusé par l'angoisse.

— Dis-moi la vérité, Odd. Est-ce que tu vois la mort en moi ?

Je n'allais certainement pas lui dire que la mort dort en chacun de nous jusqu'à ce que sonne notre dernière heure...

Je ne voyais, bien sûr, aucun détail de l'avenir de Viola, qu'il soit bon ou mauvais, mais l'arôme délicieux de mon cheeseburger me chatouillait les papilles. J'ai donc décidé qu'un pieu mensonge me permettrait de ne pas manger froid :

— Tu vivras une longue vie heureuse et tu mourras dans ton sommeil, très très vieille.

— Vrai de vrai ?

Je lui ai fait un gentil sourire, ne me sentant nullement honteux. D'abord, cela pouvait être vrai. Il n'y pas de mal à donner un peu d'espoir aux gens. En plus, je n'ai jamais demandé à jouer les oracles.

Viola est repartie vers la caisse, le cœur plus léger.

En prenant mon cheeseburger, j'ai dit à Terri :

— 23 octobre 1958.

— Elvis était à l'armée, a-t-elle répondu. (Elle a marqué une courte pause, le temps d'avaler une bouchée de son sandwich avant de poursuivre :) En Allemagne.

— C'est pas très précis.

— Le soir du 23, il est allé à Francfort pour assister à un concert de Billy Haley.

— Tu inventes peut-être.

— Tu sais bien que non. (J'ai entendu un cornichon craquer entre ses dents.) En coulisses, il a rencontré Haley et un rocker suédois appelé Little Gerhard.

— Little Gerhard ? Sans blague ?

— Un fan de Little Richard, peut-être ? Je n'en sais rien. Je n'ai jamais entendu une chanson de ce Little Gerhard... Tu crois que Viola va être tuée d'une balle dans la tête ?

— Aucune idée. (La viande du cheeseburger était tendre et juteuse, cuite à point, relevée d'une petite pincée de sel – juste comme il fallait – ; Poke, aux fourneaux, était un adversaire de taille.) Comme tu le dis, les rêves ne sont que des rêves.

— La vie est suffisamment dure comme ça pour elle. Elle n'a pas besoin de ça.

— Une balle dans la tête... Personne n'en a besoin.

— Tu veilleras sur elle ?

— Comment veux-tu que je fasse ?

— T'as qu'à diriger vers elle tes antennes psychiques. Tu pourras peut-être empêcher ça.

— Je n'ai pas d'antennes psychiques.

— Alors demande à tes amis les morts. Parfois, ils savent ce qui va arriver, non ?

— Ce sont rarement mes amis. Juste des connaissances. Et c'est eux qui décident de m'aider ou non.

— Si j'étais morte, moi, je t'aiderais.

— Tu es gentille. J'en viendrais presque à souhaiter ta mort (j'ai posé mon cheeseburger et me suis léché les doigts). Si quelqu'un à Pico Mundo risque de tirer sur les gens, c'est Mr. Champignon.

— Qui ça ?

— Il est venu au restaurant tout à l'heure. Il a mangé comme quatre. Il a tout dévoré, comme un cochon affamé.

— Voilà exactement le genre de client que j'aime ! Mais je ne l'ai pas vu.

— Tu étais en cuisine. Il avait un visage pâle, tout rond, les traits à peine marqués, comme s'il avait passé les dix dernières années à moisir dans la cave d'Hannibal Lecter.

— Il envoyait des ondes négatives ?

— Quand il est parti, il était entouré d'une escorte de bodachs.

Terri s'est raidie et a jeté un regard inquiet dans la salle.

— Il y en a encore ?

— Non. Le seul danger du moment, c'est la présence de Bob Sphincter.

Le véritable patronyme de ce vieux grippe-sou était Spinker, mais il méritait bien son surnom. Quel que soit le montant de sa note, il ne laissait que vingt-cinq cents de pourboire.

Bob Sphincter se croyait deux fois et demie plus généreux que John D. Rockfeller, puisque selon la légende le magnat du pétrole, même dans les restaurants les plus chics de Manhattan, ne laissait que dix cents.

Mais à l'époque de Rockfeller, du temps de la Grande Dépression, avec dix cents on s'offrait un journal *et* un repas complet dans un distributeur. Aujourd'hui, une pièce de vingt-cinq cents suffit à peine pour acheter le journal, et il n'y a plus que les sado-masochistes pour les lire, ou les éplorés au bord du suicide pour croire que l'on peut encore trouver l'amour dans les pages « courrier du cœur ».

— Peut-être que ton Mr. Champignon traversait simplement la ville et qu'il a repris l'autoroute sitôt son assiette terminée ?

— Je te parie qu'il est toujours dans le coin.

— Tu vas le surveiller ?

— Si je parviens à le retrouver.

— Tu veux ma voiture ?

— Oui, je te l'emprunterais bien une heure ou deux.

Je me rends au travail à pied. Pour les trajets plus longs, j'ai une bicyclette. Et dans les cas vraiment exceptionnels, j'utilise la voiture de Stormy Llewellyn ou celle de Terri.

Il y a tant de choses que je ne maîtrise pas dans mon existence... les morts et leurs requêtes sans fin, les bodachs, les rêves prémonitoires... que j'aurais sans doute déjà sombré dans sept folies (une pour chaque jour de la semaine) si je n'avais pas simplifié ma vie au maximum, dans tous les domaines où j'ai encore quelque influence. C'est une question de survie : pas de voiture, pas d'assurance-vie, le strict minimum en matière de vêtements (T-shirts, pantalons de toile, jeans), aucun voyage dans des endroits exotiques et pas, ou guère, d'ambition.

Terri a glissé vers moi les clés de sa voiture.

— Merci.

— Promets-moi juste une chose : ne prends pas de mort en stop. D'accord ?

— Les morts n'ont pas besoin de voiture pour se déplacer. Ils se matérialisent là où ils le veulent et quand ça leur chante. Ils voyagent par les airs, ils se télé-portent.

— Tout ce que je dis, c'est que si un mort monte dans ma voiture, je vais devoir passer la journée à frotter les sièges. Les morts me fichent les jetons.

— Et si c'est Elvis?

— Ce n'est pas la même chose. (Elle a terminé son cornichon.) Comment va Rosalia, ce matin?

— Elle est visible.

— Tant mieux.

7.

Le centre commercial de Green Moon se trouve sur Green Moon Road, entre le vieux Pico Mundo et ses faubourgs modernes à l'ouest. L'énorme construction, avec ses murs couleur sable, tente de reproduire l'austérité des maisons traditionnelles en adobe, comme si vivait là une famille d'Indiens géants mesurant quinze mètres de haut.

Malgré cette tentative environnementaliste louable mais totalement déplacée, les clients du centre commercial peuvent aller dépenser leur argent au Starbuck, ou chez Gap, Donna Karan ou Crate & Barrel aussi facilement que s'ils se trouvaient à Los Angeles, Chicago, New York ou Miami.

Dans un coin du parking, loin des boutiques, se dresse Pneus Univers, arborant une architecture plus ostentatoire.

Le bâtiment d'un étage est surmonté d'une tour, couronnée par un globe géant. Cette sphère terrestre, tournant lentement sur elle-même, semble symboliser le monde de paix et d'innocence avant l'arrivée du serpent dans l'Éden.

Comme Saturne, la planète est ceinte d'un anneau, fait non de glace et de débris de roches, mais d'un tore de caoutchouc. Un pneu qui tourne et oscille autour du globe.

Cinq plates-formes de montage garantissent au client un changement de pneus express. Les ouvriers portent des combinaisons immaculées. Ils sont aimables et ont le sourire facile. Ils semblent heureux.

On peut aussi acheter des batteries, et faire faire sa vidange. Mais les pneus restent l'âme de l'enseigne.

Le hall et la boutique fleurent bon le caoutchouc propre, avide de tâter du macadam.

Ce mardi après-midi, j'ai pu me promener dans les allées pendant dix ou quinze minutes sans être dérangé. Quelques employés m'ont dit bonjour, mais aucun n'a tenté de me vendre quoi que ce soit.

Je leur rends visite de temps en temps; ils savent que je suis intéressé par tout ce qui touche au monde du pneumatique.

Le patron de Pneus Univers est Joseph Mangione. C'est le père d'Anthony Mangione, un ami à moi du lycée.

Anthony est à UCLA. Il veut devenir médecin.

Mr. Mangione est fier que son fils soit docteur, mais il est tout autant déçu qu'il ne reprenne pas l'affaire paternelle. Il serait sans doute très heureux de m'embaucher et me traiterait comme son fils spirituel.

Ici, on fait du pneu pour les voitures, les 4×4, les camions et les motos. Il y a toutes sortes de tailles et de modèles. Mais une fois que l'on a bien le catalogue en tête, le travail est sans stress à Pneu Univers.

Mais je n'ai pas l'intention, ce mardi, de raccrocher mon tablier, même si le travail au Grille peut être très stressant quand la salle est pleine, que les commandes défilent en farandole endiablée sur le rail et que les ordres en jargon de cuisine fusent de toutes parts à vous en donner le tournis. Et quand vient s'ajouter à toute cette effervescence une délégation de morts avec chacun ses doléances, mon estomac n'est plus qu'un tison ardent... Je ne risque pas seulement de craquer nerveusement, je vais me faire un ulcère!

Les jours comme ça, le monde du pneumatique me paraît une retraite aussi paisible qu'un monastère de montagne.

Et pourtant, même le coin de paradis de Mr. Mangione est hanté. Un fantôme têtu habite la boutique.

Tom Jedd, un maçon du coin, apprécié et respecté de tous, est mort dix-huit mois plus tôt. Une sortie de route fatale sur Panorama Road; la voiture a traversé le parapet pourri, a dévalé le ravin et s'est abîmée dans les eaux du lac de Malo Suerte.

Trois pêcheurs se trouvaient dans un bateau à cinquante mètres de la berge lorsque Tom a sombré avec son PT Cruiser. Ils ont appelé la police de leur portable, mais les secours sont arrivés trop tard pour le sauver.

Le bras gauche de Tom avait été sectionné dans l'accident. Le médecin légiste du comté n'a pu dire si le malheureux était mort d'hémorragie ou de noyade.

Depuis lors, Tom traîne son cafard à Pneu Univers. Je ne sais pas pourquoi. Son accident n'est pourtant pas dû à un pneu défectueux...

Il avait bu un verre au Country Cousin, un bar sur la nationale. L'autopsie avait révélé un taux d'alcoolémie d'1,18 gramme, ce qui est bien supérieur à la limite légale autorisée. Soit il a perdu le contrôle de son véhicule sous l'effet de l'alcool, soit il s'est endormi au volant.

Chaque fois que j'arpente les allées de la boutique, en songeant à une éventuelle reconversion dans le pneumatique, Tom, sachant que je le vois, me fait un petit salut de la tête. Une fois, même, il m'a lancé un clin d'œil d'un air de conspirateur.

Mais Tom n'a jamais tenté d'entrer en communication avec moi. Je ne sais rien de ses raisons, ni de ses projets. C'est un fantôme réservé.

Certains jours, je regrette que tous les autres ne soient pas comme lui.

Quand il est mort, Tom portait une chemise hawaïenne, un short vert et des tennis blanches. Il arbore la même tenue à Pneus Univers. Parfois, les vêtements paraissent secs, parfois trempés, comme si Tom sortait tout juste du lac. Souvent, il a ses deux bras, parfois un seul.

L'aspect sous lequel les morts se manifestent en dit long sur leur état d'esprit. Quand il est sec, Tom Jedd semble résigné sur sa condition, à défaut de l'accepter avec sérénité. Mais quand il dégouline d'eau, c'est qu'il est en colère ou déprimé.

Aujourd'hui, c'était la version sèche. Ses cheveux étaient peignés et il avait l'air détendu.

Tom avait ses deux bras, mais le gauche n'était pas attaché à son épaule. Il le tenait dans sa main droite, avec désinvolture, comme un vulgaire club de golf, le biceps faisant office de poignée.

Mais il n'y avait rien de gore dans cette mise. Par chance, je n'avais jamais vu Tom dégoulinant de sang... peut-être avait-il l'estomac délicat ou bien voulait-il signifier qu'il n'était pas mort par hémorragie.

À deux reprises, sachant que je le regardais, il s'est servi de son bras sectionné pour se gratter le dos, profitant des doigts raides du membre pour soulager une démangeaison entre les omoplates.

D'ordinaire, les fantômes sont des êtres sérieux et se comportent avec une grande solennité. Ils appartiennent à l'Autre Monde, mais, pour des raisons diverses, ils sont coincés ici et ils n'ont qu'une envie, rompre leurs chaînes au plus vite.

De temps en temps, toutefois, certains esprits conservent leur sens de l'humour. Par malice, Tom s'est même amusé à se curer le nez avec l'index de son bras amputé.

Mais je préfère les fantômes tristes. Quand un revenant cherche à me faire rire ça me déprime plutôt... peut-être parce qu'il est pathétique de voir que, même dans l'au-delà, on a encore tant besoin d'être aimé et que, pour ce faire, on ne recule pas plus devant le ridicule que de son vivant.

Si Tom Jedd avait été d'humeur moins badine, je serais resté plus longtemps à Pneus Univers. Mais ses facéties me dérangeaient, comme ses clins d'œil complices.

Derrière la vitrine, Tom m'a regardé m'éloigner vers la Mustang de Terri, en agitant son membre sectionné pour me dire au revoir.

J'ai traversé l'asphalte surchauffé du parking et me suis garé près de l'entrée du centre commercial, où des ouvriers installaient une banderole annonçant la grande braderie de l'été qui aurait lieu de mercredi à dimanche.

Il n'y avait pas grand monde dans les boutiques de cette Mecque du commerce, mais il y avait foule pour les glaces chez Burke & Bailey.

Stormy Llewellyn travaillait chez B&B depuis ses seize printemps. À vingt ans, elle était la directrice du magasin. Son objectif : avoir sa propre boutique pour ses vingt-quatre ans.

Si elle avait suivi un entraînement à la NASA après le lycée, elle aurait ouvert une buvette sur la Lune.

Ce n'était pas de l'ambition, selon elle… c'était juste pour chasser l'ennui, entretenir l'excitation. Pour ce dernier point, je lui ai souvent proposé mes services.

Mais il s'agissait d'excitation *mentale*.

Je lui ai fait remarquer que, malgré les apparences, j'avais aussi un cerveau.

Mais, paraît-il, il n'y avait rien de mental dans mon regard lubrique… quant à ce qu'il y avait au juste à l'intérieur de ma grosse tête, cela restait sujet à discussion.

— Pourquoi crois-tu que je t'appelle « nounours » de temps en temps ?

— Parce que je suis mignon ?

— Parce que la tête d'un nounours est remplie de paille.

Notre vie est un long sketch d'Abbott et Costello, en version moderne. Parfois elle est Rocky, l'écureuil malin, et je suis Bullwinkle, l'élan crétin.

Je me suis approché du comptoir.

— Je voudrais quelque chose de chaud et de bon.

— On fait uniquement dans le froid chez Burke & Bailey. Va m'attendre dehors et sois sage. Je vais t'apporter quelque chose.

Malgré l'affluence, il restait quelques tables libres dans la salle. Mais Stormy n'aimait pas bavarder sur son lieu de travail. Elle exerçait une certaine fascination chez plusieurs de ses collègues et elle ne voulait pas leur donner l'occasion de cancaner à son sujet.

Comme je les comprends. Pour moi aussi, Stormy est un sujet de fascination perpétuel.

Je suis donc sorti de la boutique et j'ai patienté dans la grande galerie.

Commerce et cinéma sont des frères siamois aux États-Unis. Les films sont des supports publicitaires et les centres commerciaux sont conçus et mis en scène comme des superproductions hollywoodiennes. Au fond de la galerie marchande, une cascade de quinze mètres de haut dévalait une falaise de stuc. De la cataracte, naissait un torrent qui traversait tout le bâtiment en une succession décroissante de ressauts.

Si au sortir d'un accès de fièvre acheteuse, on se découvrait ruiné, on pouvait toujours se jeter dans ce faux torrent et en finir avec les vicissitudes de l'existence.

Devant le Burke & Bailey, le torrent se perdait dans une mare équatoriale, bordée de palmiers et de fougères arborescentes. Les paysagistes avaient poussé le réalisme de cette réplique miniature jusqu'au moindre détail. Des chants d'oiseaux enregistrés étaient même diffusés par des haut-parleurs dissimulés dans la canopée.

À l'exception des insectes géants, de l'humidité suffocante, des victimes agonisantes frappées par la malaria, des serpents venimeux, des chats des marais enragés dévorant leurs propres pattes, on se serait cru en pleine Amazonie.

Dans la mare s'ébattaient des carpes koï colorées. Quelques-unes étaient suffisamment grosses pour nourrir une tablée de vingt personnes. D'après les panneaux du centre commercial, certains de ces poissons exotiques valaient quatre mille dollars pièce ; savoureux ou non, cela faisait cher le filet pour le consommateur moyen.

Je me suis installé sur un banc, dos aux carpes, totalement insensible à leurs nageoires chatoyantes et à leurs écailles précieuses.

Cinq minutes plus tard, Stormy est sortie du B&B avec deux cônes de glace. Je l'ai regardée marcher vers moi. Spectacle magnifique.

Sa tenue B&B : chaussures roses, socquettes blanches, jupe parme assortie à un chemisier rose et blanc à rayures, et une coiffe de la même couleur. Avec son teint hâlé, ses cheveux de jais et des yeux sombres et mystérieux, elle ressemblait à une James Bond girl déguisée en petite aide-infirmière bénévole.

Lisant dans mes pensées, comme à son habitude, elle a lancé en s'asseyant à côté de moi :

— Quand j'aurai ma boutique, les employés n'auront pas à porter cet accoutrement ridicule.

— Je te trouve mignonne comme tout.

— Tu parles, je ressemble à une poupée Barbie !

Stormy m'a donné un cornet et pendant une minute ou deux, on a mangé en silence, en regardant les gens déambuler sous les arcades.

— Sous l'odeur de graillon, je perçois un parfum de shampooing à la pêche.

— Je sais, je suis un ravissement pour les narines.

— Un jour, peut-être, quand j'aurai ma boutique, on travaillera ensemble et on sentira pareil.

— Le monde des crèmes glacées ne me tente pas. Je préfère l'huile bouillante.

— Finalement, ce doit être vrai...

— Quoi ?

— L'attirance des contraires.

— C'est le parfum qu'ils ont sorti la semaine dernière ?

— Oui.

— Cerise, chocolat et éclats de noix de coco ?

— Non. Noix de coco, cerise et éclats de chocolat, a-t-elle rectifié. Si tu te mélanges les crayons, ils te virent.

— Je ne savais pas que la syntaxe était si stricte dans l'industrie de la glace.

— Vas-y, amuse-toi à faire des variantes et le client vicelard mangera tout et exigera d'être remboursé parce qu'il n'aura pas trouvé d'éclats de noix de coco. Et ne t'avise plus jamais de dire que je suis mignonne ! Les *chiots* sont mignons. Pas les humains !

— En fait, je voulais dire qu'en te voyant arriver, je t'ai trouvée... affriolante.

— Laisse tomber les adjectifs, ce n'est décidément pas ton truc !

C'était noté.

— C'est pas mauvais comme parfum, ai-je repris. C'est la première fois que tu y goûtes ?

— Tout le monde en raffole. Mais je ne voulais pas me précipiter.

— De l'attente naît le plaisir.

— Tout juste. Tout paraît meilleur encore.

— Mais à attendre trop, la crème peut tourner.

— Exit Socrate ! Voici le grand Odd Thomas.

Je sens toujours quand la glace est trop fine sous mes pieds et qu'elle menace de craquer. J'ai vite changé de sujet.

— Savoir toutes ces carpes dans mon dos me file les jetons.

— Tu crois qu'elles préparent un mauvais coup ?

— Elles sont trop colorées pour être honnêtes. Je me méfie.

Elle a jeté un coup d'œil par-dessus son épaule vers la mare artificielle, puis a reporté son attention sur sa glace.

— Mais non, elles forniquent, c'est tout.

— Comment tu le sais ?

— Les poissons ne savent faire que trois choses : manger, déféquer et forniquer.

— La belle vie, quoi !

— Ils défèquent dans l'eau où ils mangent et ils mangent au milieu des nuages de semence qu'ils lâchent en forniquant. Les poissons sont des animaux répugnants.

— Ce détail ne m'avait pas effleuré l'esprit.

— Comment es-tu venu ? a-t-elle demandé.

— Avec la Mustang de Terri.

— Je te manquais ?

— Comme toujours. Mais je cherchais quelqu'un aussi. (Je lui ai alors parlé de Mr. Champignon.) Un pressentiment me dit qu'il est ici.

Quand je veux voir quelqu'un et qu'il n'est ni chez lui ni à son travail, il m'arrive de partir à sa recherche en sillonnant la ville au hasard, que ce soit en bicyclette ou dans une voiture d'emprunt. D'ordinaire, en moins d'une demi-heure, je tombe sur mon quidam. Si j'ai un visage ou un nom pour me mettre sur la piste, je suis meilleur limier qu'un chien de sang !

Je ne sais comment qualifier ce don. Stormy appelle ça du « magnétisme psychique ».

— Tiens, quand on parle du loup... ai-je lancé, en désignant Mr. Champignon qui déambulait sous les arcades et longeait le torrent en direction de notre mare.

Stormy n'avait nul besoin que je lui montre mon bonhomme. Parmi la foule de chalands, il était aussi remarquable qu'un canard dans un défilé de pinscher.

La glace ne m'avait en rien rafraîchi, mais à la seule vue de cet homme étrange un frisson m'a traversé de part en part. Il descendait l'allée d'un pas nonchalant, mais je claquais des dents comme s'il marchait sur ma tombe.

8.

Avec des sacs de courses pleins à craquer dans les mains, Mr. Champignon descendait l'allée, blême, bouffi, son regard vague glissant sur les vitrines ; il avait l'air presque aussi étonné qu'un malade d'Alzheimer, échappé de sa clinique, errant dans un monde qu'il ne connaissait pas.

— C'est quoi cette chose jaune sur sa tête ? m'a demandé Stormy.

— Ses cheveux.

— J'ai cru que c'était une kippa.

— Non, ce sont ses cheveux.

Mr. Champignon est entré dans le Burke & Bailey.

— Les bodachs sont là ?

— Moins nombreux que ce matin. Je n'en vois que trois.

— Et ils sont entrés dans mon magasin avec lui ?

— Oui. Ils sont à l'intérieur.

— C'est pas bon pour les affaires.

— Pourquoi ? Personne ne peut les voir.

— Je ne vois pas comment des esprits malfaisants pourraient être bons pour les affaires, a-t-elle répliqué. Attends-moi là.

Je suis resté avec les carpes en rut dans mon dos et ma glace entamée dans ma main droite. Je n'avais plus faim.

Par la vitrine du B&B, j'apercevais Mr. Champignon. Il était au comptoir. Il a étudié la carte et a passé sa commande.

Ce n'est pas Stormy qui le servait, mais elle se tenait derrière la caissière, feignant de vaquer à ses occupations.

Je n'aimais pas la savoir là-dedans avec lui. Un mauvais pressentiment.

Bien que l'expérience m'ait appris à me fier à mon intuition, je ne suis pas entré dans la boutique pour jouer les anges gardiens. Elle m'avait demandé d'attendre sur le banc. Et je n'avais nulle intention de la mettre en colère. Comme la plupart des hommes, je trouve qu'il n'y a rien de plus mortifiant que d'être tarabusté par une femme qui n'accuse pas cinquante-cinq kilos, même après un repas de Thanksgiving.

Si j'avais eu une lampe magique comme Aladdin et un seul vœu à exaucer, j'aurais demandé à être téléporté à Pneus Univers, vers la tranquillité de sa boutique avec ses allées bordées de gomme rassurante.

J'ai songé à ce pauvre Tom Jedd, qui m'avait dit au revoir avec son bras tranché... tout bien considéré, j'ai décidé de terminer ma glace. Personne ne sait quand on atteint le bout de la route. C'était peut-être la dernière glace noix de coco, cerise et éclats de chocolat que je mangeais de ma vie...

Au moment d'avaler ma dernière cuillère, Stormy est réapparue et s'est assise à côté de moi.

— Il a commandé pour emporter. Deux pots. Noix-sirop d'érable et chocolat-mandarine.

— Les parfums ont une importance ?

— Tu es le seul à pouvoir le dire. Moi, je ne fais que mon rapport. C'est sûr qu'il a l'air hyper zarb, ton type. Et j'aimerais bien que tu l'oublies.

— Tu sais que je ne peux pas.

— Tu as le complexe du Messie. Tu ne peux pas t'empêcher d'aller sauver le monde !

— Pas du tout. J'ai juste ce... don. On ne me l'a pas offert pour rien.

— Ce n'est peut-être pas un don, mais une malédiction.

— Non, c'est un cadeau du ciel. (J'ai tapoté mon front.) Et le carton d'emballage est encore intact.

Mr. Champignon est sorti du Burke & Bailey. En plus de ses paquets, il avait désormais à la main le sac isotherme contenant les deux glaces.

Il a regardé à droite, à gauche, semblant hésiter sur la direction à prendre. Son sourire vague, aussi permanent qu'un tatouage, s'est élargi un court instant ; puis, il a hoché la tête, comme si une voix intérieure lui avait indiqué le chemin.

Lorsque Mr. Champignon s'est remis en mouvement, marchant vers la cascade, deux bodachs lui ont emboîté le pas. Le dernier était resté dans le B&B.

Je me suis levé de mon banc.

— À ce soir, pour dîner, petite Barbie.

— Tâche de venir en vie. Je te rappelle que je ne vois pas les morts.

Je l'ai laissée là, toute rose et blanc, mignonne à croquer, en compagnie des palmiers et des carpes koï en pamoison, pour suivre mon champignon sur pattes vers la sortie du centre commercial. Dehors, le soleil était brûlant à décoller des cornées.

Le goudron devait être juste un degré moins chaud que les nappes de magma ardent qui avaient mis fin au règne des dinosaures. L'air desséché crissait sur mes lèvres et apportait à mes narines l'odeur estivale des villes du désert – mélange de silice surchauffée, pollen de cactus, résine de mesquite, sels minéraux de mers asséchées depuis des lustres et fumées de pots d'échappement, flottant dans l'air immobile, comme des nébuleuses de particules piégées dans un cristal de roche.

La Ford Explorer poussiéreuse de Mr. Champignon était garée une file derrière la Mustang et quatre places plus haut. Si mon magnétisme psychique avait été plus puissant, je me serais garé juste derrière lui.

Il a ouvert le hayon et déposé ses sacs. Il avait apporté une glacière où il a rangé les deux pots du B&B.

J'avais oublié de placer l'écran anti-soleil sur le pare-brise avant de sortir de la voiture. Il était encore plié et coincé entre la console centrale et le siège passager. Impossible de poser les mains sur le volant !

J'ai démarré le moteur, poussé à fond l'air conditionné, et j'ai surveillé Mr. Champignon dans les rétroviseurs.

Par chance, il était aussi lent et méthodique que la croissance du mildiou. Le temps qu'il engage la marche arrière et s'extirpe de sa place, je pouvais de nouveau toucher le volant sans laisser sur le cuir des débris de peau calcinée.

Au moment de m'engager dans la rue, je me suis rendu compte qu'aucun bodach n'était sorti du centre commercial avec Mr. Champignon. Pas d'ombres furtives dans la Ford Explorer, ni courant dans son sillage.

Plus tôt, lorsqu'il avait quitté le Grille, mon type avait droit à une escorte d'une vingtaine d'individus ; ils n'étaient plus que trois à son arrivée au B&B. Les bodachs sont, pourtant, du genre obstiné quand ils suivent quelqu'un susceptible de leur fournir leur dose d'horreur et de violence ; ils ne rompent les rangs que lorsque la dernière goutte de sang a été versée.

Mr. Champignon n'était peut-être pas l'incarnation du mal, finalement…

Le ruban de bitume luisait devant moi, irradiant une telle chaleur qu'il paraissait ne pas avoir plus de substance que l'eau. Et pourtant la Ford Explorer y filait tout droit, sans laisser la moindre trace dans son sillage.

Malgré l'absence de bodachs, j'ai continué à suivre mon gibier. J'avais terminé mon travail au Grille ; j'avais devant moi le reste de l'après-midi et toute la soirée. Un cuisinier de snack-bar ne peut pas rester inactif, même pendant ses heures de repos !

9.

Camp's End n'est pas une ville mais un quartier de Pico Mundo. C'est une sorte de mausolée, rappelant au visiteur que la vie n'est pas facile pour tout le monde, même si le reste de la cité profite du *boom* économique. La plupart des pelouses sont pelées, d'autres ne sont plus que sable et poussière. Les maisons ont grand besoin d'être enduites et repeintes, et de trouver rapidement un statu quo avec les termites.

Les premières cabanes ont été construites au début du XIXe siècle, lorsque les chercheurs d'argent, ayant dans la tête plus de rêves que de bon sens, se sont installés dans le secteur, portés par la rumeur d'un « *El Plateado* ». Et bien sûr, ils trouvèrent moins de filons que de fabulations.

Avec le temps, lorsque les prospecteurs n'étaient plus que légendes et squelettes six pieds sous terre, les cahutes ont été remplacées par des maisonnettes, des bungalows et des *casitas* couvertes de tuiles canal.

Mais à Camp's End, tous les programmes de réhabilitation et de rénovation font long feu. De génération en génération, le quartier s'accroche à son âme d'autrefois – une ode moins à l'échec qu'au fatalisme. Dans ce décor de tôles rouillées, de peintures écaillées, de murs éboulés, de poussière et de salpêtre, on se croirait au purgatoire du système capitaliste, un lieu de tristesse et d'ennui, mais où subsiste l'infime espoir de gagner le paradis.

Le mauvais sort s'acharne sur ce quartier, comme si Hadès avait ses appartements privés juste sous ces rues ; sa chambre à coucher doit être si près de la surface que son haleine fétide filtre chaque nuit à travers le sol et vient tout empoisonner.

La maison de Mr. Champignon était une *casita* jaune pâle percée d'une porte d'un bleu passé. L'abri de voiture, appuyé à la construction, penchait dangereusement, comme écrasé par les rayons de soleil.

Je me suis garé en face de la maison, devant un terrain vague envahi de broussailles aussi emmêlées qu'un attrape-rêve géant. Mais leurs rais n'avaient capturé que des bouts de papier, des cannettes de bière vides et une chose informe qui ressemblait à un slip d'homme en lambeaux.

Tout en descendant les vitres et coupant le moteur, j'ai regardé Mr. Champignon emporter sa glacière et ses paquets dans la maison. Il est entré par la porte latérale sous l'abri.

Les étés à Pico Mundo son longs et éreintants – peu ou pas de vent et jamais une goutte de pluie. Même si ma montre-bracelet et l'horloge de bord scandaient de concert qu'il était 16h48, le soleil ardent était loin d'avoir lancé tous ses traits brûlants.

Le bulletin météo du matin avait prévu un pic à 43 °C, ce qui n'avait rien d'extraordinaire dans le désert Mojave. À mon avis, on avait largement dépassé les 45°.

Les habitants de Pico Mundo, voyant que les gens de régions plus tempérées s'étonnaient d'entendre des températures aussi élevées, se sont mis à communiquer sur notre climat pour attirer les touristes, en faisant remarquer que le taux d'humidité ne dépasse jamais quinze à vingt pour cent. Autrement dit, l'été au Mojave n'a rien d'un bain de vapeur étouffant, mais ressemble plutôt à un sauna vivifiant.

Même à l'ombre d'un grand laurier indien, dont les racines, pour puiser de l'eau, devaient sans doute s'enfoncer jusqu'au Styx, j'étais loin de me sentir revigoré par mon sauna sur roues. J'avais plutôt l'impression d'être un enfant pris au piège dans une maison en pain d'épice qu'une vilaine sorcière venait de la mettre au four, en position « cuisson lente ».

De temps en temps, une voiture passait, mais pas le moindre piéton en vue.

Pas d'enfants jouant au ballon, pas d'heureux propriétaires arpentant leur jardin rabougri.

Un chien est passé sur le trottoir, tête basse, langue pendante, comme s'il suivait la piste d'un mirage de chat.

Mon corps s'est empressé de rectifier le déficit hygro-métrique de l'air et je me suis rapidement retrouvé assis sur une flaque de sueur.

J'aurais pu rallumer le moteur et lancer la climati-sation, mais je ne voulais pas gâcher l'essence de Terri ni mettre la Mustang en surchauffe. En outre, comme le savent tous les citoyens du désert, si un chaud-et-froid peut tremper l'acier et le durcir, il ramollit invariable-ment les neurones des hommes.

Au bout de quarante minutes, Mr. Champignon est ressorti. Il a fermé à clé la porte latérale (signe qu'il n'y avait sans doute personne dans la maison), et s'est réin-stallé au volant de sa Ford crasseuse.

Je me suis tassé dans mon fauteuil, la tête sous le tableau de bord, et le 4 × 4 est passé à côté de moi dans un ronronnement de moteur. J'ai attendu que le bruit s'évanouisse au loin pour me redresser.

Je me suis dirigé vers la maison jaune, quasiment cer-tain qu'aucun voisin ne m'observait derrière les fenêtres blanchies par le soleil. Vivre à Camp's End incitait au repli sur soi ; il y avait peu de chance de voir les habitants former des comités de vigilance comme il en fleurissait ailleurs. J'ai néanmoins délaissé, dans un souci de dis-crétion, la porte côté façade, et, profitant de l'ombre de l'abri de voiture, j'ai toqué à la porte latérale. Pas de réponse.

Si la porte avait été équipée d'un verrou de sécurité, j'aurais été contraint de casser une fenêtre. Mais face à une simple serrure, je savais, comme tout jeune Améri-cain nourri et élevé aux séries télé, comment entrer faci-lement dans la maison.

Toujours pour me simplifier l'existence, je n'avais pas de compte en banque et je payais tout en liquide – je n'avais donc pas de cartes de crédit. Heureusement, l'État de Californie délivrait des permis de conduire plas-tifiés suffisamment rigides pour faire sauter le penne de la serrure.

Comme je m'en doutais, la cuisine n'était pas un exemple de propreté et n'aurait jamais fait la couverture de *Art & Décoration*. Ce n'était pas une porcherie, non plus. Il régnait un désordre généralisé, avec çà et là quelques détritus pour faire plaisir aux fourmis de passage.

Une odeur diffuse, mais déplaisante, flottait dans l'air frais. Impossible d'en trouver la source ; sur le moment, je me suis dit qu'il devait s'agir de l'odeur de Mr. Champignon ; un type comme lui devait forcément sentir bizarre à défaut d'émettre des spores mortelles.

Je ne savais pas au juste ce que je cherchais, mais j'étais certain que je finirais bien par le trouver. Quelque chose chez cet homme attirait les bodachs, et j'espérais bien découvrir un indice susceptible d'éclairer ma lanterne.

Après avoir exploré la cuisine et tenté (en vain) de discerner des signes occultes dans une tasse de café froid, une peau de banane oubliée sur la planche à découper, une pile d'assiettes se morfondant dans l'évier et le contenu parfaitement ordinaire des placards et buffets, je me suis rendu compte que l'air n'était pas simplement frais, mais carrément glacé. Ma sueur avait, en grande partie, séché, et j'avais l'impression qu'une compresse de glaçons m'enserrait la nuque.

Ce froid était inexplicable car dans le Mojave (où l'air conditionné est vital), une maison aussi modeste est rarement équipée d'une climatisation centrale. Des climatiseurs, encastrés sous les fenêtres, chacun rafraîchissant une pièce, offrent une alternative financièrement viable.

Mais il n'y avait pas d'appareil sous la fenêtre de la cuisine.

D'ordinaire, dans des habitats de ce type, les occupants chassaient la chaleur la nuit, et uniquement dans les chambres à coucher – il fallait pouvoir dormir ! Même dans une maison aussi petite, un appareil dans la chambre n'aurait pu réfrigérer l'air dans toutes les autres pièces. En tout cas, il n'aurait jamais transformé cette cuisine en glacière.

Et puis les climatiseurs de ce type étaient bruyants ; le bourdonnement du compresseur, le cliquetis du ventilateur... mais là, pas le moindre bruit.

Je suis resté sur place, l'oreille tendue, à écouter le silence épais. Je trouvais cette absence de bruit parfaitement étrange.

Mes chaussures auraient dû faire craquer le linoléum, ou les lattes du plancher dessous, disjointes par le temps et la sécheresse. Mais quand je me déplaçais, j'étais discret comme un chat marchant sur du velours.

J'ai soudain pris conscience que les portes des placards comme les tiroirs des buffets n'avaient pas émis le moindre grincement quand je les avais ouverts, comme si les charnières et les glissières avaient été lubrifiées au silicone.

Je me suis approché du couloir menant aux autres pièces, l'air froid a paru plus dense encore, comme un cocon étouffant tous les sons.

Le salon, à peine meublé, était aussi lugubre et en désordre que la cuisine. Des livres de poche écornés, sans doute achetés d'occasion chez un bouquiniste, des revues jonchant le sol, le canapé et la table basse.

Des revues pour hommes, évidemment – des photos de femmes nues, entrecoupées d'articles sur des sports extrêmes, des bolides et diverses techniques de séduction, le tout servi dans un écrin de publicités pour des herbes aphrodisiaques et des procédés garantissant un accroissement du volume de l'organe le plus précieux de l'homme (et ce n'est pas le cerveau).

Moi, mon organe favori, c'est le cœur, car c'est la seule chose que je puisse donner à Stormy Llewellyn. En plus, ses battements, à mon réveil, sont la meilleure preuve que je n'ai pas rejoint, durant la nuit, la communauté des âmes errantes.

Les livres de poche étaient, en revanche, d'un genre plus surprenant... C'étaient des histoires d'amour. À en juger par les couvertures, il s'agissaient d'histoires très chastes, dans lesquelles les seins se soulevaient rarement et les bustiers étaient plus rarement encore arrachés. Il s'agissait moins de sexe que d'amour, et ces livres formaient un contrepoint saisissant avec les revues érotiques où les femmes se caressaient les mamelons, écartaient les cuisses, et se léchaient les lèvres lascivement.

Quand j'ai ouvert l'un de ces ouvrages et feuilleté les pages, il n'y a pas eu le moindre bruit de papier.

Étais-je devenu sourd ? J'avais l'impression de ne plus rien pouvoir entendre sinon mes seuls sons internes – les battements de mon cœur, le bruissement du sang dans mes tympans.

J'aurais dû m'enfuir, évidemment. Ce silence surnaturel, dans cette atmosphère glacée, aurait dû faire passer tous mes voyants d'alerte au rouge.

Mais l'étrangeté était mon quotidien, tout autant que l'odeur de graillon des cuisines ; je ne me suis donc pas affolé outre mesure. De plus, je dois le reconnaître, j'ai grand mal à résister à ma curiosité.

En tournant les pages de ce roman à l'eau de rose, je me disais que Mr. Champignon ne vivait peut-être pas tout seul ici. Ces livres appartenaient-ils à sa compagne ?

Mais une visite dans la chambre m'a ôté toute illusion. Les placards ne contenaient que des vêtements d'homme. Le lit défait, les chaussettes et les sous-vêtements de la veille jonchant le sol, les restes d'un pain aux raisins abandonnés sur la table de nuit étaient autant de signes attestant l'absence d'une maîtresse de maison.

Un climatiseur était monté sous la fenêtre ; il était éteint. Pas la moindre brise ne s'échappait de sa grille.

L'odeur perçue dans la cuisine était plus forte ici – une odeur étrange, un peu comme du caoutchouc brûlé après un court-circuit ; mais ça sentait aussi l'ammoniac, la poussière de charbon et la muscade, et en même temps, ce n'était rien de tout ça.

Le petit couloir menait également à la salle de bains ; le miroir avait grand besoin d'être nettoyé. Sur la tablette, le tube de dentifrice était ouvert. La poubelle débordait de Kleenex et autres reliques.

En face de la chambre de Mr. Champignon, une autre porte. J'ai supposé qu'elle donnait dans un débarras ou une deuxième chambre.

Sur le seuil, l'air était si froid que mon haleine s'est condensée en un petit nuage blanc.

J'ai tourné le bouton de la porte, glacé contre ma paume. De l'autre côté, un vortex de silence a avalé les derniers sons qui bruissaient encore dans mes oreilles, me laissant sourd même aux battements de mon propre cœur.

La chambre noire attendait.

10.

En vingt années d'existence, j'ai visité nombre d'endroits privés de lumière, qu'il s'agisse de la lumière des photons ou de celle de l'espoir. Mais jamais je n'avais vu de pièce aussi ténébreuse que cet espace étrange dans la maison de Mr. Champignon.

Soit la pièce était totalement aveugle, soit toutes les fenêtres avaient été occultées et calfeutrées avec minutie. Aucune lampe non plus. L'obscurité était si dense que le faible miroitement d'un simple radio-réveil aurait percé la nuit comme un phare éblouissant.

Sur le seuil, les yeux plissés, j'avais l'impression de scruter le néant aux confins de l'univers, là où les anciennes étoiles ne sont plus que poussières noires. Le froid intense et le silence oppressant renforçaient encore cette illusion... Je me trouvais dans une station spatiale abandonnée dans le vide intersidéral...

Plus étrange encore : la lumière du couloir ne parvenait pas à pénétrer cet antre, les photons s'arrêtaient net sur le seuil. La frange entre ombre et lumière était comme une ligne peinte, courant au sol et le long des montants du chambranle. Ces ténèbres ne se contentaient pas de s'opposer à cette intrusion, elles la phagocytaient.

J'avais l'impression d'avoir un mur d'obsidienne devant moi, mais sans le lustre et le chatoiement de la pierre.

Comme tout un chacun, je connais la peur. Jetez-moi dans une cage avec un tigre affamé... si j'en sors entier, il me faudra un bon bain et un change complet avant de pouvoir reprendre mes activités normales.

Mais, grâce à mes talents particuliers, j'ai appris qu'il fallait bien plus craindre les dangers du monde connu que ceux de l'inconnu, contrairement au commun des mortels qui, lui, redoute les deux.

Le feu me terrifie, oui, et les séismes et les serpents venimeux. Les gens me terrorisent plus encore, car leur sauvagerie peut être sans limites.

Mais les grands mystères de l'existence – la mort et l'au-delà – ne sont pas des sources de terreur pour moi, parce que j'ai affaire aux trépassés chaque jour que Dieu fait. De plus, je suis persuadé que ce qui m'attend tout au bout du chemin, ce n'est pas le néant et l'oubli.

Dans les films d'épouvante, on est là à crier aux personnages de fuir cette maison hantée, de faire preuve de bon sens et de prendre la poudre d'escampette, n'est-ce pas ? Comment peut-on être aussi stupide ? Ils fouillent dans les pièces où se sont produits des meurtres sanglants, dans les greniers envahis par les toiles d'araignées et les ombres, dans les caves, fiefs des cafards et des mauvais esprits, et quand ils se font découper, taillader, éventrer, décapiter, ou griller vifs au gré des pulsions sadiques des réalisateurs psychotiques d'Hollywood, on saute dans notre fauteuil en s'exclamant « quels crétins ! » devant tant d'inconscience.

Je ne suis pas stupide, ni inconscient, mais je suis de ceux qui aiment visiter les maisons hantées. Mon don de double vue, avec lequel je suis né, me force à explorer ces lieux. Je ne peux pas plus résister à cet appel qu'un virtuose du piano ne résiste au magnétisme d'un Steinway ; je ne suis pas paralysé par la peur de mourir, pas plus qu'un pilote de chasse sautant dans son avion pour aller livrer bataille dans les cieux.

Voilà pourquoi (du moins en partie) Stormy se demande si mon don n'est pas plutôt une malédiction.

À l'orée de ce rectangle de ténèbres, j'ai levé ma main comme pour prêter serment et j'ai posé la paume sur cette paroi de nuit. Malgré sa capacité à désintégrer la lumière, elle n'a offert aucune résistance à mon contact. Ma main a disparu dans cette soupe de pois.

Quand je dis que ma main a « disparu », c'est que, passé cette frontière, je n'ai soudain plus rien vu ni senti. J'avais beau tenter de bouger les doigts de l'autre côté du rideau noir, rien. Mon poignet paraissait tranché net, comme si la main avait été amputée.

Mon cœur s'est mis à battre la chamade, mais je ne ressentais aucune douleur ; et quand j'ai retiré le bras, j'ai poussé un soupir de soulagement – un soupir inaudible – en voyant tous mes doigts intacts. J'avais l'impression d'avoir été le cobaye d'une illusion réalisée par Pen & Teller, les deux vilains garçons de la magie.

Mais quand j'ai franchi le seuil, en me cramponnant d'une main au chambranle, ce n'était pas une illusion qui m'attendait de l'autre côté, mais un lieu bien réel – réel et, à la fois, plus surnaturel que n'importe quel rêve. L'obscurité était aussi absolue, le froid aussi vif et le silence aussi épais – ce silence de mort qui doit régner dans la tête d'un type qui s'est tiré une balle dans le crâne quand le sang a fini de se coaguler dans ses tympans.

De l'extérieur, la pièce était un puits de ténèbres ; maintenant que j'étais à l'intérieur, je pouvais voir le couloir derrière moi, sans la moindre opacité ou altération. Mais cette vue n'éclairait pas plus la pièce qu'un tableau accroché à un mur et représentant un paysage ensoleillé.

Je m'attendais à voir Mr. Champignon sur le seuil, en train de scruter la dernière partie de moi visible : ma main accrochée au chambranle, comme à une ligne de survie. Mais par bonheur, j'étais toujours seul.

Puisque je voyais encore le couloir et que, donc, le chemin vers la sortie restait ouvert, j'ai décidé de lâcher le chambranle et suis entré entièrement dans cette chambre noire. J'étais déjà sourd... mais quand j'ai détourné la tête du rectangle de lumière, j'ai eu l'impression de devenir aveugle.

Sans vue ni ouïe, j'ai rapidement perdu tout sens d'orientation. J'ai tâté le mur à la recherche d'un interrupteur. Il y en avait un. Je l'ai actionné plusieurs fois, en vain.

Bientôt j'ai aperçu un petit point de lumière rouge ; il n'était pas là quelques instants plus tôt, j'en étais certain... le rouge de l'œil du tueur injecté de sang ?... non, ce n'était pas un œil.

J'étais incapable de m'orienter dans l'espace et j'avais perdu toute notion des distances... la petite balise semblait luire à des kilomètres de moi, comme la lanterne de mât d'un grand navire croisant derrière l'horizon. Cette petite maison, bien sûr, ne pouvait renfermer de telles vastitudes.

Quand j'ai lâché l'interrupteur qui ne fonctionnait pas, j'ai été pris de tournis comme un ivrogne emporté par les effluves de l'alcool. Mes pieds ne semblaient plus toucher terre lorsque j'ai commencé à marcher vers cette lumière rouge.

Finalement, j'aurais dû commander une deuxième glace tant que j'en avais encore l'occasion... Je comptais mes pas : six, dix, vingt... la balise restait toujours aussi minuscule ; elle paraissait même reculer devant moi, comme un animal farouche ne voulant pas se laisser approcher.

Je me suis arrêté et me suis retourné pour regarder la porte derrière moi. Elle était distante à présent de près de quinze mètres.

Le plus saisissant, ce n'était pas la distance, mais la silhouette qui se profilait dans l'encadrement. Ce n'était pas Mr. Champignon qui se tenait là-bas, en contre-jour, mais moi !

Même si les mystères de l'univers ne m'effraient pas, je peux encore être étonné, émerveillé et intimidé. Et sur le clavier de mon esprit, c'étaient ces trois sentiments qui se jouaient en arpège.

Ce n'était pas un effet de miroir. C'était bien un double de moi-même qui se tenait là-bas... Toutefois, par acquit de conscience, j'ai agité la main ; l'autre Odd Thomas n'a pas répondu à mon geste, comme l'aurait fait un reflet dans une glace.

Étant immergé dans ces ténèbres épaisses, Odd bis ne pouvait me voir. J'ai donc tenté de l'appeler. Dans ma gorge, j'ai senti mes cordes vocales vibrer, mais aucun son n'en est sorti, du moins n'ai-je rien entendu. Et, lui non plus, apparemment, n'avait rien entendu.

Avec les mêmes hésitations que moi, mon double a tâté cette paroi d'encre de la main, s'émerveillant de la voir disparaître sous ses yeux comme si elle avait été tranchée net du poignet.

Cette timide intrusion a dû rompre quelque équilibre délicat, car la chambre s'est, brusquement, mise à tourner comme le boîtier d'un gyrophare, la lumière rouge restant fixe en son centre. Emporté par la force centrifuge, comme un surfeur pris dans la lessiveuse d'une vague gigantesque, j'ai été expulsé de cette pièce étrange et drossé… dans le salon.

Je ne me suis pas retrouvé roulant au sol comme un sac de linge sale, comme j'aurais pu m'y attendre, mais debout sur mes jambes, à peu près à la place que j'occupais plus tôt. J'ai ramassé l'un des romans d'amour à l'eau de rose. Encore une fois, les feuilles, en tournant, n'ont émis aucun bruit. Mais je percevais à nouveau les sons de mon organisme, tels que les battements de mon cœur.

J'ai regardé ma montre. Les aiguilles avaient reculé. Je n'avais pas simplement été téléporté de la chambre magique au salon, j'avais aussi remonté le temps de quelques minutes.

Puisque j'avais vu, il y a quelques instants, mon double scruter les ténèbres depuis le couloir, j'en ai déduit que, par quelque anomalie du continuum, deux *moi* coexistaient dans cette maison. Il y en avait un ici, avec un roman de Nora Roberts dans les mains, et un autre dans la pièce à côté.

Je vous avais prévenu ! je n'ai pas une vie ordinaire.

À force de côtoyer toutes ces étrangetés, j'ai acquis une certaine souplesse d'esprit et une imagination débridée frôlant la folie aux yeux de certains de mes congénères. Cette flexibilité mentale me permet de m'adapter rapidement à toute nouvelle situation ; c'est ainsi que j'ai accepté, bien plus vite que vous ne l'auriez fait à ma place, la réalité de ce voyage dans le temps ; mais n'y voyez là aucun jugement péjoratif… vous, au moins, vous auriez eu la sagesse de déguerpir depuis longtemps !

Parce que je ne me suis pas enfui. Je n'ai pas même fait le tour de la maison pour m'assurer que tout était comme à mon arrivée, que ce soit dans la chambre de Mr. Champignon – avec sa collection de chaussettes et de sous-vêtements sales et son pain aux raisins abandonné sur la table de nuit – ou dans la salle de bains.

Au lieu de ça, j'ai posé le livre et suis resté immobile, à réfléchir à ce qui pourrait se produire si je tombais nez à nez avec cet autre Odd Thomas, à évaluer les implications de cette rencontre du troisième type, pour tenter de savoir comment réagir et gérer cette nouvelle situation.

D'accord, je me berçais d'illusions. Je pouvais me creuser la cervelle tant que je voulais, je n'avais ni l'expérience ni les neurones suffisants pour imaginer toutes les conséquences possibles d'un paradoxe temporel... Alors trouver la meilleure conduite à tenir, c'était un doux rêve.

Je le reconnais, je suis moins doué pour me sortir de situations problématiques que pour y plonger les deux pieds dedans.

Posté à la lisière du salon, j'ai observé mon double dans le couloir; il se tenait debout devant la porte ouverte de la chambre noire. Dans quelques instants, il allait franchir le seuil...

Si les sons avaient porté dans cette maison, j'aurais sans doute été tenté d'appeler Odd bis. Ç'aurait pu être dangereux, et j'étais finalement bien content que les conditions acoustiques du moment m'interdisent de prendre ce risque.

Et que lui aurais-je dit, d'abord? « Salut, moi! ça boume? »

Si je m'approchais pour le serrer dans mes bras en une étreinte fraternelle, le paradoxe des deux Odd Thomas risquait d'être résolu d'une façon expéditive. L'un des deux Odd disparaîtrait, ou les deux à la fois, en une jolie explosion fusionnelle.

Les grosses têtes en physique nous disent que deux objets ne peuvent en aucun cas se trouver au même endroit en même temps. Placer deux corps simultanément en un même point de l'espace a toujours des conséquences catastrophiques.

Quand on y pense, nombre de doctes lois physiques sont des lapalissades. N'importe quel ivrogne voulant garer sa voiture à l'endroit où se dresse un réverbère en a fait l'expérience.

Puisqu'il ne pouvait y avoir coexistence de mes deux
« moi » en un lieu de l'espace-temps sans déclencher un
cataclysme et que je n'avais aucune envie de me trouver
vaporisé dans une explosion, je suis resté sagement sur le
seuil du salon, en attendant que Odd Thomas bis pénètre
à son tour dans la chambre noire.

Vous vous dites, sans doute, que le paradoxe temporel s'est alors trouvé résolu, que l'apocalypse prédite par
les physiciens n'aurait pas lieu et que je pouvais rentrer
chez moi tranquille... mais ce bel optimisme provient du
fait que vous vivez heureux dans votre monde normal
des cinq sens. Vous n'êtes pas, comme moi, constam-
ment poussé à l'action par un sixième sens impérieux,
une force qui dépasse votre entendement et annihile
votre libre-arbitre.

Vraiment, vous ne connaissez pas votre chance...

Dès que Odd Thomas numéro deux a franchi le seuil
de la chambre noire, je me suis précipité vers la porte
qu'il avait laissée ouverte. Je ne pouvais voir Odd bis,
bien sûr, dans les ténèbres de cette chambre mystérieuse,
mais je savais qu'il allait se retourner pour regarder derrière lui et m'apercevoir – un événement qui s'était déjà
produit pour moi.

Je lui ai laissé le temps de repérer la lumière rouge
et de marcher vers elle sur une quinzaine de mètres; au
moment où j'ai estimé qu'il venait de se retourner et qu'il
me voyait debout sur le seuil, j'ai consulté ma montre
pour connaître l'heure exacte du début du phénomène;
puis j'ai avancé la main dans cet antre noir, histoire de
m'assurer que rien n'avait changé dans ce royaume de
nuit, et je suis entré une nouvelle fois dans la chambre.

11.

Ma plus grande inquiétude, hormis le fait d'exploser, ou d'être en retard pour dîner avec Stormy, c'était de me trouver prisonnier d'une boucle temporelle, condamné à tourner en rond dans la maison de Mr. Champignon jusqu'à la fin des temps.

Je ne sais si un effet feed-back de ce type est techniquement possible dans l'univers. Les physiciens ricaneraient devant tant d'ignorance. Mais c'est moi qui étais dans de sales draps, et j'avais bien droit à toutes les spéculations.

La suite m'a prouvé que boucle temporelle il n'y aurait point : le reste de mon histoire ne se résumera donc pas à une fastidieuse répétition des événements décrits plus haut – même si, d'une certaine manière, ç'eût été préférable.

Avec plus d'assurance que lors de ma première visite, j'ai pénétré dans la pièce, retrouvant cette impression de flotter sur un coussin d'air, et j'ai marché vers la balise rouge. Cette lumière mystérieuse semblait davantage chargée de menaces que la première fois, bien qu'elle ne diffusât toujours aucune clarté.

À deux reprises, je me suis retourné vers la porte : je n'y étais pas. Toutefois, l'effet « manège » s'est encore produit et j'ai été de nouveau éjecté hors de la chambre...

... mais cette fois, je me suis retrouvé dehors, marchant sous le grand jour d'été ; emporté par mon élan, je suis sorti du couvert de l'abri de voiture, et une pluie de rayons ardents s'est abattue sur moi comme un essaim d'aiguilles dorées.

Je me suis immobilisé, aveuglé, et j'ai battu en retraite dans l'ombre.

Le silence d'airain qui régnait dans la maison n'avait pas droit de cité ici. Un chien aboyait au loin, sans grande conviction. Une vieille Pontiac, mue par un moteur asthmatique, est passée dans la rue dans un couinement de courroies en fin de vie.

Je n'avais pas passé plus d'une minute dans la chambre noire... j'ai de nouveau consulté ma montre. Cette fois, j'avais été projeté de cinq ou six minutes dans le futur.

Dans les herbes jaunies qui longeaient la clôture entre les deux propriétés, des cigales chantaient; leur stridulation évoquait le bruit d'un immense court-circuit en chaîne.

Mille interrogations assaillaient mon esprit – et aucune d'entre elles n'avait trait à ma reconversion dans l'univers du pneumatique, ou à la façon dont je devais préparer ma retraite.

Question : un homme, arborant un sourire niais, plutôt souillon à en juger par l'état de sa maison, et torturé au point de n'avoir pour toute lecture que des revues érotiques et des romans à l'eau de rose, pouvait-il être un inventeur de génie, un surdoué de la bidouille qui, avec quelques composants achetés chez Conrad, avait transformé une pièce de son humble cahute en machine temporelle? Après des années à côtoyer le paranormal, mon scepticisme s'était, certes, réduit à une peau de chagrin... mais la thèse de l'inventeur fou ne me satisfaisait pas pour autant.

Question : et si Mr. Champignon n'était pas un homme, mais un extra-terrestre de passage? Auquel cas, depuis combien de temps vivait-il parmi nous, qui était-il exactement et quelles étaient ses intentions?

Question : la machine était-elle réellement une machine à voyager dans le temps ou quelque chose de beaucoup plus étrange? Les occurrences temporelles n'étaient peut-être que des effets secondaires...

Question : combien de temps allais-je rester planté sous cet abri, à me poser des questions au lieu d'agir?

La porte latérale s'était refermée dans mon dos lorsque j'étais entré dans la cuisine. J'ai donc dû, de nouveau, sortir mon beau permis de conduire, plastifié par les bons soins de l'État ; pour une fois que mes impôts servaient à quelque chose...

Dans la cuisine, la peau de banane continuait à se ratatiner sur la planche à découper. Aucune femme de ménage passant par quelque brèche de l'espace-temps n'était venue laver les assiettes qui traînaient dans l'évier.

Les revues érotiques et les romans fleur bleue jonchaient toujours le sol du salon... mais quand j'ai avancé dans la pièce en direction du couloir, un détail m'a frappé et je me suis immobilisé.

J'entendais à nouveau le bruit de mes pas ! Dans la cuisine, les dalles du lino avaient craqué sous mes semelles et la porte menant au salon avait cliqueté sur ses gonds. Le vortex de silence n'aspirait plus tous les sons dans la maison.

L'air, qui était gelé plus tôt, était simplement frais, et se réchauffait d'instant en instant.

L'odeur bizarre, entre le caoutchouc brûlé, l'ammoniac, le charbon de bois, la muscade et que sais-je encore, était devenue beaucoup plus forte (mais pas plus identifiable).

Mon instinct de simple mortel, et non quelque sixième sens, me criait de ne pas m'approcher de la chambre noire. Et j'ai été pris d'une irrépressible envie de me sauver.

J'ai alors battu en retraite vers la cuisine et me suis caché derrière la porte, la tenant entrouverte afin de voir ce que j'avais fui.

Deux secondes plus tard, j'avais la réponse : une horde de bodachs jaillissait du couloir et déferlait dans le salon.

12.

Un groupe de bodachs en mouvement m'évoque parfois une meute de loups en chasse. D'autres fois, ils ont
un caractère plus félin, comme des chats en maraude.

À les voir ainsi sortir du couloir pour gagner le salon,
c'est à un essaim d'insectes que j'ai pensé. Comme des
cafards, ils furetaient avec précaution tout en se répan-
dant sans bruit, tel un liquide visqueux.

Ils étaient aussi nombreux, d'ailleurs… Vingt, trente,
quarante… ils envahissaient la pièce, furtifs, noirs
comme des ombres – mais des ombres nées d'aucune
source lumineuse.

Une rivière d'encre, coulant vers la porte d'entrée et
les fenêtres du salon aux volets clos, un nuage de suie
emporté par un courant d'air… Par les fentes, les interstices, ils sortaient de la maison pour se perdre dans les
rues de Camp's End écrasées de soleil.

Un flot ininterrompu… Cinquante, soixante, soixante-
dix, et ça continuait. Jamais, je n'avais vu autant de
bodachs.

Même si, de ma cachette, je ne distinguais qu'une
petite portion du couloir et du salon, je savais précisément
d'où venaient ces bodachs. Ils n'étaient pas apparus par
génération spontanée parmi les moutons qui habitaient
sous le lit de Mr. Champignon, ni dans les champs de
moisissure en culture dans les chaussettes sales jonchant
le sol. Ils ne sortaient pas non plus d'un placard comme
le croque-mitaine, pas plus du lavabo ou de la cuvette des
toilettes. Ils arrivaient tout droit de la chambre noire !

Ils paraissaient pressés de quitter la maison et d'aller
explorer Pico Mundo – jusqu'à ce que l'un d'entre eux

s'écarte du flot et s'arrête brusquement au milieu du salon...

Ni un couteau de cuisine, ni un bidon de déboucheur d'évier ne pourraient blesser ces créatures sans substance – ni, d'ailleurs, aucune arme connue dans ce monde. J'ai donc retenu mon souffle.

Le bodach se tenait immobile, penché en avant, ses mains (si tant est que ce soient des mains) pendant devant ses genoux. Il scrutait la moquette en tournant la tête de droite à gauche, examinant chaque bouclette de laine comme un chasseur à la recherche d'une piste.

Même un troll, tapi dans l'ombre d'un pont, humant l'odeur du sang d'un enfant, paraissait moins malveillant.

À force de garder mon œil collé dans l'interstice entre la porte et le chambranle, je commençais à avoir mal à la tête, comme si ma curiosité était un étau m'empêchant de bouger alors que la sagesse élémentaire m'intimait de prendre mes jambes à mon cou.

Pendant que ses congénères continuaient de passer derrière lui, mon empêcheur de tourner en rond s'est redressé. Il a gonflé sa poitrine, humé l'air, en sondant la pièce du regard.

Pourquoi m'étais-je lavé les cheveux avec ce shampooing à la pêche ! Et soudain, j'ai senti l'odeur de viande grillée qui imprégnait mes vêtements. Un cuistot venant juste de terminer son service dégageait un fumet immanquable pour les lions et pis encore.

La tête du bodach, uniformément noire, n'avait pas de traits discernables, pas de narines sur le museau, pas d'oreilles visibles, pas d'yeux pour indiquer la direction de son intérêt. Mais il était évident qu'il cherchait la source de cette odeur ou qu'un bruit avait attiré son attention.

La créature a regardé la porte de la cuisine. Bien que dépourvu d'yeux comme Samson à Gaza, énucléé par les Philistins, le bodach m'a repéré dans l'instant.

J'avais étudié l'histoire de Samson dans le détail, car il était l'exemple même du héros malheureux, celui qui, à cause de son don, connaît un destin tragique.

Une fois redressé, le bodach était plus grand que moi ; une silhouette vraiment impressionnante, malgré son intangibilité. À le voir figé dans cette posture, sa tête tournée vers moi avec arrogance, on eût dit une panthère toisant une souris, s'apprêtant à la tuer d'un coup de patte.

À force de retenir ma respiration, mes poumons étaient sur le point d'éclater.

L'envie de fuir devenait irrépressible, mais j'étais tétanisé par la peur. Le bodach ne m'avait peut-être pas encore vu, mais le moindre mouvement de la porte battante déclencherait l'assaut, c'était certain.

Ces quelques secondes de flottement paraissaient interminables... et puis, à ma grande surprise, le fantôme s'est remis à quatre pattes et a rejoint les autres. Avec la souplesse d'un ruban de soie noire, il s'est faufilé entre le châssis et le vantail de la fenêtre et a disparu dans le soleil à l'extérieur.

J'ai enfin pu expulser l'air vicié de mes poumons et j'ai regardé les derniers bodachs traverser le salon.

Une fois toutes ces sinistres créatures parties dans le désert Mojave, je suis retourné dans le salon – avec, cette fois, beaucoup de précaution.

Une centaine de bodachs étaient passés par cette pièce. Pour ne pas dire deux cents.

Malgré cette circulation intense, pas une page des revues ou des livres de poche n'avait été froissée. La moquette, non plus, ne gardait aucune trace de leur passage.

Par l'une des fenêtres, j'ai regardé la pelouse pelée au-dehors, et les arbres rabougris au-delà. Pour autant que je puisse en juger, pas une seule de ces créatures de nuit ne s'était attardée dans le secteur.

Le froid mystérieux qui régnait dans la maison avait disparu avec les bodachs. La chaleur du désert filtrait de nouveau à travers les minces parois de la maison, les transformant en radiateurs muraux.

Dans le couloir, aucune trace non plus. Et exit cette odeur d'ammoniac et de caoutchouc brûlé.

Pour la troisième fois, je me suis approché du seuil de la porte.

La chambre noire avait disparu.

13.

De l'autre côté de la porte, une pièce ordinaire de dimensions parfaitement finies – à peine plus de quatre mètres sur cinq.

Une fenêtre unique donnait sur les branches d'un mélaleuque qui occultait la majeure partie des rayons. Mais la clarté était bien suffisante... aucune trace d'un dispositif susceptible d'émettre une lumière rouge comme celle que j'avais vue plus tôt.

La force mystérieuse qui avait régné dans cette pièce – me renvoyant, une première fois, quelques minutes dans le passé, puis la seconde fois, dans l'avenir – s'était dissipée.

Je me trouvais, apparemment, dans le bureau de Mr. Champignon. Un mobilier spartiate : une rangée de caissons de quatre tiroirs, une chaise à roulettes et un bureau métallique gris pourvu d'un revêtement imitation bois.

Sur le mur en face, trois photos noir et blanc étaient accrochées côte à côte, grandes comme des affiches – des sorties d'imprimante grand format. Trois portraits d'hommes : l'un avec des yeux d'illuminés et un sourire satisfait, les deux autres plongés dans l'ombre. Ces visages ne m'étaient pas inconnus, mais, au début, je ne suis parvenu à mettre un nom que sur un seul – sur celui qui souriait : Charles Manson, le gourou dont les fantasmes d'ordre nouveau et de guerre inter-raciale avaient révélé un cancer au sein de la génération beatnick et mis un terme à l'utopie de l'ère du Verseau. Il avait tatoué sur son front une croix gammée.

Quant aux deux autres, une chose était certaine : ce n'étaient ni des humoristes de Las Vegas, ni des philosophes célèbres.

Sous le jeu d'ombres mouvantes projetées par les branches du mélaleuque (et peut-être sous l'effet aussi de mon imagination), les regards de ces trois individus brillaient d'un éclat mystérieux – une lueur qui n'était pas sans rappeler la pâleur laiteuse des yeux des morts-vivants dans les films d'horreur.

Pour faire disparaître cette illusion d'optique, j'ai allumé la lumière.

À l'inverse du reste de la maison, ici, ni poussière ni désordre. Apparemment, quand Mr. Champignon passait le seuil de cette pièce, il devenait une fée du logis.

Les meubles contenaient des chemises rangées avec soin, renfermant des articles ou des documents téléchargés sur Internet. Dans tous les tiroirs, des dossiers concernant des tueurs en série et autres meurtriers.

La collection s'étendait de Jack l'Éventreur, de l'Angleterre victorienne, à Oussama Ben Laden, pour qui Lucifer avait préparé une suite royale. On y trouvait Ted Bundy et Jeffrey Dahmer. Charles Whitman aussi, le sniper qui avait tué seize personnes à Austin au Texas en 1966. Ainsi que John Wayne Gacy, celui qui aimait se déguiser en clown aux fêtes d'anniversaire des enfants, avait posé pour la postérité en compagnie de l'épouse du président Jimmy Carter lors d'un congrès démocrate, et avait toute une collection de cadavres démembrés, enterrés dans son jardin et sa cave.

Une chemise plus épaisse que les autres était consacrée à Ed Gein, le tueur psychopathe qui avait servi de modèle à Norman Bates dans *Psychose* et à Hannibal Lecter dans *Le Silence des agneaux*. Gein adorait boire une soupe dans un crâne humain et s'était fabriqué une ceinture avec les tétons de ses victimes.

Les dangers potentiels de la chambre noire ne m'avaient pas inquiété outre mesure, mais ici, j'avais affaire à un mal parfaitement connu et identifiable... Tiroir après tiroir, mon cœur se serrait d'angoisse et mes mains se mettaient à trembler. J'ai refermé d'un geste brusque le dossier que j'avais ouvert. Je ne voulais pas en voir davantage.

Ces documents m'avaient ravivé la mémoire ; maintenant, je pouvais mettre un nom sur les personnages des deux autres photos qui flanquaient celle de Charles Manson.

À droite, c'était Timothy McVeigh. McVeigh avait été condamné et exécuté pour l'attentat du bâtiment fédéral à Oklahoma City en 1995. Cent soixante-huit personnes avaient péri dans l'explosion.

Sur la gauche, Mohammed Atta, le pilote d'un des avions qui avaient frappé les tours du World Trade Center – des milliers de morts. Toutefois, rien n'indiquait que Mr. Champignon soutenait la cause des extrémistes islamistes. Comme pour Manson et McVeigh, ce devait être la cruauté d'Atta qui le fascinait, la violence de ses actions, de ses faits d'armes au service du Mal.

Cette pièce était moins un bureau qu'un mausolée.

J'en avais vu assez – bien trop, en fait. Je voulais sortir de cette maison. Retrouver le havre de Pneus Univers, respirer le doux parfum du caoutchouc neuf, et réfléchir...

Mais au lieu de ça, je me suis assis sur la chaise de bureau. Je ne suis pas de nature impressionnable, mais j'ai quand même eu le frisson quand j'ai touché les accoudoirs, là où les mains de Mr. Champignon s'étaient si souvent posées.

Sur le bureau, un ordinateur, une imprimante, une lampe de cuivre et un calendrier. Pas un grain de poussière, pas une trace de doigts.

De mon poste d'observation, j'ai contemplé la pièce pensivement : par quel processus cet endroit pouvait-il se métamorphoser en chambre noire et inversement ?

Pas de feux Saint-Elme résiduels courant sur les meubles métalliques, pas de halo surnaturel flottant dans l'air.

Pendant quelques minutes, cette pièce s'était transformée en portail... en passage entre Pico Mundo et un endroit bizarre (et ici, je ne pense ni à Los Angeles, ni même à Bakersfield). Peut-être, l'espace d'un instant, cette maison a-t-elle été une gare sur la ligne express entre notre monde et les enfers – si tant est que les enfers existent.

Ou peut-être, si j'avais atteint cette balise rouge au milieu des ténèbres, me serais-je retrouvé dans un tout autre bras de la galaxie, téléporté sur la planète des bodachs ? Mais n'ayant pas de visa d'immigration dûment tamponné par les autorités compétentes, j'ai été refoulé – au premier essai, vers le salon et le passé, et au second, vers l'abri de voiture et le futur.

Certes, j'ai envisagé l'hypothèse d'une simple illusion... allez savoir, j'étais peut-être devenu aussi cinglé qu'un rat de laboratoire nourri aux toxines hallucinogènes et contraint de regarder non-stop des émissions de télé-réalité dévoilant la vie quotidienne de top-models sur la touche ou de stars du rock vieillissantes ?

De temps en temps, je me demande sérieusement si je ne suis pas cinglé. Mais comme chez tout fou qui se respecte, ces moments de doute ne durent pas.

Inutile de fouiller la pièce à la recherche d'un interrupteur secret permettant de transmuter le bureau en chambre noire ; à l'évidence, la force inconcevable permettant d'activer ce portail mystérieux provenait de « l'autre côté ».

Mr. Champignon ne soupçonnait probablement pas que son reliquaire des horreurs humaines était un terminal pour bodachs voulant s'offrir, sur notre planète, un safari sanglant. N'étant pas doté de mon sixième sens, Mr. Champignon travaillait tranquillement à cette table, peaufinant ses dossiers sinistres, sans se rendre compte de la métamorphose de la pièce ni des hordes de créatures démoniaques qui traversaient son salon.

Un cliquetis s'est fait entendre, qui m'a rappelé aussitôt le bruit d'osselets des squelettes ambulants d'Halloween, suivi, immédiatement par une succession de pas rapides.

Je me suis levé de ma chaise, mes six sens en alerte.

Quelques secondes ont passé. Le silence.

Un rat ? Un rat courant dans les murs ou au grenier, agacé par la chaleur ?

Je me suis rassis et j'ai ouvert les deux tiroirs du bureau, l'un après l'autre.

En plus de la collection ordinaire de stylos, trombones, agrafeuse, ciseaux et autres ustensiles, j'ai trouvé deux relevés de banque ainsi qu'un carnet de chèques – tous trois adressés à un certain Robert Thomas Robertson, résidant ici, à Camp's End.

Au revoir Mr. Champignon, salut Bob.

« Bob Robertson » n'était pas le patronyme d'un tueur psychopathe. Cela évoquait plutôt un représentant de commerce bedonnant et jovial.

Les quatre pages du relevé de la Bank of America concernaient un compte épargne, deux certificats de dépôt sur six mois, un fonds de placement et un portefeuille d'actions. La somme totale des avoirs de Bob s'élevait à 786 542,10 $.

J'ai relu trois fois ce chiffre, persuadé que j'avais mal vu où était placée la virgule.

Les quatre pages du relevé de la Wells Fargo Bank, listant les opérations financières menées par la banque, faisaient état d'un dividende de 463 125,43 $.

Robertson avait une écriture brouillonne, mais c'est avec grand soin qu'il tenait la liste de ses débits. Le montant actuel sur son compte chèque était de 198 648,21 $.

Ce type avait près d'un million et demi de dollars en banque et il habitait une cahute délabrée à Camp's End... C'était de la perversité !

Si j'avais autant d'argent, je continuerais peut-être à faire le cuistot de temps en temps, mais uniquement par goût, non pour vivre. Et je ne songerais plus à me reconvertir dans les pneumatiques...

Peut-être Robertson n'avait-il aucune attirance pour le luxe ? Peut-être se contentait-il de ses fantasmes sanguinaires ?

Un autre bruissement m'a fait sursauter ; puis des *crôa* aigus ont retenti ; des corbeaux se chamaillant sur le toit. Ils sortaient tôt le matin, avant que la chaleur ne soit insupportable, passaient le reste de la journée à l'abri dans les arbres, et ne quittaient leur repaire qu'au soir, lorsque la température diminuait.

Je n'ai pas peur des corbeaux.

J'ai feuilleté les talons de chèques ; durant les trois derniers mois, il n'y avait eu que des achats parfaitement classiques, des paiements par cartes de crédit, et autres débits courants. La seule bizarrerie, c'était le nombre important de chèques que Robertson se faisait à lui-même pour avoir du liquide.

Ce seul mois, il avait retiré 30 000 $, par retraits de 2 000 $ et 4 000 $. Pour les deux mois précédents, le montant des retraits s'élevait à 58 000 $.

Même s'il avait un bel appétit, il ne pouvait pas dépenser tout ça en glace chez B&B.

Finalement, il avait des occupations de luxe, et de celles, à l'évidence, que l'on ne peut payer par chèque ou carte bleue.

J'ai remis rapidement les documents dans le tiroir ; j'étais resté trop longtemps ici.

J'étais à peu près certain d'entendre le bruit de la Ford Explorer de Robertson se garant sous l'abri et d'avoir le temps de m'éclipser par la porte de devant pendant qu'il entrerait dans la cuisine. Mais s'il lui prenait l'envie de se garer dans la rue ou si, pour je ne sais quelle raison, il rentrait chez lui à pied, je serais pris de court.

McVeigh, Manson et Atta m'épiaient. Pour un peu, j'aurais juré qu'il y avait de la conscience dans leurs yeux, et que ces trois-là savouraient d'avance le moment fatidique où j'allais me faire surprendre.

J'ai pris néanmoins le temps de feuilleter le calendrier sur le bureau, au cas où Robertson aurait écrit des notes, consigné des heures et lieux de rendez-vous et autres pense-bête. Mais toutes les pages étaient vierges ces dernières semaines.

Je suis revenu à la date du jour : mardi 14 août. Et puis j'ai continué à tourner les pages… Celle du 15 août manquait. Sur les autres jour à venir, aucune annotation non plus.

J'ai tout remis en ordre, me suis levé et me suis dirigé vers la porte. J'ai éteint la lumière.

Les rayons dorés, découpés par le feuillage du mélaleuque, dessinaient des flammes dansantes sur les rideaux, sans parvenir à éclairer la pièce ; la pénombre semblait s'agglutiner autour des portraits.

Une idée m'est alors venue à l'esprit – ce qui m'arrive plus souvent que certaines personnes médisantes ne le croient et bien trop fréquemment à mon goût ; j'ai rallumé la lumière et me suis dirigé vers les meubles de rangement. Dans le tiroir étiqueté « R », j'ai vérifié si, parmi les dossiers sur les bouchers et autres exterminateurs diplômés, Mr. Champignon ne compilait pas des archives sur lui-même.

Il y avait une chemise étiquetée : ROBERTSON, ROBERT THOMAS.

Peut-être la pochette renfermait-elle des coupures de presse narrant des meurtres non élucidés, ainsi que des indices importants concernant lesdits meurtres ? Quelle aubaine ! Il me suffirait de mémoriser le contenu de cette chemise, de la remettre à sa place et d'aller raconter ma trouvaille à Wyatt Porter.

Fort de cette information, le chef de la police inventerait un moyen de confondre Robertson et le tour serait joué. L'affreux se retrouverait en prison sans avoir eu le temps de commettre un autre crime.

Malheureusement, la chemise ne renfermait qu'un seul document : la page manquante du calendrier – celle du mercredi 15 août.

Robertson n'avait rien écrit dessus. Apparemment, la date en elle-même lui paraissait suffisamment importante pour être la première pièce versée à son propre dossier.

J'ai regardé ma montre. Dans six heures et quatre minutes, le 14 août laisserait sa place au 15.

Et ensuite ? Il se passerait quelque chose, de toute évidence... quelque chose de moche.

De retour dans le salon, avec ses meubles tachés, sa poussière et sa littérature de gare étalée sur la moquette, j'ai été une nouvelle fois saisi par le contraste entre la netteté du bureau et le fouillis de la maison.

Robertson paraissait habiter ces pièces l'esprit ailleurs, totalement distrait, lisant indifféremment des revues érotiques ou des romans à l'eau de rose dignes d'une épouse de pasteur, semant un peu partout ses peaux de banane, ses tasses de café et ses chaussettes sales. C'était un homme mal dégrossi, fait d'une argile imparfaite. Un homme qui se cherchait.

Mais dans son bureau, le Robertson qui composait minutieusement ses centaines de dossiers, qui surfait sur le *web* à la recherche de sites sur des psychopathes et des terroristes, savait parfaitement qui il était – ou du moins qui il *voulait* être.

14.

Je suis sorti par la porte latérale, donnant sous l'abri de voiture, mais je ne me suis pas dirigé vers la rue pour remonter dans la Mustang de Terri. J'ai fait le tour de la maison ; je voulais jeter un coup d'œil dans le jardin.

La pelouse, côté façade, était pelée et moribonde, mais derrière, elle n'était plus qu'un lointain souvenir. La terre n'avait pas vu une goutte d'eau depuis février : cinq mois et demi de canicule et de sécheresse.

Si un homme a l'habitude d'enterrer ses victimes dans son jardin, comme John Wayne Gacy, démembrées ou non, on peut être certain qu'il veille à garder la terre meuble. Or, ici, une pelle se serait cassée en deux en quelques minutes. Pour percer cette carapace, notre fossoyeur de minuit n'aurait eu d'autre choix que de l'attaquer au marteau-piqueur.

La clôture de grillage, sur lequel ne s'accrochait aucune végétation, n'offrait aucune intimité pour un meurtrier traînant un cadavre. Si les voisins avaient le goût du morbide, ils pouvaient s'installer dans les chaises de jardin, sortir les bières et regarder, comme au spectacle, le quidam creuser ses tombes.

À supposer que Robertson soit un authentique tueur en série et non un simple aspirant, il aurait planté une haie impénétrable... Mais, à la vue de son dossier, il y avait fort à parier que sa carrière n'avait pas encore commencé...

Sur le toit en tuiles canal, un corbeau a ouvert son bec orange pour pousser un cri, comme s'il craignait que je sois venu chiper quelques scarabées et autres gourmandises sur son territoire pelé.

Il me faisait penser au corbeau de Poe, perché au-dessus de la porte de sa chambre, répétant inlassablement *jamais plus ! jamais plus !*

Debout, la tête levée vers l'oiseau, je n'ai pas réalisé que le corbeau était un signe, et que le célèbre vers de Poe était la clé pour le décrypter. Si j'avais compris que cette bête était *mon* corbeau, j'aurais agi bien différemment dans les heures qui ont suivi ; et l'espoir aurait perduré à Pico Mundo.

N'ayant donc pas saisi l'importance de cette bête, je suis remonté dans la Mustang ; Elvis m'attendait sur le siège passager. Il portait des mocassins bateau, un pantalon de toile et une chemise hawaïenne.

Tous les fantômes que je connais ont une garde-robe limitée – le plus souvent, elle se réduit aux vêtements qu'ils portent au moment de leur mort.

Par exemple, Mr. Callaway, mon professeur de littérature au lycée, qui a péri alors qu'il se rendait à un bal costumé, est habillé avec le déguisement du lion poltron du *Magicien d'Oz*. Un homme pourtant d'un certain raffinement de son vivant, doté d'une élégance et d'une prestance naturelles... et je l'ai croisé durant les mois qui ont suivi sa mort affublé d'une tunique de velours bon marché, les moustaches tombantes, la queue traînant derrière lui... c'était un spectacle désolant. J'ai été soulagé quand, enfin, il a pu quitter notre monde.

Mais, Elvis, dans la mort, comme dans la vie, impose ses propres règles. Il semble pouvoir revêtir à son gré n'importe laquelle de ses tenues de scène ou tout simplement ses vêtements préférés. Chaque fois qu'il se manifeste, il est d'une mise différente.

J'ai lu, quelque part, qu'après avoir avalé son cocktail de somnifères et de tranquillisants, il était mort en sous-vêtements ou peut-être en pyjama. Certains prétendent qu'on l'a retrouvé dans son peignoir, mais d'autres le réfutent. En tout cas, jamais le King ne m'est apparu dans cet attirail.

Une chose est avérée : Elvis est mort dans sa salle de bains à Graceland, pas rasé et la tête dans son vomi. C'est écrit dans le rapport de police.

Par chance, quand il se présente à moi, il est toujours rasé de près et le visage exempt de tout extrait de bol alimentaire en cours de digestion.

Ce jour-là, alors que je m'installais au volant et refermais la portière, il m'a accueilli d'un sourire et m'a salué de la tête. Son sourire était empreint d'une mélancolie inhabituelle.

Il a avancé le bras et m'a tapoté l'épaule, exprimant sa sympathie, pour ne pas dire sa compassion. Ce geste m'a surpris et inquiété ; car je ne voyais pas ce qui pouvait susciter chez lui une telle empathie.

Maintenant que le 15 août est passé, je ne sais toujours pas ce qu'Elvis savait alors de la tragédie à venir. Peut-être tout, au fond...

Comme les autres fantômes, Elvis ne parle pas. Ni ne chante.

Il danse parfois, s'il est d'humeur. Il fait quelques mouvement de hanches, mais il ne joue pas les Gene Kelly.

J'ai démarré et enfoncé le bouton « lecture aléatoire » du lecteur CD. Le chargeur de Terri contient toujours six disques de son idole.

Quand *Suspicious Mind* est sorti des haut-parleurs, Elvis a semblé content. Du bout des doigts, il a battu la mesure sur le tableau de bord pendant que je quittais le dédale de Camp's End.

Quand nous sommes arrivés devant la maison de Wyatt Porter, sise dans un quartier beaucoup plus riant, l'autoradio diffusait *Mama liked the Roses* de l'*Elvis's Christmas Album*, et le King du rock n' roll pleurait en silence.

J'ai préféré ne pas le regarder. Le rocker impétueux qui chantait alors *Blue Suede Shoes* avait un petit sourire narquois et de l'arrogance dans les yeux, pas des larmes.

Karla Porter, l'épouse du chef de la police, a ouvert la porte. Fine, charmante, avec des yeux verts comme des fleurs de lotus, elle irradie d'un optimisme tranquille qui contraste avec la mine de cocker attristé de son mari.

À mon avis, c'est grâce à Karla que Wyatt n'est pas totalement détruit par son travail. Chacun d'entre nous a besoin d'un modèle dans la vie, pour nous donner de l'espoir, la force de continuer, et Karla est cette muse pour lui.

— Odd, quel plaisir de te voir. Entre, entre donc ! Wyatt est dans le jardin, en train de carboniser de la bonne viande sur le barbecue. On a quelques amis à dîner et on a de quoi manger pour dix, alors si tu veux te joindre à nous...

Elle m'a fait traverser la maison, sans voir Elvis qui marchait sur mes talons, toujours d'une humeur digne de *Heartbreak Hotel*.

— Je vous remercie, madame, ai-je répondu, c'est très gentil de votre part, mais j'ai un autre rendez-vous. Je passais juste dire un petit mot au chef.

— Il sera ravi de te voir. Comme toujours.

Elle m'a conduit jusqu'à Wyatt, affublé d'un tablier arborant l'inscription « Avec la bière, tout est bon ! ».

— Odd ! m'a salué le chef de la police. J'espère que tu ne viens pas me gâcher la soirée.

— Ce n'est pas mon intention, Wyatt.

Le chef s'occupait de deux barbecues, le premier à gaz pour les légumes et les épis de maïs, le second au charbon de bois, pour la viande.

Avec le soleil encore haut sur l'horizon, la canicule de la journée qui s'était accumulée dans le patio, et les volutes d'air chaud qui montaient des grils, Wyatt Porter aurait dû transpirer à grosses gouttes, de quoi remplir la mer asséchée de Pico Mundo... et pourtant il était sec comme un héros de publicité pour déodorant.

En toutes ces années, je n'ai vu transpirer le chef Porter qu'à deux reprises. Une fois, un sale type braquait un fusil-harpon sur son entrejambe, à bout portant, et l'autre fois, il était dans une situation plus stressante encore.

Elvis a contemplé les pommes de terre à l'huile, les chips de maïs et la salade de fruits disposées sur la table de pique-nique ; voyant qu'aucun sandwich au beurre de cacahuètes-bananes frites n'était au menu, il a perdu tout intérêt pour cet étalage de victuailles et a obliqué vers la piscine.

J'ai refusé la Corona que m'offrait Wyatt et nous nous sommes installés sur les chaises longues.

— Tu as encore vu des morts, aujourd'hui ?

— Oui, quelques-uns. Mais ce n'est pas les morts d'aujourd'hui qui me préoccupent, mais ceux de demain...

Je lui ai alors narré mes rencontres avec Mr. Champignon au restaurant puis au centre commercial.

— Je l'ai vu au Grille... il ne m'a pas paru suspect, juste... un peu esseulé.

— Vous n'avez pas eu la chance, comme moi, de voir son fan-club !

Je lui ai parlé de la horde de bodachs qui l'entourait.

Pour lui raconter ma visite à la maison de Camp's End, j'ai dit que la porte de la maison était grande ouverte – je sais, c'est idiot – et que j'étais entré parce que je craignais que quelqu'un à l'intérieur ait des problèmes. Mais ce mensonge éviterait au chef de la police de devoir couvrir, en cas de procès ultérieur, ma petite visite avec effraction.

— Je te rappelle que je ne suis pas funambule.

— Je sais, Wyatt.

— Tu me demandes toujours de marcher sur un fil, et parfois, c'est un vrai précipice dessous !

— Mais j'ai toute confiance en votre sens de l'équilibre.

— Arrête tes boniments, fiston...

— Sur la forme, peut-être... mais sur le fond, je suis on ne peut plus sincère.

J'ai passé sous silence l'épisode de la chambre noire et de sa rivière de bodachs. Même si Wyatt Porter était un homme ouvert d'esprit, il risquait de se refermer dans une coquille de scepticisme si je le submergeais de détails trop exotiques.

À la fin de mon récit, il m'a demandé :

— Qu'est-ce que tu regardes, fiston ?

— Où ça ?

— Là-bas, vers la piscine.

— Oh... Elvis. Il est bizarre en ce moment.

— Elvis Presley est ici ? En ce moment ? Dans ma maison ?

— Il marche sur l'eau, à droite, à gauche, en faisant des gestes

— Des gestes ?

— Rien de grossier, rassurez-vous, Wyatt, et pas à nous. Il paraît en grande discussion avec lui-même. Parfois, je m'inquiète pour lui.

Karla Porter est réapparue, cette fois suivie par ses deux premiers invités à la queue leu leu.

Bern Eckles était âgé d'une vingtaine d'années – une nouvelle recrue à la police de Pico Mundo. Cela faisait deux mois seulement qu'il était en poste.

Lysette Rains, miss Faux ongles, était la sous-directrice du salon de beauté dont Karla était propriétaire sur Olive Street, à deux pâtés de maisons du Grille.

Ces deux-là n'étaient pas arrivés en couple, mais je voyais bien que le chef et Karla voulaient jouer les marieurs.

L'officier Eckles ne connaissait pas – et ne connaîtrait jamais – l'existence de mon sixième sens ; il avait donc bien du mal à se faire une opinion de moi. Il n'avait pas encore décidé s'il devait m'apprécier ou me détester. En tout cas, il ne comprenait pas pourquoi son chef avait toujours du temps à me consacrer, même les jours où ils étaient débordés de travail.

Après avoir offert à boire aux nouveaux arrivés, le chef a demandé à Eckles de l'accompagner dans son bureau un petit moment.

— Je dois faire une recherche dans le fichier des immatriculations et j'aimerais, pendant ce temps-là, que tu passes quelques coups de fil pour moi. J'ai besoin de me faire une idée sur un drôle de type habitant Camp's End.

Pendant qu'il se dirigeait avec Wyatt vers la maison, Eckles s'est retourné deux fois vers moi pour me jeter un regard inquiet. Peut-être craignait-il qu'en son absence, je ne fasse du gringue à Lysette Rains ?

Lorsque Karla est repartie en cuisine s'occuper des desserts, Lysette s'est assise à côté de moi, dans le siège qu'occupait Wyatt Porter quelques instants plus tôt. Tenant son verre à deux mains, elle buvait à petites gorgées son coca rehaussé d'un trait de vodka orange et se léchait les lèvres après chaque lampée.

— Quel goût ça a ? ai-je demandé.

— Un goût de déboucheur d'évier avec du sucre ! Mais parfois, je fais des baisses de tension alors j'ai besoin d'un coup de fouet.

Elle portait un short jaune et un corsage assorti à froufrous. On aurait dit un petit citron glacé décoré de crème chantilly.

— Comment va votre mère, Odd ?

— Toujours haute en couleurs.

— Le contraire m'eût étonné. Et votre père ?

— Il est sur le point de faire fortune.

— C'est quoi, cette fois-ci ?

— Vendre des lopins de terre sur la lune.

— Comment ça ?

— Contre quinze dollars, vous êtes l'heureux propriétaire d'un petit carré de trente centimètres de côté sur le sol lunaire.

— Mais la lune n'appartient pas à votre père.

La remarque de Lysette était dénuée de tout reproche. Lysette était une gentille fille et elle ne voulait pas se montrer déplaisante, même devant une tentative d'escroquerie manifeste.

— Non. Elle ne lui appartient pas. Mais il s'est aperçu qu'elle n'était à personne non plus... alors il a écrit à l'ONU, pour en réclamer la propriété. Dès le lendemain, il a commencé à vendre ses titres lunaires. J'ai appris que vous êtes passée vice-directrice de la boutique.

— C'est une grande responsabilité. En particulier parce que j'ai grimpé d'échelon.

— Vous ne faites plus de faux ongles ?

— Si, bien sûr. Mais avant j'étais une simple prothésiste ongulaire et maintenant, je suis une styliste diplômée en *nail art*.

— Félicitations. Je suis impressionné.

Son petit sourire à la fois timide et plein de fierté me fit fondre.

— Ce n'est pas grand-chose pour les autres, mais pour moi, c'est important.

Elvis est revenu de la piscine et s'est installé dans une chaise longue en face de nous. Il pleurait de nouveau. Derrière ses larmes, il souriait en regardant Lysette – ou plus précisément, son décolleté. Même dans la mort, il aimait les filles.

— Vous êtes toujours avec Bronwen ?

— Toujours. On a les mêmes marques de naissance.

— J'avais oublié ce détail.

— Et elle préfère qu'on l'appelle Stormy.

— On la comprend.

— Et vous, avec l'agent Eckles ?

— Oh, on vient juste de se rencontrer. Il paraît gentil.

— « Gentil » ? (J'ai grimacé.) Le pauvre garçon est donc déjà hors course ?

— Il y a deux ans, ç'aurait été le cas. Mais aujourd'hui, je trouve qu'être gentil ça peut suffire.

— Il y a pire comme tare sur terre.

— Bien pire. Il m'a fallu du temps pour me rendre compte comme on est seuls en ce monde ; mais une fois qu'on s'en aperçoit... alors l'avenir vous paraît vraiment terrifiant.

Déjà passablement déprimé, Elvis s'est effondré totalement en entendant la réflexion de Lysette. Les larmes qui roulaient sur ses joues se sont transformées en ruisseau, et il a enfoui son visage dans ses mains.

Lysette et moi avons encore bavardé un moment, pendant qu'Elvis sanglotait sans émettre un seul son, puis quatre nouveaux invités sont arrivés.

Alors que Karla passait entre les convives avec un plateau de beignets au fromage, bien trop gros pour être appelés des *petits fours*, Wyatt Porter est revenu avec l'agent Eckles. Il m'a entraîné à l'écart, à l'autre bout de la piscine, pour que nous puissions parler en privé.

— Robertson est arrivé en ville il y a cinq mois. Il a acheté la maison à Camp's End, comptant.

— D'où vient son argent ?

— Un héritage. Bonnie Chan dit qu'il a quitté San Diego pour s'installer ici après la mort de sa mère. Il vivait encore chez elle à trente-quatre ans.

C'était donc Bonnie Chan, la grande agente immobilière de Pico Mundo, connue pour ses chapeaux extravagants, qui avait vendu la maison à Robertson...

— Autant que je puisse en juger, a poursuivi le chef de la police, on n'a rien à lui reprocher. Il n'y a même pas une amende pour excès de vitesse dans son dossier.

— Il serait peut-être intéressant de savoir comment sa mère est morte.

— Je me suis déjà renseigné. Rien de suspect de ce côté-là. Pour l'instant, je n'ai aucun angle d'attaque.

— Et tous ces dossiers qu'il compile sur des tueurs ?

— Même si j'avais un moyen légal de connaître leur existence, ce n'est qu'un hobby morbide ou bien, officiellement, de la recherche de documentation pour un livre. Ça n'a rien d'illégal.

— Mais c'est louche.

Wyatt a haussé les épaules.

— Si on s'arrêtait à ça, on serait tous en prison.

— Mais vous allez le garder à l'œil, n'est-ce pas ?

— Uniquement parce que tu ne t'es jamais trompé. Je vais mettre quelqu'un devant chez lui ce soir et le faire suivre.

— J'aurais aimé que vous puissiez faire plus.

— Écoute fiston, nous sommes aux États-Unis. Certains disent que c'est contraire à la constitution d'empêcher les psychopathes de commettre ce qu'ils ont en tête.

Parfois le cynisme du chef Porter m'amuse. Mais pas cette fois.

— Celui-là, c'est vraiment un méchant, Wyatt. Ce type, rien que de penser à lui, j'en ai des frissons partout.

— On va le surveiller, fiston. Je ne peux pas faire plus. Je ne peux pas aller à Camp's End et lui tirer une balle dans la tête.

Wyatt Porter m'a regardé avec insistance avant d'ajouter :

— Et toi non plus.

— Aucun risque. Les armes à feu me terrifient.

Wyatt Porter a tourné la tête vers la piscine.

— Il marche toujours sur l'eau ?

— Non. Il est à côté de Lysette ; il regarde son décolleté et il pleure.

— Il n'y a pas de quoi pleurer pourtant ! a rétorqué le chef de la police en me lançant un clin d'œil.

— Cela n'a rien à voir avec Lysette. Il est déprimé aujourd'hui.

— Pourquoi donc ? Elvis ne m'a jamais donné l'impression d'être un pleurnichard.

— Les gens changent quand ils meurent. C'est un traumatisme. Il est comme ça de temps en temps, mais je ne sais pas exactement ce qu'il a. Il n'a jamais cherché à me l'expliquer.

Visiblement, Wyatt Porter était dérangé par l'image d'un Elvis Presley en pleurs.

— On peut faire quelque chose pour lui ?

— C'est gentil de votre part, mais je ne vois pas quoi. Quand ça lui arrive, j'ai l'impression que c'est sa mère qu'il pleure, Gladys, qu'il voudrait être avec elle.

— C'est vrai qu'il aimait beaucoup sa mère...

— Il l'adorait.

— Elle est morte aussi, non ?

— Bien avant lui.

— Alors ils sont ensemble à présent...

— Non... pas tant qu'il refusera de quitter ce monde. Elle est de l'autre côté, dans la lumière, et lui est coincé ici.

— Pourquoi ne la rejoint-il pas ?

— Parfois, les morts ont des choses importantes à finir ici...

— Comme la petite Penny, ce matin, pour te conduire jusqu'à Harlo Landerson.

— Oui. Mais parfois, c'est simplement qu'ils aiment trop ce monde pour le quitter.

Le chef de la police a hoché la tête.

— C'est sûr qu'à Elvis, ce monde lui a souri...

— Exact. S'il s'agissait d'une chose à finir, en vingt-six ans il en aurait quand même terminé...

Wyatt Porter a cligné des yeux en regardant vers Lysette, tâchant de distinguer un petit signe de la présence de son compagnon de l'au-delà – une volute ectoplasmique, une petite vibration dans l'air, le frémissement d'un rayonnement surnaturel.

— Il faisait de belles chansons...

— C'est vrai, ai-je acquiescé.

— Tu lui diras qu'il est toujours le bienvenu ici ?

— Je le lui dirai. Cela lui fera plaisir.

— Tu es sûr que tu ne veux pas rester dîner ?

— Merci Wyatt, mais je suis pris ce soir.

— Stormy, bien sûr.

— Oui. C'est ma destinée.

— Tu sais y faire, Odd. Elle doit adorer t'entendre dire ça : « C'est ma destinée. »

— C'est plutôt moi qui adore l'entendre me dire ça !

Le chef de la police a passé son bras autour de mes épaules et m'a raccompagné à la porte d'entrée.

— Avoir une gentille femme, c'est ce qui peut arriver de mieux à un homme.

— Stormy est bien plus que ça.

— Je suis content pour toi, fiston. (Il a retiré la chaînette et a ouvert la porte.) Et ne te frappe pas trop pour ce Bob Robertson. On va le surveiller ; pour l'instant, il ne se doute de rien. Au moindre faux pas, on lui tombe dessus.

— Je m'inquiète quand même. C'est un homme très mauvais.

Lorsque je suis remonté dans la Mustang, Elvis m'attendait déjà sur le siège passager.

Les morts n'ont pas besoin de marcher pour se rendre où ils veulent – ni même de prendre une voiture. Si on les voit arpenter les trottoirs ou rouler dans les rues, c'est par pure nostalgie.

Entre la piscine et la Mustang, il avait changé de tenue. Exit la chemise hawaïenne. Il portait à présent un pantalon noir, une veste en tweed marron, une chemise blanche, une cravate noire, et un mouchoir anthracite en pochette (sa tenue dans *Blondes, brunes, rousses* comme me l'a appris plus tard Terri).

En quittant la rue des Porter, on a écouté *Stuck on You*, la chanson la plus entraînante qu'Elvis ait enregistrée.

Le King tapait des pieds en rythme, et dodelinait de la tête, mais ses larmes continuaient à couler.

15.

Au centre-ville, alors que nous passions devant une église, Elvis m'a fait signe de m'arrêter.

Sitôt que je me suis garé, il a tendu sa main droite pour me dire au revoir. Le contact était ferme et chaud, comme avec Penny Kallisto. Mais au lieu de serrer simplement ma main, il a refermé ses deux paumes sur la mienne. Peut-être pour me remercier, mais cela semblait plus que ça...

Il semblait inquiet pour moi. Il a serré ma main doucement entre ses doigts, m'a regardé d'un air soucieux, et l'a serrée une fois encore, plus fort.

— Ça va aller... ai-je ânonné sans savoir si c'est ce qu'il fallait répondre.

Il est descendu de voiture sans ouvrir la porte (il est simplement passé au travers); il a gravi le perron de l'église, a traversé les lourdes portes de chêne et a disparu de ma vue.

Je n'avais rendez-vous avec Stormy qu'à 20 heures pour dîner. J'avais donc encore du temps devant moi.

« Ne reste pas sans rien faire, disait mamie Sugars, joue au poker, bagarre-toi, fait le Fangio sur les routes, ce que tu veux, mais ne reste pas les bras ballants, parce que c'est là que les vrais ennuis arrivent. »

Même sans les sages conseils de ma grand-mère, je n'aurais pas fait le pied de grue sur mon lieu de rendez-vous avec Stormy en attendant qu'elle arrive.

J'ai redémarré et j'ai téléphoné à P. Oswald Boone, l'homme aux deux cents kilos et aux six doigts à la main gauche.

Little Ozzie a décroché à la seconde sonnerie :
— Odd, ma jolie vache a explosé !

— Explosé ?

— *Boum !* Un instant tout allait pour le mieux dans le meilleur des mondes, et l'instant suivant, Super Marguerite a volé en morceaux.

— Quand est-ce arrivé ? Je ne suis pas au courant.

— Il y a exactement deux heures et vingt-six minutes. La police est venue. Même eux, qui en ont pourtant vu des horreurs, ont été secoués.

— J'étais à l'instant avec le chef Porter et il ne m'a rien dit.

— Avant de faire leur rapport, ils ont dû aller boire un coup pour se remettre de leurs émotions.

— Et vous comment ça va ?

— Je ne me sens pas spolié, ce serait une réaction déplacée, mais triste… oui…triste.

— Je sais à quel point vous l'aimiez, cette vache.

— Pour ça, je l'aimais.

— Je pensais vous rendre une petite visite, mais ce n'est peut-être pas le meilleur moment…

— Si, si, au contraire, mon petit Odd. Il n'y a rien de pire que d'être seul le soir où sa vache a explosé.

— Je suis chez vous dans dix minutes.

Little Ozzie habite Jack Flats, un quartier qui, il y a cinquante ans encore, s'appelait Jack Rabbit Flats ; ça se trouve à l'ouest du vieux centre, au fond de la vallée. Je ne sais pas où est passé le lapin dans l'affaire – il a dû déménager[1].

Lorsque le centre pittoresque et commerçant de Pico Mundo a commencé à attirer les touristes dans les années 40, on lui a fait subir une cure de jouvence. Les boutiques les moins photogéniques – ateliers de mécanique, magasins de pneus, armureries – ont été déplacées dans les Flats.

Il y a vingt ans, de grands centres commerciaux sont sortis du sable, le long de Green Moon Road et de la Joshua Tree Highway, et ont récupéré tous les clients qui faisaient vivre le petit commerce dans les Flats.

En quinze ans, le quartier avait fait peau neuve. Les vieilles boutiques et les friches industrielles avaient été

---

1. Rabbit : lapin. *(N.d.T.)*

rasées. Des maisons et des immeubles de standing les avaient remplacées.

Little Ozzie avait été l'un des premiers à s'installer dans les Flats, au moment où personne n'aurait misé un dollar sur l'avenir du quartier. Il avait acheté un terrain de près d'un demi-hectare où se dressait un ancien restaurant à l'abandon. Et c'est là qu'il avait construit sa maison de rêve...

Une maison tout en bois, à deux niveaux, équipée d'un ascenseur, d'escaliers très larges et de planchers renforcés ; Ozzie avait conçu ces aménagements spéciaux eu égard à sa corpulence et pour faciliter aussi le travail des croque-morts si d'aventure il devenait, comme le craignait Stormy, intransportable, sinon par grue et chariot élévateur.

Quand je me suis garé devant la maison, désormais privée de sa vache, j'ai été choqué à la vue du carnage. Je ne m'attendais pas à en être si affecté.

À l'ombre d'un grand laurier indien qui projetait son ombre sur le soleil couchant, je contemplais avec effarement l'immense carcasse. Certes, toute chose sur terre doit disparaître un jour, mais les départs brutaux et prématurés sont toujours éprouvants.

Les quatre pattes, les débris de la tête, des morceaux de corps parsemaient la pelouse, les haies et l'allée. Comme pour apporter une ultime touche funeste à ce tableau macabre, le pis pendait, à l'envers, suspendu à un pilier du portail, les tétons pointés vers le ciel.

La vache Holstein noir et blanc, de la taille d'un 4 × 4, trônait autrefois au sommet de deux mats d'acier de sept mètres de haut – quasiment indemnes, eux. Tout ce qui restait de l'animal, là-haut, c'était son arrière-train ; la sculpture avait pivoté avec la déflagration et montrait désormais son postérieur aux passants.

Sous la vache en plastique se balançait jadis l'enseigne du restaurant. Quand il avait construit sa maison, Ozzie avait retiré la pancarte, mais avait gardé la vache.

Pour Ozzie, Super Marguerite n'était pas seulement le plus grand ornement de jardin du monde... c'était une œuvre d'art.

Sur les nombreux ouvrages qu'il avait écrits, quatre portaient sur l'art... alors Ozzie savait de quoi il parlait... Parce qu'il était l'un des habitants les plus célèbres de Pico Mundo (vivant, s'entend), peut-être même le plus respecté, et qu'il avait construit sa maison dans les Flats alors que tout le monde pensait que le quartier resterait à jamais une zone sinistrée, Little Ozzie était parvenu à convaincre le conseil municipal que cette vache était une relique de l'art urbain des années 60 et que la démonter serait un sacrilège.

À présent que les Flats se sont embourgeoisés, certains voisins (pas beaucoup, mais une minorité active) menaient une croisade contre ce bovin de plastique qui défigurait, selon eux, le paysage. Peut-être l'un d'entre eux avait-il décidé de régler le problème de façon radicale ?

Le temps de me frayer un chemin entre les débris et de monter les marches du perron, Ozzie ouvrait la porte et se dressait sur le seuil de toute sa masse.

— Si c'est pas malheureux de voir ça ! Regarde ce qu'un crétin a fait ! Ça me rappelle que « l'art est éternel et les critiques sont de la vermine d'un jour ».

— Shakespeare ?

— Non. Randall Jarell. Un grand poète, totalement oublié de nos universités modernes où l'on n'enseigne plus que l'égocentrisme et la masturbation intellectuelle.

— Je vais nettoyer pour vous.

— Pas question ! Je veux qu'ils aient leur carnage sous les yeux pendant une semaine, un mois, « ces serpents pleins de venin ! ».

— Shakespeare ?

— Non, non, W.B Daniel, en parlant aussi des critiques. Je ramasserai les morceaux un jour ou l'autre, mais le cul de ma jolie vache restera là-haut, à narguer ces philistins poseurs de bombe.

— C'était une bombe ?

— Une petite. Ils l'ont fixée à la sculpture cette nuit avec un retardateur... ce qui a permis à ces serpents « qui se nourrissent de fange et de venin » d'être loin du crime au moment de l'explosion. Non, ce n'est toujours pas Shakespeare, mais Voltaire, parlant lui aussi des critiques.

— Je suis un peu inquiet pour vous.

— N'aie crainte, mon gars. Ces lâches ont tout juste le courage de s'en prendre à une vache en plastique en pleine nuit, mais ils n'auraient jamais le cran d'attaquer de front un balaise comme moi avec des bras gros comme des gigots.

— Je ne parlais pas d'eux. Je faisais allusion à votre tension.

En chassant cette idée d'un geste de sa main énorme, Little Ozzie a répliqué :

— Si tu avais ma corpulence, un sang trop riche, charriant des molécules de cholestérol grosses comme des marshmallows, tu saurais qu'une bonne colère de temps en temps est le meilleur remède pour empêcher mes artères de se boucher définitivement. La colère et le bon vin. Entre donc ! Je vais ouvrir une bouteille et on trinquera à l'extinction de tous les critiques de la terre, « cette race dégénérée d'alligators affamés ».

— Shakespeare ?

— Nom de Dieu, Odd, le barde d'Avon n'est pas le seul écrivain de l'Histoire !

— Mais si je m'obstine, ai-je expliqué en suivant Ozzie dans la maison, je vais bien finir, à un moment ou à un autre, par tomber juste.

— C'est ce genre de stratégie pathétique que tu as expérimentée au lycée ?

— Tout juste.

Ozzie m'a invité à m'installer confortablement dans son salon pendant qu'il allait chercher une bouteille d'un cabernet sauvignon Robert Mondavi. Je me suis donc retrouvé seul en tête à tête avec Chester le Terrible.

Ce chat n'est pas obèse, mais il est grand et sans peur. Je l'ai vu une fois mettre en déroute un berger allemand agressif, rien qu'en le regardant.

À mon avis, même un pitbull mal luné et assoiffé de sang n'aurait pas été plus héroïque que le berger, et serait parti chercher une proie plus facile – un crocodile, par exemple.

Chester le Terrible est orange comme une citrouille, avec des stries noires. Ces lignes sur son visage rappellent les maquillages sataniques chers au groupe Kiss.

Perché sur l'appui de fenêtre, il contemplait la pelouse, m'ignorant avec superbe pendant une bonne minute.

Ce dédain passif me convenait parfaitement. Mes chaussures n'étaient pas lacérées de coups de griffes, et j'espérais bien les garder dans cet état !

Finalement, il a tourné la tête vers moi et m'a détaillé de la tête aux pieds, avec un mépris si appuyé que j'ai senti les coussins du fauteuil s'enfoncer sous moi. Puis il a reporté son attention sur l'extérieur.

Les débris de Super Marguerite semblaient le fasciner et lui faire ruminer de sombres pensées. Peut-être avait-il épuisé son capital de huit vies et sentait-il planer sur lui l'haleine glacée de la mort ?

Le salon d'Ozzie était équipé de fauteuils moelleux, démesurés et conçus exclusivement pour le farniente. Un tapis persan scintillant comme un diamant noir, un bureau en acajou du Honduras et des rayonnages de livres achevaient de donner à la pièce une ambiance chaleureuse et douillette.

Malgré le danger qui planait sur mes chaussures, je me suis rapidement détendu et, pour la première fois de la journée, je suis presque parvenu à oublier qu'un cataclysme se préparait.

Mais le miracle n'a duré que trente secondes. Chester a rompu le charme en se mettant soudain à souffler. Tous les chats soufflent, bien sûr, mais Chester tient le haut du panier ; on croirait entendre un crotale ou un cobra siffler, tant ce son qui sort de sa gorge est puissant et lourd de menaces.

Quelque chose dehors l'avait dérangé... il s'est levé sur ses pattes, a fait le dos rond, les poils tout hérissés.

Même si, à l'évidence, je n'étais pas la cause de son mécontentement, je me suis rapproché du bord du fauteuil, prêt à m'enfuir en cas d'attaque.

Chester a de nouveau soufflé et puis s'est mis à griffer la vitre. Le crissement de ses griffes sur le verre m'a donné des frissons dans tout le corps.

Les dynamiteurs de vache étaient-il revenus pour pulvériser le postérieur bovin qui les narguait ?

Chester a encore griffé la vitre. Je me suis levé et me suis approché de la fenêtre, avec d'infinies précautions, non parce ce que je craignais de recevoir un cocktail Molotov lancé par les dynamiteurs mais parce que je ne voulais pas que le matou irascible se méprenne sur mes intentions.

Dehors, juste derrière la grille, face à la maison, se tenait Mr. Champignon – Bob Robertson !

16.

Ma première envie a été de reculer de la fenêtre. Mais si Mr. Champignon me suivait, c'est qu'il se doutait que j'étais entré chez lui… Ma réaction de fuite, alors, serait la preuve qu'il attendait.

Je suis donc resté derrière les vitres – courageux, mais soulagé que Chester le Terrible se tienne entre le quidam et moi. J'étais satisfait aussi de voir que le chat n'appréciait pas la présence de Robertson, même à plus de dix mètres de distance, ce qui accréditait, de façon irréfutable, mes soupçons à l'égard de cet individu.

Jusqu'à cet instant, jamais je n'avais imaginé qu'un jour Chester et moi puissions être d'accord sur quelque sujet que ce soit, hormis notre affection mutuelle pour Ozzie.

Pour la première fois, Robertson n'arborait plus son sourire vague et étrange. Il se tenait dans la lumière qui avait viré au miel, devant les lauriers, aussi sinistre que la photo de Timothy McVeigh accrochée dans son bureau.

Derrière moi Ozzie a lancé :

— Oh ! Se peut-il que les hommes s'introduisent un ennemi dans la bouche pour qu'il leur vole la cervelle !

Ozzie avait dans les bras un plateau où trônaient deux verres de vin et une petite assiette de dés de fromage, décorée d'une corolle de gâteaux apéritifs.

En le remerciant, j'ai pris un verre et ai de nouveau regardé par la fenêtre.

Bob Robertson n'était plus là.

Malgré les risques (Chester pouvait avoir des réactions imprévisibles), je me suis encore approché de la fenêtre pour scruter la rue, à gauche et à droite.

— Alors ? a demandé Ozzie, impatient de connaître mon verdict.

Robertson était bel et bien parti, comme si une affaire urgente l'avait rappelé tout à coup.

La découverte de cet homme étrange derrière la clôture d'Ozzie m'avait causé un choc. Mais sa disparition était plus angoissante encore. Finalement, je préférais qu'il me suive comme une ombre... ainsi, j'aurais toujours su où il se trouvait et ç'aurait été moins inquiétant.

— Oh ! Se peut-il que les hommes s'introduisent un ennemi dans la bouche pour qu'il leur vole la cervelle ! a répété Ozzie.

En me retournant, j'ai vu qu'il avait posé le plateau et levait son verre pour porter un toast.

Faisant mon possible pour dissimuler mon trouble, j'ai dit :

— Certains jours sont si difficiles que seule l'ivresse du vin peut nous redonner le sommeil.

— Je ne te demande pas un commentaire sur cette phrase, juste de me donner la source.

— La source ? ai-je bredouillé, toujours hanté par Robertson.

Avec un certain agacement, Ozzie s'est écrié :

— Shakespeare ! J'ai continué notre petit jeu pour que tu aies une chance de donner la bonne réponse, mais tu as raté le coche. C'était Cassio, dans *Othello*, acte II scène 3.

— Excusez-moi, j'avais l'esprit ailleurs.

Ozzie a désigné la fenêtre où Chester avait retrouvé sa sérénité de sphinx :

— La désolation que ces barbares ont laissée sur leur passage est un spectacle fascinant, n'est-ce pas ? Cela nous rappelle à quel point le vernis de la civilisation est mince.

— Je suis désolé de vous décevoir, mais mes pensées n'étaient pas si profondes... j'ai simplement cru voir quelqu'un dehors, quelqu'un que je connais.

Il a levé son verre de sa main droite – celle à cinq doigts :

— À la damnation éternelle de tous ces mécréants !

— « La damnation », vous y allez un peu fort.

— Ne me prive pas de ce plaisir, mon garçon. Bois !

En m'exécutant, j'ai jeté un coup d'œil vers la fenêtre. Personne. Je suis allé me rasseoir dans le fauteuil que j'occupais lorsque que le chat s'était transformé en boule de poils furieuse.

Ozzie s'est installé dans le siège jumeau en face de moi, mais le fauteuil, sous son poids, a plus grincé que le mien.

J'ai contemplé les alignements de livres, les copies magnifiques de lampes Tiffany... en vain ; la pièce avait cessé d'exercer sur moi son effet apaisant. J'entendais presque le cliquetis de ma montre égrainant les secondes qui restaient avant que sonnent les douze coups de minuit et l'arrivée du 15 août.

— Comme tu n'es pas du genre à venir les mains vides, Odd, et que je ne vois aucun cadeau pour moi, c'est donc un problème qui t'amène.

Je lui ai alors tout raconté sur Robertson. Je lui ai même narré l'épisode de la chambre noire (que j'avais caché à Wyatt Porter). Ozzie avait l'esprit suffisamment large pour tout accepter.

En outre, Ozzie n'avait pas écrit que des essais, mais créé aussi deux héros récurrents de romans policiers.

Le héros de la première série, comme on peut s'y attendre, était un détective obèse, doté d'une intelligence hors pair, qui résolvait des crimes mystérieux en faisant à chaque phrase des calembours. Il était aidé par son épouse, une femme magnifique et sculpturale (qui l'aimait à la folie) – un *alter ego* qui se chargeait du travail de terrain et de la partie action.

Ces livres, confiait Ozzie, s'inspiraient de ses fantasmes d'adolescent à l'époque où les poussées d'hormones lui faisaient tourner la tête – des fantasmes, visiblement, toujours vifs à son esprit.

L'autre série mettait en scène une détective, une héroïne qui restait sympathique malgré ses nombreuses névroses et sa boulimie compulsive. Ce personnage était né un jour qu'il dînait avec son éditeur – un festin qui avait duré cinq heures, moins par l'abondance de plats que par celle des verres de vin.

Ozzie soutenait qu'un personnage ayant des névroses ou des manies (aussi guère ragoûtantes fussent-elles) pouvait connaître le succès auprès du public, pour peu que l'auteur sache rendre le héros sympathique. L'éditeur n'était pas de cet avis :

— Jamais personne ne voudra lire un livre sur une héroïne qui se met les doigts au fond de la gorge à chaque fin de repas pour se faire vomir !

Le premier opus avait remporté un Edgar Award, l'équivalent d'un Oscar pour le cinéma. Le dixième volet venait de sortir et s'était encore mieux vendu que les neuf précédents.

Avec un ton solennel (pour mieux dissimuler son amusement), Ozzie affirmait qu'aucun livre, dans toute l'histoire de la littérature mondiale, n'avait décrit autant de scènes de vomi pour le plus grand bonheur de ses lecteurs.

Le succès d'Ozzie ne me surprenait pas du tout. Il aimait les gens, il savait les écouter, et cet amour de l'humanité transparaissait dans toutes les pages de ses textes.

— Tu devrais avoir un flingue, a répliqué Ozzie, une fois que je lui eus tout raconté (la chambre noire, les dossiers sur les grands tueurs et les grands psychopathes de l'Histoire).

— Les armes à feu me font peur.

— C'est ta vie qui me fait peur ! Je suis sûr que Wyatt Porter t'accorderait un permis de port d'arme.

— Je devrais alors porter une veste pour cacher le holster.

— Ou alors des chemises hawaïennes, et porter l'arme à la ceinture, dans le creux du dos.

J'ai froncé les sourcils.

— Les chemises hawaïennes ne me vont pas.

— Ah oui ? a-t-il raillé. Tu crois que les T-shirt et le jean c'est le nec plus ultra de l'élégance ?

— Parfois, je porte des pantalons de toile !

— La richesse de ta garde-robe donne le vertige. Ralph Lauren en pleure toutes les larmes de son corps.

— Je suis comme je suis.

— Si je t'achète une arme et que je t'apprends à t'en servir, est-ce que...

— Merci, Ozzie, c'est gentil de vous soucier de moi comme ça, mais à tous les coups je me tirerai dans les deux pieds et vous serez forcé d'écrire une nouvelle série policière avec pour héros un détective privé en fauteuil roulant.

— Cela a déjà été fait (il a bu une gorgée de son vin). Tout a déjà été fait. Une fois par génération, peut-être, on trouve un truc aussi nouveau qu'une fliquette vomissant toutes les quatre heures.

— Il reste le héros atteint de diarrhée chronique.

Il a fait la grimace.

— Ce n'est pas comme ça que tu deviendras un auteur à succès. Tu as écrit dernièrement?

— Un peu.

— Hormis la liste des courses et les billets doux à Stormy, j'entends...

— Non, je n'ai pas écrit, ai-je reconnu.

Quand j'avais seize ans, P. Oswald Boone, qui pesait alors seulement cent soixante-quinze kilos, avait accepté de faire partie du jury d'un concours d'écriture de nouvelles organisé dans notre lycée, un lycée qu'il avait lui-même fréquenté quelques années plus tôt. Ma professeur de littérature avait demandé à chacun de ses élèves de s'inscrire au concours.

Ma grand-mère Sugars venait de mourir; elle me manquait beaucoup... j'ai alors décidé d'écrire un texte sur elle. Pour mon malheur, mon texte a remporté le premier prix, ce qui a fait de moi une petite célébrité au lycée, alors que je préfère d'une manière générale me faire oublier.

Pour mon ode à grand-mère, j'ai reçu trois cents dollars et une jolie plaque gravée à mon nom en guise de trophée. L'argent est parti dans l'achat d'une chaîne stéréo bon marché, mais d'un très bon rapport qualité/prix.

La plaque commémorative et la chaîne ont été plus tard réduites en miette par un esprit frappeur en colère.

Le seul bénéfice à long terme de ma participation à ce concours, c'est mon amitié avec Little Ozzie. Une joie dans ma vie, même si depuis cinq ans, il ne cesse de me harceler pour m'inciter à écrire. Il dit qu'on n'a pas le droit de laisser dormir un tel talent, que c'est une obligation morale de l'utiliser et d'y faire honneur.

— Deux dons, c'est un de trop, lui ai-je expliqué aujourd'hui. Si je dois m'occuper des morts et écrire en plus quelque chose de valable, je vais péter un boulon... soit devenir fou pour de bon, soit me tirer une balle dans la tête avec le pistolet que vous voulez justement m'offrir.

Cette échappatoire l'a bien agacé.

— Écrire n'est pas une source de souffrance. C'est une chimiothérapie psychique. Cela réduit les tumeurs psychologiques, cela diminue la douleur...

Je ne doutais pas que ce soit vrai dans son cas ni qu'il ait des blessures internes au point de nécessiter une chimiothérapie psychique à vie.

Big Ozzie était toujours en vie, mais Little Ozzie ne voyait son père qu'une ou deux fois par an. Après chaque rencontre, il lui fallait deux semaines pour s'en remettre et retrouver sa bonne humeur.

Sa mère était en vie également, mais Little Ozzie ne lui avait pas parlé depuis vingt ans.

Big Ozzie était gros aussi et accusait seulement vingt-cinq kilos de moins que son fils. Les gens, par conséquent, pensaient que l'obésité de Little Ozzie était un héritage paternel.

Mais Little Ozzie refusait de se poser en victime de la génétique. C'était, disait-il, par faiblesse et manque de volonté qu'il était devenu gras comme un loukoum.

Au fil des ans, il laissait parfois entendre que ses parents lui avaient brisé le cœur et que cette blessure lui avait sapé toute force de caractère. Il n'évoquait jamais son enfance douloureuse et refusait de raconter ce qu'il avait enduré. Il préférait s'abîmer dans l'écriture de ses romans à suspens.

Il ne parlait pas de ses parents avec acrimonie. Il n'en parlait pas du tout et les évitait au maximum – et écrivait à la place des livres sur l'art, la musique, la bonne cuisine, le vin...

— Écrire, lui ai-je expliqué, ne sera jamais un remède aussi efficace que le bonheur de voir Stormy... ou de manger avec elle une glace noix de coco-cerise-éclats de chocolat.

— Je n'ai pas la chance d'avoir une Stormy dans ma vie, mais la glace, ça je peux comprendre. (Il a vidé son verre.) Que vas-tu faire pour ce Bob Robertson ?

J'ai haussé les épaules.

— S'il sait que tu as été chez lui cet après-midi et que, déjà, il te file le train, c'est pas bon signe, a insisté Ozzie. Tu dois réagir.

— Tout ce que je peux faire, c'est être prudent. Et attendre que Wyatt Porter trouve quelque chose pour le coincer. Et puis, il ne me suivait peut-être pas. C'est peut-être à cause de la vache... peut-être s'est-il arrêté pour regarder les dégâts.

— Odd, je serais extrêmement déçu si tu te faisais tuer demain, sans avoir fait honneur à ton talent d'écriture.

— Et moi donc !

— Que tu ne veuilles pas grandir, acheter une arme et écrire un livre, passe encore, mais de là à sacrifier ta vie... « comme est impétueuse la marche des jours dans les années de la jeunesse ».

— Mark Twain ! ai-je répondu en reconnaissant la citation.

— Excellent ! Tu n'es donc pas un jeune écervelé totalement inculte !

— Vous vous êtes déjà servi de cette citation. C'est pourquoi je m'en suis souvenu.

— Tu t'en es souvenu, c'est déjà ça ! Ça prouve ton désir, même au niveau inconscient, d'abandonner tes grillades et de devenir un homme de lettres.

— Je compte d'abord faire une reconversion dans les pneus.

Ozzie a poussé un long soupir.

— Tu es pénible, parfois. (Il a fait sonner son verre vide d'une pichenette de l'ongle.) J'aurais dû apporter la bouteille.

— Restez assis, je vais la chercher.

Le temps qu'il s'extraie de son siège, je serais déjà revenu de la cuisine avec la bouteille.

Le couloir large de trois mètres ressemblait à une galerie de musée et donnait, de part et d'autre, accès à des pièces renfermant des collections de livres rares et d'œuvres d'art.

Tout au bout, une porte menait à la cuisine. Sur le comptoir de granit noir, la bouteille trônait, ouverte pour laisser le vin respirer.

Toutes les pièces étaient équipées d'air climatisé... or la cuisine, à mon arrivée, m'a paru anormalement chaude. J'ai même cru, un instant, que les quatre fours étaient allumés, pour cuire je ne sais quel festin gargantuesque.

Mais j'ai vu la porte côté jardin ouverte. La chaleur du désert, encore étouffante en ce soir d'été, avait aspiré toute la fraîcheur de la pièce.

Quand je me suis approché pour la fermer, j'ai vu Bob Robertson dans le jardin, avec sa tête blême et pâle de vesse-de-loup.

17.

Robertson se tenait immobile devant la maison, comme s'il voulait que je le voie. Puis il a tourné les talons et s'est dirigé vers le fond du jardin.

Pendant de longues minutes, j'ai hésité sur le seuil, ne sachant que faire.

Sans doute, l'un de ses voisins m'avait aperçu et lui avait raconté que je m'étais introduit dans sa maison durant son absence... mais la rapidité avec laquelle il m'avait retrouvé était déconcertante.

J'ai soudain réalisé que j'avais mis Ozzie en danger, que j'avais amené chez lui un psychopathe. Ça m'a tiré d'un coup de mon hébétude. Je suis sorti de la cuisine, j'ai traversé le patio et me suis engagé sur la pelouse, dans le sillage de Robertson.

La maison se trouve en bordure de route ; derrière, le terrain s'étend sur près d'un demi-hectare, composé de pelouse et de bosquets d'arbres qui protègent Ozzie des regards indiscrets des voisins. Dans le fond du jardin, les arbres se font plus denses et forment quasiment un petit bois.

Robertson s'est engagé sous le dais des lauriers, des podocarpes et des faux-poivriers et a disparu de ma vue.

Le soleil bas à l'occident s'insinuait çà et là entre les trouées du feuillage, mais la grande partie des frondaisons formait un bouclier impénétrable. Même s'il faisait plus frais ici que sur les pelouses écrasées de soleil, les ombres restaient chaudes et odorantes et je les sentais se refermer sur moi comme une couverture verte.

Les troncs aussi, comme la pénombre, offraient mille cachettes. Ma cible pouvait se trouver n'importe où.

J'ai exploré le sous-bois rapidement (mais tous les sens aux aguets), le traversant du nord au sud, puis du sud au nord, d'abord en silence, puis en l'appelant – « Mr. Robertson ? » –, mais sans succès.

Les rares rais de lumière qui trouaient la canopée me gênaient dans ma recherche. Ils n'éclairaient guère et étaient juste assez nombreux pour empêcher l'œil de s'acclimater au clair-obscur.

Rechignant à sortir du bois sans avoir repéré l'intrus (je craignais qu'il ne m'attaque dans le dos), j'ai mis du temps à atteindre le portillon tout au fond du terrain. Il était fermé ; équipé d'une clenche à contrepoids, il pouvait très bien s'être refermé tout seul derrière Robertson...

Le portail donnait dans une allée de briquettes, flanquée de clôtures et de portes de garage, à l'ombre de quelques palmiers et de faux-poivriers. Personne – à droite comme à gauche.

J'ai alors retraversé le bois en sens inverse, guère rassuré. Il était peut-être tapi quelque part, en embuscade, prêt à me sauter dessus... mais il n'est pas passé à l'action... peut-être a-t-il vu que j'étais sur mes gardes ?

Quand j'ai regagné l'auvent derrière la maison, je me suis retourné et j'ai scruté le bois. Des oiseaux voletaient dans les branchages, mais ils ne paraissaient pas avoir été dérangés par une présence étrangère ; c'était juste un dernier vol avant la tombée de la nuit.

De retour dans la cuisine, j'ai refermé la porte, engagé le verrou et tiré la chaîne de sécurité.

J'ai jeté un coup d'œil par les carreaux de la porte. Personne. Tout était calme et tranquille.

Quand je suis revenu dans le salon avec la bouteille de vin, la moitié du fromage avait disparu de l'assiette, et Little Ozzie était toujours installé dans son grand fauteuil, comme le Roi Crapaud sur son trône.

— Tu en as mis du temps ! Tu as trouvé une armoire pour aller à Narnia ou quoi ?

Je lui ai narré ma nouvelle rencontre avec Robertson.

— Tu veux dire qu'il était ici, dans ma maison ?

— Oui, j'en ai bien l'impression.

J'ai rempli les verres.

— Pour quoi faire ?

— Il devait être dans le couloir, juste derrière la porte, à écouter ce qu'on se disait.

— Il est gonflé.

J'ai posé la bouteille sur une desserte à côté d'Ozzie, en faisant de mon mieux pour cacher le tremblement de mes mains.

— Je suis bien entré chez lui pour fouiller ses tiroirs, ce n'est pas mieux...

— Peut-être. Mais toi tu es du côté du bien, et ce salaud est un cafard avec un passeport *made in* Enfer.

Chester le Terrible était descendu de la fenêtre pour s'installer sur mon siège. Il me fixait du regard, me défiant de reprendre ma place. Ses yeux étaient verts comme ceux d'un démon fomentant de mauvais plans.

— Si j'étais toi, je m'assiérais autre part, a lancé Ozzie. (Il a désigné la bouteille.) Un autre verre ?

— Je n'ai pas encore fini le premier. Et puis, je dois vraiment filer. Stormy, le dîner... tout ça. Mais ne vous levez pas, ce n'est pas la peine.

— Je me lève si je veux ! a-t-il grogné.

Il a commencé à se contorsionner pour s'arracher du fauteuil qui s'était refermé sur lui comme une plante carnivore géante.

— Vraiment, ce n'est pas utile de vous déranger.

— Ne me dis pas ce qui est utile ou non, petit présomptueux ! Ce qui est utile, c'est ce que je veux faire, même si c'est parfaitement vain pour autrui.

Parfois, se lever lui demande tant d'efforts que son visage passe au rouge pivoine, parfois, au contraire, il devient pâle comme un linge. Dans ces cas-là, j'ai toujours peur que son cœur ne flanche.

Heureusement, ses joues ne sont devenues ni cramoisies, ni blanches. Grâce, peut-être, à l'apport énergétique du vin et d'une demi-assiette de fromage, Ozzie est parvenu à s'extraire du fauteuil notablement plus vite qu'une tortue du désert d'un trou de sable.

— Maintenant que vous êtes debout, je pense que vous devriez verrouiller la porte derrière moi. Et fermer toutes les issues tant que cette histoire n'est pas résolue. Et n'ouvrez à personne sauf si vous savez de qui il s'agit.

— Je n'ai pas peur de ton gugusse. Rembourré comme je suis, mes organes sont difficiles à atteindre avec une balle ou un couteau. Et je connais aussi quelques trucs d'autodéfense.

— Cet homme est dangereux, Ozzie. Il s'est peut-être maîtrisé jusqu'à présent, mais quand il va se laisser aller, cela fera la une des JT de Paris au Japon. Moi, en tout cas, j'ai vraiment peur de lui.

Ozzie a agité sa main à six doigts pour nier les risques.

— Mais à l'inverse de toi, moi j'ai une arme... Et pas qu'une seule d'ailleurs.

— Alors, gardez-les à portée de main. Je suis vraiment désolé de l'avoir attiré jusqu'ici.

Comme à chaque fois que je m'en vais, Ozzie m'a serré dans ses bras tel un père étreignant son fils, et pourtant ni l'un ni l'autre n'avons connu ça dans notre enfance.

Et à chaque fois, je suis surpris de voir un être si fragile derrière sa carapace. J'avais l'impression qu'Ozzie était un petit être tout frêle enveloppé d'un grand manteau de graisse, un garçon écrasé par le poids de la vie, qui l'étouffait un peu plus, année après année.

— Embrasse Stormy pour moi, m'a-t-il dit sur le pas de la porte.

— Je n'y manquerai pas.

— Et amène-la ici, pour lui faire voir ce qu'il ont fait à ma jolie vache, pour lui montrer l'œuvre de ces barbares.

— Elle va être horrifiée. Il lui faudra du vin pour s'en remettre. On apportera une bouteille.

— Pas la peine. J'ai une cave pleine.

J'ai attendu sur le perron qu'il referme la porte et que j'entende le cliquetis du verrou.

Tout en me frayant un chemin entre les débris de la vache, j'ai scruté la rue. Aucune trace de Robertson, ni de sa Ford Explorer poussiéreuse.

Une fois installé derrière le volant de la Mustang, j'ai démarré le moteur. Allais-je être soufflé par une explosion titanesque comme la pauvre vache d'Ozzie ? Décidément, je devenais de plus en plus nerveux.

J'ai fait des tours et des détours avant de rejoindre l'église catholique de St. Barthélemy ; j'étais certain que personne ne me suivait. Les voitures derrière moi roulaient innocemment vers leurs destinations. Et pourtant, je me sentais surveillé.

18.

Pico Mundo n'a pas de gratte-ciel. Les nouveaux immeubles de cinq étages donnent déjà le vertige aux anciens habitants ; ils ont l'impression de se trouver au cœur d'une mégapole ; dans le journal du comté, on parle de « l'invasion des buildings » et on s'inquiète de voir transformer les rues du centre-ville en « gorges artificielles de béton, où les gens sont réduits à l'état d'abeilles ouvrières travaillant dans une ruche où le soleil n'entre jamais ».

Le soleil du Mojave n'a ni la timidité de celui de Boston, ni l'allégresse de celui des Antilles. Le soleil du Mojave est une bête sauvage, féroce, et ce ne sont pas les ombres de quelques bâtiments de cinq étages qui vont l'intimider.

En comptant sa flèche, l'église St. Barthélemy est le plus haut édifice de Pico Mundo. Parfois, au crépuscule, sous son chapeau de tuiles canal, les murs du clocher luisent comme les verres d'une lampe-tempête, frappés par les derniers rayons du couchant.

Il restait encore une demi-heure avant le coucher du soleil et le ciel, à l'occident, flamboyait d'un rouge de plus en plus sombre, comme si l'astre était blessé et saignait sur sa couche. Les murs blancs de l'église reflétaient la couleur des cieux et paraissaient irradier une lumière divine.

Stormy m'attendait sur le perron. Elle était assise sur la plus haute marche, un panier pique-nique posé à côté d'elle.

Elle avait échangé son uniforme rose bonbon du Burke & Bailey contre un pantalon blanc, des sandales et un chemisier turquoise. Plus tôt, elle était jolie, maintenant elle resplendissait.

Avec ses cheveux bruns, ses yeux noirs, elle ressemblait à une pharaonne de l'ancienne Égypte. Ses prunelles renfermaient des mystères plus abyssaux que ceux du sphinx, plus envoûtants que ceux des pyramides et autres sanctuaires attendant encore d'être exhumés des sables.

Comme si elle lisait dans mes pensées, elle a lancé :

— Étouffe tes braises, petit marmiton ! On est devant une église.

J'ai attrapé le panier et, quand elle s'est levée, je l'ai embrassée sur la joue.

— Je ne t'ai pas demandé d'être aussi chaste !

— C'était de la part d'Ozzie.

— C'est gentil. J'ai appris qu'ils ont fait sauter sa vache.

— Un vrai carnage, il y a des débris de Super Marguerite partout.

— Ce sera quoi ensuite ? Des commandos anti-nains de jardin ?

— Ce monde est fou.

Nous sommes entrés dans l'église. Le narthex était plongé dans la pénombre, l'endroit était accueillant, lambrissé de merisier dans un camaïeux rubis.

Au lieu de nous diriger vers la nef, on a bifurqué tout de suite sur la droite, vers une porte fermée. Stormy a sorti une clé et nous sommes entrés dans le clocher.

Le père Sean Llewellyn, prêtre de l'église St. Barthélemy, est l'oncle de Stormy. Il sait qu'elle aime particulièrement le clocher alors il lui a donné cette clé pour qu'elle puisse y accéder quand bon lui semble.

La porte s'est doucement refermée derrière nous, l'odeur de l'encens s'est évanouie et un vague relent de salpêtre nous a chatouillé les narines.

L'escalier était plongé dans l'obscurité. Sans coup férir, mes lèvres ont trouvé les siennes pour un baiser plus tendre que le premier, avant qu'elle n'allume la lumière.

— Oh le vilain garçon !

— Oh, les jolies lèvres.

— Ça me fait un peu bizarre... de se rouler un patin dans une église.

— Techniquement, nous ne sommes plus dans l'église.

— Et techniquement, ce n'était pas un patin.

— Je suis certain qu'il doit exister un terme médical pour ça.

— En tout cas, il y en a un pour définir ton état.

— Ah oui? Et lequel? ai-je demandé en la suivant dans l'escalier, le panier à la main.

— Le priapisme.

— Et c'est quoi?

— Le fait d'être toujours excité.

— Tu ne veux tout de même pas que j'aille voir un docteur pour ça !

— Pas besoin d'un médecin. Un bon vieux remède de grand-mère suffit.

— Développe…

— Un bon coup sec sur la source du problème et tout rentre dans l'ordre !

J'ai grimacé.

— J'aurais préféré les manières douces d'une Florence Nightingale ! Je vais donc de ce pas m'acheter une coquille.

En haut de l'escalier hélicoïdal, une porte donnait sur la terrasse.

Un carillon de trois cloches de bronze, immenses, mais de tailles différentes, était suspendu au plafond. Une coursive d'un mètre cinquante de large faisait le tour de la construction.

Les cloches avaient sonné pour les vêpres à 19 heures et ne tinteraient pas avant demain, pour la messe du matin.

Sur trois faces, la terrasse, close d'un parapet, offrait une vue imprenable sur Pico Mundo, la vallée Maravilla et les collines au loin. Nous nous sommes installés sur le côté ouest, pour admirer le coucher du soleil.

Stormy a sorti du panier un Tupperware empli de noix grillées et saupoudrées de sel et de sucre. Elle m'en a glissé une dans la bouche. Délicieux – la noix et le fait d'être nourri par Stormy.

J'ai ouvert la bouteille de merlot et rempli les verres qu'elle tenait.

Voilà pourquoi je n'avais pas terminé mon cabernet chez Ozzie. Malgré toute mon affection pour Ozzie, je préférais boire avec Stormy.

On ne pique-nique pas tous les soirs sur ce belvédère, simplement deux ou trois fois dans le mois, quand Stormy a besoin de se sentir au-dessus du monde et plus près du paradis.

— À Ozzie ! a lancé Stormy en levant son verre. En espérant qu'un jour, il rattrape le temps perdu.

Je ne lui ai pas demandé ce qu'elle voulait dire – je le savais peut-être, au fond de moi. À cause de son poids, il y avait tant de choses sur lesquelles Ozzie avait tiré un trait, tant de choses qu'il n'avait jamais connues.

Orange-citron sur l'horizon, orange-sanguine plus haut, les cieux s'assombrissaient pour former une coupole pourpre juste au-dessus de nos têtes. De l'autre côté, à l'est, les premières étoiles allaient apparaître.

— Le ciel est si clair. On va voir Cassiopée ce soir, s'est réjouie Stormy.

Elle faisait allusion à la constellation au septentrion qui portait le nom de la déesse grecque, mais Cassiopée était également le nom de sa mère. Elle était morte quand Stormy avait sept ans. Son père avait péri dans le même accident d'avion.

N'ayant que son oncle, prêtre, pour famille, elle avait été placée à l'Assistance pour être adoptée. Au bout de trois mois de cauchemar dans sa nouvelle famille, Stormy avait fait savoir qu'elle ne voulait pas de père et de mère de substitution, que ses seuls parents resteraient à jamais ceux qu'elle avait aimés et perdus.

Jusqu'à sa sortie du lycée, elle avait été élevée dans un orphelinat. Pendant un an, jusqu'à sa majorité, elle avait vécu sous la tutelle de son oncle.

La nièce du curé entretenait une relation particulière avec Dieu. Elle était en colère contre lui – parfois un peu, parfois beaucoup.

— Et ton Mr. Champignon ?

— Chester le Terrible ne l'aime pas non plus.

— Chester n'aime personne...

— Je crois même qu'il en a peur.

— Ça, c'est un élément nouveau !

— Il a une grenade dégoupillée dans la main.

— Qui ça ? Chester ?

— Non, Mr. Champignon. Bob Robertson de son vrai nom. Je n'ai jamais vu les poils de son dos se hérisser comme ça.

— Ah bon. Robertson est poilu à ce point ?

— Non. Chester le Terrible. Même quand il a peur, comme lorsque ce berger allemand l'a coincé, il ne se transforme pas comme ça en pelote d'épingles.

— Vas-y, Oddie l'Étrange, on est une équipe, raconte-moi tout. Par quel miracle Bob Robertson et Chester le Terrible se sont-ils trouvés au même endroit au même moment ?

— Depuis que je me suis introduit chez lui, j'ai l'impression que Robertson me suit.

Au moment où j'ai prononcé ces mots, un mouvement parmi les tombes en contrebas a attiré mon regard.

Le cimetière s'étendait sur le flanc ouest de l'église, un cimetière à l'ancienne : pas de plaques de bronze enchâssées dans du granit, sagement alignées sur une pelouse manucurée, comme pour les sépultures modernes... Ici, il y avait des stèles de pierre, des mausolées, et une grille en fer forgé, hérissée de fers de lance, entourait le terrain. Malgré les flaques d'ombre que dispensaient quelques chênes centenaires, la plupart des allées étaient en plein soleil.

Dans la clarté de ce crépuscule d'août, l'herbe avait viré au brun, les ombres étaient noires comme du charbon, les surfaces polies des stèles renvoyaient le pourpre du ciel... et Robertson se tenait là, immobile comme les autres pierres funéraires, non sous le couvert des arbres, mais au milieu de l'enclos, bien en vue...

Stormy a posé son verre sur le parapet et s'est accroupie pour fouiller les entrailles du panier.

— J'ai du fromage. Ce sera parfait avec ce vin...

Si Robertson s'était tenu devant une sépulture, recueilli, à lire les noms gravés sur la stèle, j'aurais déjà été passablement surpris. Mais là, c'était bien pire... Il ne venait pas rendre hommage aux morts ni s'occuper d'une tombe... rien d'aussi innocent !

Il avait la tête levée, les yeux fixés sur le clocher – sur moi ! Et l'intensité de son regard m'a traversé de part en part comme une décharge électrique.

Derrière les chênes et la grille, j'apercevais une portion des deux rues qui se croisaient à l'angle nord-ouest du cimetière. Autant que je puisse en juger, aucune voiture de police en vue.

Wyatt Porter avait promis de mettre quelqu'un devant sa maison pour surveiller ses faits et gestes. Mais si Robertson n'était pas repassé chez lui, le flic de planton à Camp's End n'avait pu le filer.

— Tu veux des crackers avec le fromage ? a demandé Stormy.

Le ciel, vers l'horizon, virait à l'indigo, ne laissant plus qu'une fine frange d'orange. L'air, lui-même, semblait plus rouge et épais, et les ombres des arbres et des pierres tombales, plus noires encore.

Robertson était arrivé avec la nuit.

J'ai posé mon verre.

— On a un problème...

— Les crackers ? C'est juste une proposition.

Un bruissement d'ailes m'a fait sursauter.

Trois pigeons se sont engouffrés dans les auvents du carillon pour rejoindre leur nid dans la charpente au-dessus des cloches. Dans mon mouvement, j'ai heurté Stormy qui se relevait avec, dans les mains, les boîtes de gâteaux salés et le fromage. La nourriture s'est répandue au sol.

— Oddie, regarde ce que tu as fait !

Elle s'est baissée, a posé les boîtes et a commencé à ramasser les crackers et le fromage.

En bas, dans l'herbe sombre, Robertson, qui se tenait, jusqu'à présent, les bras le long du corps, légèrement voûté, a senti mon regard, comme moi j'avais senti le sien, et a levé lentement son bras droit dans ma direction, comme un salut nazi.

— Tu m'aides ou tu comptes être mufle comme tous les hommes ? s'impatientait Stormy.

Au début, j'ai cru qu'il tendait son poing vers moi, mais, malgré la pénombre grandissante, j'ai vu que son geste était encore moins poli que ça. Son majeur était dressé vers le ciel et animé de soubresauts obscènes.

— Il est ici.

— Qui?

— Mr. Champignon.

Et soudain, il a bougé. Robertson a marché entre les tombes, s'est dirigé vers l'église…

— On ferait bien d'oublier le dîner, ai-je dit en relevant Stormy dans l'intention de la faire sortir au plus vite du clocher.

Mais elle m'a résisté et s'est tournée vers le cimetière.

— Je n'ai peur de personne!

— Moi si. Des fous dangereux.

— Où est-il? Je ne le vois pas.

Je me suis penché sur le garde-fou. Je ne le voyais plus non plus. Apparemment, il avait atteint l'église et tourné au coin.

— La porte en bas, ai-je demandé. Elle se referme toute seule derrière nous, n'est-ce pas?

— Je ne sais pas… non, je ne crois pas…

Je n'aimais pas l'idée d'être piégé en haut de cette tour, même si nous pouvions appeler au secours et être entendus. La porte du clocher n'avait pas de verrou et nous ne risquions pas, à nous deux, d'empêcher Robertson de l'ouvrir, s'il était furieux et déterminé.

J'ai pris Stormy par la main, en la serrant fort pour lui montrer l'urgence de la situation; j'ai sauté par-dessus les crackers et le fromage et l'ai entraînée vers la porte.

— Tirons-nous d'ici!

— Mais le panier, le dîner…

— Oublie! On viendra le récupérer plus tard.

On avait laissé les lumières allumées dans le clocher, mais l'escalier en spirale était étroit et les murs circulaires me bouchaient la vue.

Dessous, tout était silencieux.

— Vite!

Je suis passé devant Stormy et me suis élancé dans l'escalier à une allure un peu trop rapide pour ces marches traîtresses.

19.

Les marches se succédaient, de plus en plus vite, dans une spirale vertigineuse. J'étais devant, Stormy suivait. Nos pas résonnaient sur les carreaux mexicains. On faisait trop de bruit. Impossible de savoir si Robertson montait à notre rencontre.

À mi-hauteur, j'ai commencé à me demander si je n'avais pas cédé à la panique un peu trop vite. Mais j'ai revu son doigt haineux, tendu vers moi, animé de soubresauts, ainsi que les photos de tueurs dans son bureau.

J'ai accéléré encore, j'étais pris dans un tourbillon, aspiré... en pensée, je le voyais en bas, m'attendant avec un couteau de boucher sur lequel j'allais m'empaler...

Mais personne au rez-de-chaussée. La porte était ouverte. Avec précaution, j'ai poussé le battant.

Il ne nous attendait pas non plus dans le narthex.

Pendant la descente de l'escalier, j'avais lâché la main de Stormy. Mais maintenant je la serrais de nouveau, pour être certain qu'elle reste à côté de moi.

Quand j'ai ouvert la porte d'entrée de l'église, Robertson m'attendait sur le trottoir ; il a monté les marches du perron. Il avançait sans précipitation, avec la lenteur implacable d'un char sur un champ de bataille.

Dans la lumière pourpre du soir, j'ai vu que son sourire inquiétant l'avait quitté. Dans ses yeux gris pâle se mirait le rouge sang du soleil, et son visage était un masque distordu de haine meurtrière.

La Mustang de Terri était garée en bas des marches. Je ne pouvais la rejoindre sans passer sur le corps de Robertson.

Je peux me battre s'il le faut, même si l'adversaire me dépasse de deux têtes. Mais le recours à la force n'est jamais ma première option, ni une solution naturelle pour moi.

Je ne suis pas un lâche, mais mon visage me plaît comme il est et je n'ai aucune envie de me le faire démolir.

Robertson était plus grand que moi, mais tout en rondeur. Si sa colère avait été celle d'un homme ordinaire, due à l'ingestion d'une bière de trop qui lui aurait échauffé les sangs, je pense que je serais allé l'affronter et que j'aurais eu de bonnes chances de l'emporter.

Mais il s'agissait d'un psychopathe, un sujet de fascination pour les bodachs, un adorateur de tueurs en série... Il devait avoir sur lui une arme – un pistolet, un couteau – et au milieu de la mêlée, il allait se mettre à mordre comme un chien enragés.

Stormy risquait d'aller lui botter les fesses – elle l'avait déjà fait – mais pas question de lui laisser cette possibilité. J'ai fait demi-tour, l'ai tirée par la main et entraînée vers les portes séparant le narthex de la nef.

Dans l'église déserte, de petites lanternes balisaient le chemin jusqu'à l'autel. Le grand crucifix était éclairé par des spots au plafond. Les flammes rubis des bougies dansaient sur le porte-cierges.

Ces points de lumière et le rouge du couchant derrière les vitres ne parvenaient à repousser les ombres qui noyaient les bancs et les travées.

On a couru dans l'allée centrale; je m'attendais à voir Robertson faire voler en éclats la porte du narthex derrière nous, tel un taureau furieux. Mais nous n'avons rien entendu. Une fois arrivés derrière la rambarde des communiants, nous nous sommes retournés.

Aucune trace de Robertson. S'il était entré dans la nef, il aurait sans doute fondu droit sur nous...

Malgré cette logique cartésienne, je sentais qu'il était là, avec nous. J'avais tant la chair de poule que j'avais l'impression qu'il me poussait des plumes sur tout le corps.

Stormy avait le même pressentiment que moi. Elle scrutait les ombres géométriques que dessinaient les bancs, les allées et les colonnes.

— On ne le voit pas, mais il est tout près, a-t-elle murmuré. Plus près que tu ne le crois.

J'ai ouvert le portillon de la rambarde et nous avons avancé le plus silencieusement possible, afin de pouvoir entendre le moindre bruit que Robertson était susceptible de faire en se déplaçant.

Alors que nous montions sur l'estrade devant le grand autel, j'ai cessé de me retourner et j'ai progressé avec encore davantage de précaution. Contre toute raison, mon cœur me disait que le danger était devant nous.

Notre chasseur ne pouvait nous avoir dépassés... impossible... nous l'aurions vu. En outre, pourquoi aurait-il été se cacher derrière l'autel au lieu de nous sauter dessus ?

Et pourtant, à chaque pas que je faisais, l'angoisse grandissait ; les muscles de mon cou étaient si tendus que j'avais l'impression d'être un ressort d'horloge remonté à bloc.

À la périphérie de mon champ de vision, j'ai senti un mouvement vers l'autel. J'ai tourné la tête et j'ai attiré Stormy contre moi. Sa main a serré très fort la mienne.

Le Christ de bronze bougeait, comme si le métal, par quelque miracle, était devenu chair, comme si Jésus voulait se détacher de la croix et redescendre sur terre poursuivre son œuvre de messie.

Un grand papillon de nuit volait devant le projecteur éclairant le crucifix. Le mouvement de ses ailes dentelées, amplifié par les rayons du faisceau, créait un jeu d'ombres trompeur sur la statue ; sitôt que l'insecte s'est éloigné, l'illusion s'est dissipée.

La clé du clocher, que possédait Stormy, ouvrait également la porte au fond de l'église. De l'autre côté, c'était la sacristie, là où son oncle s'habillait avant la messe.

Je me suis retourné pour surveiller le sanctuaire, la nef... Pas un bruit. Pas un mouvement, hormis les ombres voletantes du papillon.

J'ai ouvert la serrure, rendu la clé à Stormy et j'ai poussé le battant, avec une certaine fébrilité.

Cette peur n'avait rien de rationnel. Robertson n'était pas un magicien capable de passer à travers des portes fermées à clé.

Et pourtant mon cœur battait à tout rompre derrière mes côtes.

Quand j'ai cherché à tâtons l'interrupteur, ma main n'a pas été clouée au mur par une lame de couteau. Le plafonnier, en s'allumant, a révélé une petite pièce, mais aucun méchant psychopathe avec des cheveux jaunes drus comme les poils d'un paillasson.

Sur la gauche, le prie-dieu, où le prêtre s'agenouillait pour se recueillir avant de dire la messe. Sur la droite, les armoires contenant les objets et les vêtements liturgiques, ainsi qu'un banc pour s'habiller.

Stormy a refermé le battant derrière nous et poussé le loquet.

On a traversé la pièce vers la porte opposée. De l'autre côté, c'était l'extérieur; le mur est de l'église. Il n'y avait pas de tombes par là… juste une allée dallée menant au presbytère qu'occupait son oncle.

Cette porte aussi était fermée.

De l'intérieur de la sacristie, on pouvait ouvrir le verrou sans clé. J'ai saisi la poignée pour sortir, mais me suis figé soudain…

Et si Robertson n'était pas entré dans la nef? La dernière fois que je l'avais vu, il gravissait le perron…

Soupçonnant que nous allions tenter de fuir par le fond de l'église, peut-être avait-il fait le tour du bâtiment pour nous attendre devant la sacristie? Voilà pourquoi j'avais eu la sensation que nous marchions vers le danger au lieu de nous en éloigner!

— Que se passe-t-il? a demandé Stormy.

Je lui ai fait signe de se taire – ne jamais faire ça à Stormy en temps ordinaire! – et j'ai approché l'oreille de l'interstice entre le vantail et le chambranle. J'entendais le sifflement ténu de la brise du soir, mais aucun bruit suspect.

J'ai attendu. L'oreille aux aguets. De plus en plus inquiet.

J'ai reculé d'un pas.

— Pas par là. Rebroussons chemin, ai-je murmuré.

On est revenus vers la porte qui séparait la sacristie du sanctuaire, que Stormy avait verrouillée derrière nous. Mais j'ai hésité à nouveau, les doigts sur le bouton du verrou.

J'ai plaqué l'oreille encore une fois sur la minuscule fente entre le battant et le jambage. Aucun bruissement d'air ne se faisait entendre de ce côté-là mais aucun autre son non plus.

Les deux portes de la sacristie étaient fermées. Pour nous atteindre, Robertson aurait besoin d'une clé, ce qu'il n'avait pas.

— On ne va pas rester ici jusqu'aux mâtines ! a lancé Stormy, explorant mes pensées aussi facilement qu'un menu déroulant sur son ordinateur.

Mon téléphone portable était à ma ceinture. Je pourrais appeler le chef Porter, lui expliquer la situation…

Il était possible aussi que Bob Robertson se soit ravisé, jugeant trop dangereux de m'attaquer dans un lieu public, même s'il n'y avait aucun fidèle en vue. Il avait peut-être ravalé sa fureur et s'était éclipsé.

Si le chef de la police envoyait une voiture à St. Barthélemy ou s'il se déplaçait lui-même et ne trouvait aucun tueur au sourire mystérieux, ma crédibilité en prendrait un sacré coup. Au fil des années, j'avais mis suffisamment souvent dans le mille pour qu'un loupé ou deux ne soit pas fatal sur ma feuille de marque, mais c'était quand même embêtant de faire baisser ma moyenne.

Par nature, l'homme aime croire que le magicien a des pouvoirs surnaturels, mais il le huera à la première erreur qui révélera la supercherie. Le public, honteux de s'être laissé berner, fait alors payer à l'artiste sa propre crédulité.

Même si je ne réalise aucun tour de passe-passe, même si c'est la stricte vérité que je dévoile par le biais de mes pouvoirs surnaturels, je suis conscient non seulement de l'extrême vulnérabilité du magicien mais également des dangers d'être celui qui crie au loup – ou, dans le cas qui nous occupe, qui crie au Mr. Champignon.

La plupart des gens désirent tant croire qu'ils font partie d'un Grand Mystère que la Création est, à leurs yeux, un acte de grâce divine, et non le résultat d'une collision aléatoire de forces cosmiques. Et pourtant, dès que le plus petit doute pointe son nez, ce ver dans le fruit les fait se détourner des mille autres preuves du Miraculeux ; les voilà alors devenir des champions du cynisme, ne se nourrissant plus que de désespoir comme des affamés.

En ma qualité d'ouvrier du miracle, je marche sur un fil et au moindre faux-pas, c'est la chute fatale.

Wyatt Porter est un brave homme, mais c'est un humain. Il lui faudra du temps pour me tourner le dos, mais s'il se sent berné, s'il croit que j'ai abusé de sa naïveté, il le fera.

J'aurais pu téléphoner aussi à l'oncle de Stormy, le père Sean, au presbytère. Il viendrait nous secourir sans délai et sans trop poser de questions.

Mais Robertson était un monstre humain, pas un démon venant de l'enfer, et s'il était tapi dans l'église, ce n'est pas la vue d'un homme en soutane ou brandissant un crucifix qui le mettrait en déroute.

Ayant déjà mis Stormy en danger, j'hésitais à mêler son oncle à mes problèmes.

Deux portes. L'une donnant sur l'extérieur, l'autre dans le sanctuaire.

N'ayant rien entendu de suspect d'un côté comme de l'autre, j'étais contraint de me fier à mon instinct... ce serait la porte du sanctuaire.

Apparemment, l'intuition de Stormy hésitait encore entre les deux options. Elle a posé sa main sur la mienne au moment où je tournais la poignée.

Nos regards se sont croisés pendant un instant. Puis nous avons tourné ensemble la tête vers la porte extérieure.

Ce n'est pas par hasard si la machine diseuse de bonne aventure nous a annoncé, sur sa carte, que nous étions faits l'un pour l'autre ou si nos marques de naissance sont identiques... On en avait encore une fois, la preuve manifeste à cet instant.

Sans échanger un mot, nous avons mis au point notre stratégie. Je suis resté derrière la porte du sanctuaire et Stormy s'est placée derrière celle donnant sur l'extérieur.

Si, quand j'ouvrais ma porte, Robertson me sautait dessus, Stormy ouvrirait la sienne, s'enfuirait de la sacristie et courrait chercher de l'aide. Et je ferais mon possible pour la suivre – et rester en vie.

20.

Cet épisode dans la sacristie était le symbole de toute mon existence : toujours entre deux portes, entre la vie avec les vivants et la vie avec les morts, entre la transcendance et la terreur.

En face de moi, Stormy m'a fait un signe de tête.

Sur le prie-dieu, un missel attendait le prêtre agenouillé.

Des bouteilles de vin sanctifié étaient rangées dans les armoires. J'aurais pu en boire une gorgée pour me donner du courage.

Je me suis arc-bouté contre le battant au moment de désengager la serrure. Le pêne, en se retirant du mentonnet, a émis le chuintement d'un rasoir glissant sur le cuir d'un barbier.

Si Robertson était ramassé derrière la porte pour me sauter dessus, il avait forcément entendu ce bruit. Bien sûr, il pouvait être moins bestial et primaire qu'il ne paraissait l'être, dans le cimetière, lorsqu'il me faisait un doigt d'honneur, et choisir la ruse.

Peut-être se doutait-il que je maintenais la porte en faisant pression de tout mon poids sur le battant et que je refermerais la serrure au moindre mouvement de sa part. Aussi dément qu'il pouvait l'être, il n'en était pas moins doté d'un certain bon sens.

Le Bob Robertson qui abandonnait, partout dans sa cuisine, ses assiettes sales, ses peaux de bananes et autres vestiges de repas était trop souillon pour être un fin stratège. Mais le Bob Robertson qui gardait son bureau d'une propreté immaculée, qui rangeait ses dossiers avec méticulosité, était un tout autre homme. Ses lectures, à lui, ne se résumaient pas à des revues érotiques et des romans à l'eau de rose...

À quel Bob Robertson avais-je affaire ?

J'ai regardé Stormy ; elle m'a encouragé d'un geste.

Toujours appuyé contre la porte, j'ai tourné la poignée. Le mécanisme a grincé. Le contraire m'eût étonné.

J'ai allégé la pression, tiré le battant d'un centimètre... puis de deux... et, d'un seul coup, j'ai ouvert en grand.

Pas de Robertson ; il devait se trouver derrière la porte côté jardin, dressé dans les dernières lueurs carmin du jour, telle une créature d'outre-tombe.

Stormy a reculé. Main dans la main, nous nous sommes précipités dans le sanctuaire que nous avions fui quelques minutes plus tôt.

Le papillon voletait toujours devant le projecteur et le Christ semblait se contorsionner sur sa croix.

Le parfum d'encens qui planait dans l'air n'était plus sucré, mais astringent, les flammes des bougies tremblotaient, parcourues de pulsations rouges, comme autant d'anévrismes sur le point de rompre.

On a traversé l'estrade, le chœur, franchi le portillon de la rambarde des communiants ; à chaque instant, je m'attendais à ce que Robertson surgisse d'une cachette. Il était devenu une telle source de terreur pour moi que je n'aurais pas été surpris de le voir fondre sur nous du haut des voûtes, avec des ailes sur le dos tel un archange des enfers soufflant la mort de son haleine fétide.

Nous remontions l'allée centrale lorsqu'un grand fracas a retenti derrière nous, suivi de bris de verre. On s'est retournés, mais tout était normal. Pas le moindre dégât.

La sacristie n'était pas pourvue de fenêtres et la porte qui donnait derrière l'église n'était pas vitrée. Et pourtant le bruit semblait provenir de cette pièce. Ça a recommencé, encore plus fort.

J'ai cru entendre le banc heurter les armoires contenant les habits liturgiques, les bouteilles de vin de messe se briser, les calices et autres accessoires d'argent rebondir sur les murs en tintant.

Dans notre précipitation, nous avions laissé la lumière dans la sacristie. Par la porte ouverte, je percevais des mouvements : des ombres bondissantes et des reflets de lumière.

Je ne sais pas ce qui se passait dans la sacristie, et je n'avais aucune intention d'y retourner pour le savoir. J'ai pris Stormy par la main et on a piqué un sprint dans la nef, vers les portes qui donnaient dans le narthex... vers la sortie.

Une fois dehors, on s'est enfuis dans le crépuscule. Le ciel avait versé tout son sang, plus une seule trace de rouge n'y subsistait. La nuit avait déployé son suaire pourpre sur Pico Mundo.

Mes mains tremblaient tellement que je n'arrivais pas à introduire la clé dans le Neimann. Stormy me pressait. (Comme si j'avais envie de lambiner !) Enfin, j'ai trouvé le trou de la serrure et le moteur s'est réveillé dans un rugissement.

En laissant devant l'église une belle quantité de gomme en guise d'offrande, on est partis, pied au plancher, dans un nuage de caoutchouc brûlé. J'ai accéléré si fort que j'ai cru un moment être téléporté dans l'hyperespace ; enfin, au bout de deux cents mètres j'ai levé le pied.

— Appelle Wyatt, ai-je articulé.

Stormy avait un téléphone portable. Je lui ai donné le numéro de Wyatt Porter (celui à son domicile), et elle a passé l'appel. Il y a eu quelques sonneries...

— Chef, c'est Stormy... (elle a écouté la remarque de son interlocuteur) : Je sais, on dirait un bulletin météo[1]. Odd est à côté de moi, il veut vous parler.

J'ai pris le téléphone.

— Wyatt, envoyez une voiture à l'église St. Bart fissa ! Robertson est là-bas, en train de saccager la sacristie ; et vu comme il est parti, toute l'église va peut-être y passer !

Wyatt Porter m'a mis en attente pour passer un appel.

J'ai roulé encore pendant cinq cents mètres et je me suis garé devant un restaurant mexicain.

— On mange ?

---

1. *Stormy* signifie « temps orageux ». *(N.d.T.)*

— Tu as faim, après tout ce qui vient de se passer ?
J'ai haussé les épaules.

— On est vivants, non ? Ce ramdam dans cette église, c'est rien. Notre vie est devant nous… alors allons manger.

— Ça ne vaudra pas ce que j'avais préparé pour notre pique-nique.

— Faute de grives…

— Tu as raison, moi aussi j'ai les crocs.

Une main sur le téléphone, l'autre sur le volant (je sais, c'est interdit), j'ai rejoint la file de véhicules qui attendaient pour passer commande.

Enfin, Wyatt Porter est revenu en ligne :

— Pourquoi il casse tout dans la sacristie ?

— Je n'en sais rien. Il a voulu nous coincer, Stormy et moi, dans le clocher de l'église…

— Qu'est-ce que vous fichiez là-haut ?

— On pique-niquait.

— Drôle d'idée ! Mais ça vous regarde.

— Si, c'est agréable, je vous l'assure. On fait ça deux fois par mois.

— Ne t'avise pas de dîner sur le porte-drapeau du palais de justice ou t'auras affaire à moi !

— Peut-être pour un petit apéro, mais pas pour dîner, jamais.

— Si tu veux passer à la maison, il y a encore de quoi vous nourrir tous les deux. Tu peux amener Elvis.

— Je l'ai déposé à l'église baptiste. On va acheter des tacos avec Stormy, mais merci de l'invitation.

— Que s'est-il passé avec Robertson ? J'ai mis un gars en planque devant sa maison, mais ton affreux n'est pas rentré chez lui.

— Il était en bas, dans le cimetière. Il nous a vus dans le clocher. Il nous a fait un doigt d'honneur, d'un air vraiment méchant et il a foncé vers nous.

— Tu crois qu'il sait pour ta petite visite ?

— Puisqu'il n'est pas revenu chez lui, je ne vois pas comment il a pu le savoir… mais il sait, j'en suis sûr… Attendez une seconde, chef…

On était arrivés devant la guérite des commandes.

— Un tacos espadon avec supplément salsa, beignets de maïs et un grand coca, s'il vous plaît, ai-je articulé dans l'âne au sombrero qui tenait un micro dans sa bouche. (Je me suis tourné vers Stormy qui a hoché la tête.) Mettez-en deux de chaque.

— Tu es au Mexicali Rose ? a demandé le chef Porter.

— Oui, Wyatt.

— Ils font des super churros. Tu devrais les goûter.

J'ai suivi son conseil et j'en ai demandé deux parts. L'âne, d'une voix fluette de jeune fille, m'a remercié de ma visite.

J'ai repris la file et j'ai poursuivi mon récit :

— Quand on lui a filé entre les pattes, Robertson a dû voir tout rouge. Pourquoi il a passé ses nerfs sur l'église, ça j'en sais rien.

— Deux voitures sont en route pour St. Bart, sans sirène. Elles sont peut-être déjà arrivées. Du vandalisme… c'est une peccadille comparé aux horreurs que, selon toi, il compte commettre.

— C'est vrai, Wyatt. Et il reste moins de trois heures avant que commence le 15 août.

— Si je peux le mettre à l'ombre cette nuit pour vandalisme, cela me fera une excuse pour fouiner dans ses affaires. On découvrira peut-être le gros coup qu'il s'apprête à faire.

Après avoir souhaité bonne chance au chef Porter, j'ai coupé la communication et rendu le téléphone à Stormy.

J'ai encore regardé ma montre. Les douze coups de minuit – et le 15 août derrière… – c'était comme un tsunami, de plus en plus grand, de plus en plus puissant, qui fonçait droit sur nous, sans un bruit, mais qui allait tout détruire sur son passage.

21.

En attendant d'apprendre que Wyatt Porter avait arrêté Robertson pour vandalisme, nous avons dîné, Stormy et moi, sur le parking du Mexicali Rose, toutes vitres baissées pour profiter de la brise. La nourriture était bonne, mais l'air nocturne sentait les gaz d'échappement.

— Alors comme ça, tu es entré par effraction chez Mr. Champignon ?

— Je n'ai cassé aucune vitre. Je me suis juste servi de mon permis de conduire.

— Alors, il garde des têtes coupées dans son réfrigérateur ?

— Je n'ai pas ouvert son frigo.

— Il n'y a que là qu'il pouvait les mettre.

— Ce ne sont pas des têtes coupées que je cherchais.

— Avec ce sourire bizarre, ces yeux qui te glacent le sang... c'est ce genre de choses que j'aurais cherché en premier... par exemple une collection de boules de neige avec des oreilles dedans. Mmm... ces tacos sont délicieux.

J'ai hoché la tête.

— Et la salsa a de jolies couleurs. Le jaune et vert des piments, le rouge des tomates, les petits morceaux violets des oignons... on dirait des confetti. Tu devrais faire pareil pour la tienne. Ça apporte une touche de gaieté au plat.

— Qu'est-ce qui te prend ? Tu as été mordu par Martha Stewart, c'est ça ? Et maintenant te voilà devenu l'apôtre du raffinement culinaire ! Dis-moi plutôt ce que tu as trouvé chez lui… à défaut de têtes coupées dans le frigo…

Je lui ai parlé de la chambre noire.

En suçant sur ses longs doigts les miettes de beignets de maïs, elle s'est tournée vers moi :

— Écoute-moi bien, Oddie l'Étrange…

— Je suis tout ouïe.

— Ouvre bien grand tes oreilles, pour que ça rentre dans ta tête de pioche : ne remets *jamais* les pieds dans cette chambre noire. *Jamais*.

— Elle a disparu, de toute façon.

— Ne t'avise pas d'aller jeter un coup d'œil pour voir si elle est revenue.

— Cette idée ne m'avait pas effleuré l'esprit.

— Menteur.

— C'est vrai, j'y ai pensé… je voudrais comprendre… ce que c'est… comment ça fonctionne.

Pour accentuer son interdiction, elle m'a agité sous le nez un beignet de maïs.

— C'est la porte des enfers et les gens, là-bas, ne sont pas fréquentables.

— Non, je ne crois pas que ce soit ça.

— Alors, c'est quoi ?

— Je n'en sais rien.

— C'est la porte des enfers, je te dis. Si tu y retournes, tu vas la trouver et tu seras happé et tu ne reviendras jamais plus. Et ne compte pas sur moi pour y descendre et te sortir des flammes à coups de pied aux fesses !

— C'est noté.

— C'est déjà assez compliqué d'être mariée à un type qui voit les morts et qui leur court après toute la sainte journée, mais s'il se lance dans je ne sais quelle quête pour trouver la porte de l'enfer, ce sera la goutte de trop !

— Je ne cours pas après les morts… et depuis quand sommes-nous mariés ?

— On va le faire, a-t-elle répliqué.

Et elle a avalé son dernier beignet.

Plusieurs fois, je lui avais demandé sa main. Même si nous étions deux âmes sœurs, destinées à vivre ensemble pour toujours, elle détournait toujours mes demandes par une pirouette du genre : « Je t'aime à la folie, Oddie, tellement à la folie que je me couperais la main droite pour toi, s'il te fallait une preuve d'amour. Mais le mariage… tu peux faire une croix dessus. »

Inévitablement, sous le choc, des morceaux d'espadon me sont tombés de la bouche. J'ai ramassé les débris sur mon T-shirt, les ai renfournés dans ma bouche et les ai avalés comme j'ai pu, histoire de prendre le temps de me remettre de ma surprise. J'ai dégluti.

— Tu veux dire que tu acceptes ? ai-je bredouillé.

— Idiot. Cela fait des années que c'est « oui ». (Voyant mon air ahuri, elle a ajouté :) Je te l'ai pas dit avec la formule consacré « oui, mon chéri, je suis à toi », mais je te l'ai dit de mille autres façons.

— Je n'ai pas interprété « faire une croix dessus » comme étant un « oui » explicite…

Elle a brossé les derniers morceaux d'espadon de mon T-shirt.

— Il faudrait que tu apprennes à écouter avec autre chose que tes oreilles.

— Ah oui ? Quel orifice proposes-tu ?

— Ne soit pas grossier. Cela ne te ressemble pas. Avec ton cœur, parfois, ce serait bien…

— J'entends tellement de choses avec mon cœur que la plupart du temps je dois mettre des boules Quiès sur mes valvules aortiques !

— Des churros ? a-t-elle proposé en ouvrant le sachet de pâtisserie.

Dans l'instant, un délicieux parfum de cannelle s'est répandu dans l'habitacle.

— Comment peux-tu penser à manger dans un moment pareil ?

— Tu veux dire quand c'est l'heure de dîner ?

— Quand on parle de se marier ! (Mon cœur battait la chamade, comme si j'étais pourchassé par quelqu'un – mais par bonheur, cette activité de la journée était derrière moi.) Écoute, Stormy, si tu es sérieuse, je suis prêt à prendre des mesures pour améliorer ma situation financière… Je vais abandonner mon job au Grille… pas pour me reconvertir dans les pneus… je pense à quelque chose de plus radical.

Elle m'a regardé avec un amusement si marqué qu'elle en a incliné la tête de côté. En retroussant un sourcil, elle a lancé :

— Et sur ton échelle de valeur, qu'est-ce qui peut être plus radical qu'entrer à Univers Pneus ?

J'ai bien réfléchi.

— Les chaussures.

— Quelle sorte de chaussures ?

— Toutes les sortes. La vente de chaussures.

Elle a paru perplexe.

— Et c'est mieux que les pneus ?

— Bien sûr. Combien de fois achètes-tu des pneus ? À peine une fois par an. Et il ne t'en faut qu'un seul jeu par voiture. Alors que les gens ont tout le temps besoin de différentes paires de chaussures. Pour toutes les occasions. Des chaussures pour la robe marron, des chaussures pour la robe noire, des tennis pour courir, des sandales pour...

— Sauf toi. Tu te contentes des trois mêmes paires de baskets.

— Oui, mais je ne suis pas monsieur Tout-le-monde.

— C'est le moins que l'on puisse dire.

— Et il y a un autre facteur à considérer... tout le monde n'a pas, forcément, une voiture (pas tous les hommes, pas toutes les femmes, et encore moins tous les enfants !), en revanche, ils ont tous deux pieds. Ou quasiment tous. Une famille de cinq personnes peut, dans le meilleur des cas, posséder deux voitures, mais elle a, à tous les coups, dix pieds !

— J'ai plein de bonnes raisons de t'aimer, Oddie chéri, mais ça, c'est ce que je préfère chez toi...

Stormy avait redressé la tête et abandonné son air perplexe. Elle me regardait dans les yeux. Son regard était cosmique : aussi profond que les ténèbres entre deux étoiles. L'affection avait adouci l'expression de son visage. Elle semblait sincèrement touchée par ce que je venais de dire – le fait qu'elle n'ait pas encore sorti les churros du sac en était la preuve irréfutable.

Malheureusement, j'ai dû encore une fois n'écouter qu'avec mes oreilles, parce que je n'ai pas compris ce qu'elle voulait dire :

— Tu parles de mon analyse du marché de la chaussure ?

— Tu es le garçon le plus brillant que je connaisse et en même temps d'une telle... naïveté. C'est une association irrésistible. L'intelligence et l'innocence. La sagesse et la simplicité. L'esprit aiguisé de l'adulte et la douceur de l'enfant en plus.

— C'est ça ton truc préféré chez moi ?

— À cet instant même, oui.

— Mais ça, je ne peux pas travailler dessus.

— Comment ça ?

— Les choses que tu aimes chez moi, je veux les améliorer encore. J'aurais préféré que tu me dises que tu aimais ma coupe de cheveux, ma façon de m'habiller, ou mes pancakes – demande à Terri, ils sont légers, tout mousseux et en même temps riches en goût. Mais je ne sais pas comment je peux être encore *plus* intelligent et *plus* naïf à la fois. En fait, je ne comprends pas trop ce que tu veux dire par là...

— Tant mieux. Inutile de t'encombrer l'esprit avec ce genre de choses. Ce n'est pas un truc que tu dois travailler. Tu es comme ça. C'est toi, c'est tout. Et puis, si je t'épouse, ce n'est pas pour l'argent.

Elle m'a tendu un churro.

Étant donné la fréquence élevée de mes battements cardiaques et la vitesse avec laquelle mes pensées se télescopaient dans ma tête, toute ingestion de sucre était fortement déconseillée ; mais j'ai quand même pris la pâtisserie.

On a mangé en silence pendant une minute et puis je n'ai pas pu tenir plus longtemps :

— Pour ce mariage... quand penses-tu que l'on doive réserver la pièce montée ?

— Bientôt. Je n'en peux plus d'attendre.

Mon soulagement et mon ravissement étaient indicibles.

— Tu as raison, ce n'est pas toujours bon de trop attendre.

Elle a souri.

— Tu vois ce qui se passe en ce moment ?

— Aie ! J'ai dû regarder seulement « avec les yeux »,
comme tout le monde... Qu'est-ce que j'étais censé voir ?

— Regarde... j'ai envie d'un autre churro et je vais le
prendre pas plus tard que tout de suite !

— Voilà qui s'appelle vivre dangereusement, Stormy
Llewellyn.

— Tu n'es pas au bout de tes surprises !

Cela avait été une sale journée... Harlo Landerson,
Mr. Champignon, la chambre noire, les bodachs à tous
les coins de rue, Elvis en larmes... Et pourtant, assis à
côté de Stormy, à manger des churros, je vivais, à cet instant, dans le meilleur des mondes.

Mais le moment magique n'a pas duré. Mon téléphone a sonné. Comme je m'y attendais, c'était Wyatt
Porter.

— Fiston, ce qui s'est passé à la sacristie donne une
nouvelle dimension au mot « destruction ». Quelqu'un
est devenu fou furieux là-dedans.

— Robertson.

— Oui, je suis sûr que tu as raison – comme toujours. C'était sans doute lui. Mais quand mes hommes
sont arrivés, il était parti. Tu ne l'as pas revu ?

— On est un peu cachés ici mais... non, je ne l'ai pas
vu.

J'ai scruté le parking, la file de voiture devant le
Mexicali Rose, la rue derrière, dans la crainte de repérer
la Ford poussiéreuse de Robertson.

— On surveillait sa maison, mais maintenant, nous
le recherchons activement.

— Je pourrais peut-être me servir de mon magnétisme psychique, ai-je dit en faisant allusion à mon don
pour localiser n'importe qui en une demi-heure si je me
promenais au hasard dans les rues.

— Ce n'est pas très prudent, fiston. Stormy est avec
toi dans la voiture.

— Je vais la ramener chez elle.

Stormy est aussitôt montée sur ses grands chevaux.

— Même pas en rêve, Mulder !

— J'ai entendu, a répondu Wyatt Porter.

— Il a entendu, ai-je répété à Stormy.

— Et alors. Je m'en fiche.

Le chef de la police a paru amusé.

— Elle t'a appelé « Mulder » comme dans *X-files* ?

— C'est rare. Uniquement quand elle me trouve trop paternaliste.

— Tu l'as déjà appelée Scully ?

— Seulement quand j'ai envie de me prendre des coups.

— À cause de toi, tu m'as gâché la série...

— Pourquoi donc ?

— Avec toi, l'étrange est devenu mon quotidien. Je ne trouve plus le surnaturel exotique et distrayant.

— Moi non plus, Wyatt, si ça peut vous consoler.

Le temps que je finisse la conversation avec Wyatt Porter, Stormy avait remballé les reliques du dîner et mis les déchets dans un sac. En quittant le parking du Mexicali Rose, elle a déposé le sac dans la poubelle installée sur la rampe de sortie.

— Passons chez moi prendre mon pistolet, a-t-elle annoncé au moment où je m'engageais dans la rue.

— C'est une arme de défense qui doit rester dans ton appartement. Tu n'as pas le permis pour la transporter

— Je n'ai pas de permis non plus pour respirer, mais faut bien survivre.

— Non. Pas d'arme. On va juste sillonner les rues et voir ce qui se passe.

— Pourquoi as-tu si peur des armes à feu ?

— Parce qu'elle font *pan* !

— Pourquoi refuses-tu toujours de répondre à cette question ?

— C'est pas vrai... parfois, je réponds.

— Alors vas-y – pourquoi as-tu si peur des armes à feu ?

— J'ai dû me faire descendre dans une vie antérieure.

— Tu ne crois pas à la réincarnation.

— Je ne crois pas non plus aux impôts, mais je les paie quand même.

— Pourquoi as-tu peur des armes à feu ?

— Peut-être parce que j'ai fait un rêve prémonitoire où je me fais tuer avec une arme à feu.

— Tu l'as eu ce rêve?

— Non.

Elle ne voulait pas lâcher le morceau.

— Pourquoi as-tu peur des armes à feu?

Parfois je suis stupide. Dès que j'ai ouvert la bouche, j'ai su que j'allais regretter mes paroles.

— Et toi, pourquoi as-tu peur du sexe?

De son siège, soudain terriblement lointain, elle m'a lancé un regard assassin à vous congeler la moelle des os.

Pendant un moment, j'ai feint de ne rien remarquer et j'ai fait mon possible pour me concentrer sur la route, comme un bon et gentil conducteur.

Mais je n'ai aucun talent pour la comédie. Finalement, j'ai tourné la tête vers elle, me sentant minable.

— Je suis désolé, ai-je bredouillé.

— Je n'ai pas peur du sexe.

— Je sais. C'était idiot de ma part.

— Je veux juste être sûre...

J'ai voulu lui dire que ce n'était pas la peine de se justifier, mais elle a continué :

— Je veux être sûre que si tu m'aimes, c'est moins pour « ça » que pour les autres choses.

— Mais c'est le cas, ai-je répondu, de plus en plus misérable. Il y a mille autres choses, tu le sais.

— Alors quand on le fera, je veux que ce soit bien, propre et beau.

— Moi aussi. Et ce sera le cas, Stormy. Quand ce sera le moment. On a tout le temps.

Un feu rouge. J'ai tendu la main vers elle. Avec soulagement, j'ai senti qu'elle répondait à mon geste... ses doigts m'ont serré si fort que j'en ai eu les larmes aux yeux.

Le feu est passé au vert. J'ai conduit d'une seule main.

Au bout d'un moment, d'une voix faible et chevrotante, elle a articulé :

— Je suis désolée aussi, Oddie. C'est de ma faute.

— Non, c'est moi qui suis un crétin.

— Je t'ai poussé à bout avec mes questions. C'est normal que tu te sois défendu.

C'était la vérité, mais cela n'allégeait en rien mes regrets.

Six mois après la mort de ses parents, alors que Stormy avait sept ans et demi et s'appelait encore Bronwen, elle avait été adoptée par un couple sans enfant, des gens aisés qui habitaient Beverly Hills, dans une belle maison. L'avenir paraissait radieux.

Une nuit, après deux semaines passées dans sa nouvelle famille, son père adoptif est venu dans sa chambre et l'a réveillée. Il a sorti son sexe et s'est mis à la caresser, à lui faire des choses que la fillette trouvait terrifiantes et dégoûtantes.

Toujours fragilisée par la perte de ses parents, terrorisée, seule au monde et honteuse, elle avait subi les attouchements de cet homme pendant trois mois. Finalement, elle avait tout raconté à l'assistante sociale lors d'une de ses visites de routine.

Et elle s'était retrouvée à l'orphelinat de Saint Barthélemy et y avait grandi jusqu'à sa majorité, sans qu'un homme ne pose plus jamais la main sur elle.

Nous nous sommes connus, Stormy et moi, au lycée. On est ensemble depuis plus de quatre ans – quatre ans aussi à être les meilleurs amis du monde.

Et malgré tout ce que nous sommes l'un pour l'autre, et tous les espoirs que nous fondons pour notre couple dans les années à venir, j'ai trouvé le moyen de la blesser. *Pourquoi as-tu peur du sexe?* Tout ça parce qu'elle insistait trop pour connaître les raisons de ma phobie des armes à feu.

Les cyniques prétendent que la caractéristique de l'être humain, c'est d'être inhumain envers son prochain.

Je suis un optimiste au regard de notre espèce. Je suppose que Dieu aussi, sinon Il nous aurait balayés de la planète depuis longtemps pour tout recommencer à zéro.

Et pourtant je ne peux totalement rejeter cette affirmation pleine d'amertume. J'ai en moi un potentiel d'inhumanité et c'est la personne qui m'est la plus chère au monde qui en a fait les frais.

On a sillonné les chenaux d'asphalte pendant un moment, sans trouver Mr. Champignon, mais en parvenant peu à peu à nous retrouver l'un et l'autre.

À un moment, elle a dit :

— Je t'aime Oddie.

Ma voix était lourde quand j'ai répondu :

— Je t'aime plus que tout au monde.

— On va s'en sortir.

— On s'en est déjà sorti. Tout va bien.

— C'est vrai. On est tordus, paumés, mais tout va bien, a-t-elle reconnu.

— Si quelqu'un invente un jour un thermomètre pour mesurer la bizarrerie, c'est sûr que je le ferai fondre dans ma bouche. Mais toi, non. Il ne bougera pas.

— Tu veux dire que je ne suis pas bizarre, mais juste paumée ?

— Je vois où tu veux en venir. Tu penses qu'être bizarre peut être charmant dans certains cas, alors qu'être paumé, ça ne l'est jamais.

— Tout juste.

— D'accord, ce n'était pas très fair-play ; tu es bizarre.

— Excuses acceptées.

On a encore sillonné la ville à la recherche de notre homme, en se servant de la voiture comme un sourcier se sert d'une baguette, et puis, sans l'avoir décidé, je me suis engagé sur le parking du Green Moon Lanes. C'est un bowling, à un kilomètre du centre commercial où j'avais mangé une glace avec Stormy quelques heures plus tôt.

Elle était au courant de mon cauchemar récurrent qui hantait mes nuits une ou deux fois par mois depuis trois ans. Le rêve où je voyais des employés d'un bowling massacrés – ventres déchiquetés, membres arrachés, visages en charpie. Pas par quelques balles, mais par un tir de barrage à la mitrailleuse.

— Il est ici ? s'est enquise Stormy.

— Je l'ignore.

— Ton rêve ? C'est pour ce soir ?

— Je ne crois pas. Je ne sais pas. Peut-être...

Les tacos à l'espadon nageaient dans mon ventre dans un bain d'acide gastrique, projetant des gerbes de feu qui me montaient jusqu'à la gorge.

J'avais les mains moites. Et glacées. Je les ai essuyées sur mon jean.

J'étais à deux doigts de faire demi-tour et d'aller chercher le pistolet chez Stormy.

22.

Le parking du bowling était plein aux deux tiers. J'ai parcouru les allées dans l'espoir de repérer la Ford Explorer de Robertson, mais elle n'y était pas.

Finalement, je me suis garé et j'ai coupé le moteur.

— Attends, ai-je dit à Stormy au moment où elle ouvrait sa portière.

— Ne recommence pas à faire ton Mulder.

J'ai contemplé les néons vert et bleu de l'enseigne. GREEN MOON LANES. Peut-être allaient-ils me délivrer un message subliminal, me dire si le massacre était imminent ou non... Mais les néons sont restés muets.

L'architecte du bowling s'était surtout soucié de réduire les coûts de climatisation inhérents aux bâtiments de cette taille dans le Mojave. La structure, basse et à un seul niveau, était percée de minuscules fenêtres pour ne pas laisser pénétrer la chaleur extérieure. L'enduit beige clair réfléchissait, la journée, l'ardeur des rayons du soleil, et se refroidissait rapidement à la nuit tombée.

D'ordinaire, l'allure austère de ce bâtiment ne m'aurait pas impressionné; hormis le pragmatisme de sa conception, il ressemblait à tous les édifices modernes construits dans le désert – des lignes épurées, une façade minimaliste. Mais aujourd'hui, j'avais l'impression de me trouver devant un bunker empli de munitions, risquant d'exploser d'un instant à l'autre. Un bunker, un crématorium, une tombe...

— Les employés ici portent des pantalons noirs et des chemises bleues à col blanc, ai-je expliqué à Stormy.

— Et alors?

— Dans mon rêve, les victimes avaient des pantalons marron et des polos verts.

— Alors ce n'est pas le bon bowling, a répliqué Stormy encore dans le siège, une jambe dehors. C'est pour une autre raison si tu es venu ici. On peut donc entrer sans risque… allons-y et tâchons de comprendre ce qui nous amène.

— Au Fiesta Bowl, ai-je dit en faisant référence à l'autre bowling de Pico Mundo, ils ont des pantalons gris et des chemises noires, avec une étiquette à leur nom sur la poche de poitrine.

— Alors ton cauchemar se rapporte à un événement qui va se passer ailleurs qu'à Pico Mundo.

— Cela ne m'est jamais arrivé.

J'ai passé ma vie, dans une paix relative, à Pico Mundo et ses environs immédiats. Je ne suis jamais sorti de la ville, pas même pour visiter le reste du comté.

Si je dois vivre jusqu'à quatre-vingts ans, une hypothèse peu vraisemblable et guère réjouissante (pour ne pas dire sinistre), peut-être qu'un jour je m'aventurerai dans la campagne, peut-être pousserai-je même l'audace jusqu'à mettre les pieds dans une autre bourgade du comté. Mais rien n'est moins sûr.

Je n'ai pas envie de changer de décor, ni de connaître de nouvelles expériences. Mon cœur aspire à la routine, à la stabilité, au cocon rassurant d'un foyer – ma santé mentale en dépend.

Dans une ville de la taille de Los Angeles, il y a trop de gens, trop de violence, trop d'atrocités chaque jour, chaque heure. Le sang coule plus, là-bas, en une seule année qu'il n'en a coulé en deux siècles à Pico Mundo.

Le vortex noir qui souffle à Los Angeles produit autant de morts qu'une boulangerie industrielle produit de muffins. Sans compter les tremblements de terre, les incendies, les attentats terroristes…

Je n'ose imaginer le nombre de défunts qui hantent les rues de ce genre de métropole. Là-bas, tous ces morts viendraient me trouver pour que je fasse justice pour eux ou pour que je les console, ou par simple besoin de compagnie… La seule échappatoire possible, pour moi, serait alors l'autisme ou le suicide.

Pour l'instant, je ne suis pas mort, ni totalement replié sur moi-même... alors je dois affronter Green Moon Lanes.

— Entendu, ai-je dit, moins par courage que par fatalisme. Allons jeter un coup d'œil.

Avec la nuit, le sol renvoyait la chaleur accumulée dans la journée, exhalant une odeur de bitume.

La lune, basse et énorme sur l'horizon, se levait et paraissait fondre vers nous : une face jaune, vérolée de cratères comme autant d'yeux aveugles nous épiant depuis la nuit des temps.

Mamie Sugars, qui était superstitieuse, détestait les lunes jaunes. C'était toujours de mauvais augure au poker. Par atavisme, peut-être, j'ai eu l'envie irrépressible d'échapper à la scrutation implacable de ce visage céleste. J'ai pris Stormy par la main et l'ai entraînée vers les portes du bowling.

Le bowling est un sport très ancien. On y joue, sous une forme ou une autre, depuis 5200 avant J.-C.

Rien qu'aux États-Unis, on compte cent trente mille pistes regroupées dans sept mille bowlings.

Les sommes engrangées par ce sport dans le pays approchent les cinq milliards de dollars.

Dans l'espoir de comprendre la signification de mon cauchemar, j'avais mené des recherches sur cette discipline. Je savais mille détails sur le sujet, mais rien qui n'eût éclairé ma lanterne.

J'avais poussé l'investigation jusqu'à louer des chaussures et jouer une dizaine de parties. Bilan de l'opération : je ne suis pas très doué.

En me voyant lancer ma boule régulièrement dans la rigole, Stormy m'a dit que n'importe quel dilettante ivre mort s'en sortirait mieux que moi, même si je passais toutes mes journées à m'entraîner.

Sur les soixante millions de personnes aux États-Unis qui jouent au bowling au moins une fois par an, neuf millions sont des mordus qui participent régulièrement à des compétitions.

Lorsque Stormy et moi sommes entrés au Green Moon Lanes ce mardi soir, un pourcentage non négligeable de ces millions d'aficionados lançaient leurs boules noires sur le parquet poli des pistes. Ça riait, ça s'encourageait, ça mangeait des nachos, des chips mexicaines, et la bière coulait à flots. Tant de joie et d'insouciance... il était difficile de croire que dame la Mort avait choisi cet endroit pour faire sa moisson d'âmes.

Difficile, mais pas impossible.

— Ça ne va pas ? m'a demandé Stormy en me voyant tout pâle.

— Si, si. Ça va.

Le grondement des boules filant sur les pistes et le tintement des quilles ne m'avaient jamais paru chargés de menace ; mais, ce soir, cette succession arythmique de basses et d'impacts me mettait les nerfs en pelote.

— Et maintenant, que fait-on ? a demandé Stormy.

— Bonne question.

— Tu veux te promener, repérer les lieux, voir si tu perçois des mauvaises ondes ?

J'ai acquiescé.

— C'est ça. Repérons les lieux. Cherchons les mauvaises ondes.

Je n'ai pas eu à chercher longtemps avant que mon sang tourne en glace.

— Oh, Seigneur...

Le type derrière le comptoir de location de chaussures ne portait pas sa tenue habituelle de travail – pantalon noir et chemise bleue à col blanc – mais un pantalon marron et un polo vert, comme les morts dans mon cauchemar.

Stormy a jeté un regard circulaire dans la salle et a désigné deux autres employés.

— Ils ont tous changé d'uniforme !

Comme tous les cauchemars, le mien avait un fort pouvoir émotionnel, mais manquait cruellement de détails... La scène qu'il me montrait était nimbée d'une lumière irréelle, ne donnait aucune indication quant au lieu, à l'heure ou au contexte. Les visages des victimes étaient des masques de souffrance, distordus par la terreur, dissimulés par un jeu d'ombres étranges... et à mon réveil, j'en avais gardé un souvenir confus.

Seul un visage était resté gravé dans ma mémoire – celui d'une jeune femme... la malheureuse avait dû être touchée à la poitrine et la gorge, car la face était intacte. Elle avait des cheveux blonds ébouriffés, des yeux verts et un grain de beauté sur la lèvre supérieure, juste au coin de la bouche.

En m'avançant dans la salle, avec Stormy à mes côtés, j'ai vu la fille blonde de mon rêve. Elle se tenait derrière le bar, elle tirait une bière pression pour un client.

23.

Avec Stormy, on s'est installés à une table dans une alcôve, mais on n'a rien commandé. J'étais trop angoissé pour avaler quoi que ce soit.

Je voulais emmener Stormy loin de ce bowling, mais elle ne voulait rien entendre.

— Il faut faire quelque chose ! insistait-elle.

La seule idée qui m'est venue, cela a été d'appeler le chef Porter pour lui annoncer, sans entrer dans les détails, que le théâtre des premiers exploits de Robertson serait sans doute le Green Moon Lanes.

Pour un homme prêt à aller se coucher après une journée de dur labeur, le ventre plein de travers de porc grillés et de bière, Wyatt Porter s'est montré d'une vivacité d'esprit exemplaire.

— Ils sont ouverts jusqu'à quelle heure ?

Le téléphone dans mon oreille droite, mon index dans l'oreille gauche pour occulter le brouhaha de la salle, j'ai répondu :

— Jusqu'à minuit, je pense.

— C'est dans deux heures. J'envoie un gars tout de suite, au cas où Robertson rapplique. Mais tu as dit que c'était pour le 15 août, fiston – le 15 c'est demain, pas aujourd'hui.

— C'est la date de la page de calendrier que j'ai trouvée dans son dossier. Je ne sais pas ce que ça veut dire exactement. Il pourrait très bien commencer à tuer dès ce soir.

— Et ces choses... tes bodachs... tu en vois dans le secteur ?

— Non. Mais ils peuvent arriver au moment où il passera à l'acte.

— Robertson n'est pas revenu chez lui. Il peut être n'importe où à l'heure qu'il est... Et ces churros, au fait ? Comment ils étaient ?

— Délicieux.

— Après le barbecue, on a eu un choix cornélien à faire : gâteau au chocolat ou tarte aux pêches. Je me suis longtemps creusé les méninges, je t'assure, et finalement, j'ai choisi les deux.

— La tarte aux pêches de votre femme, c'est le paradis sur terre.

— Je l'aurais épousée uniquement pour sa tarte, mais, coup de chance, elle était aussi belle et intelligente.

On s'est dit au revoir. J'ai raccroché le téléphone à ma ceinture et j'ai répété à Stormy qu'il fallait qu'on sorte de cette souricière.

Elle a secoué la tête.

— Attends... Si la serveuse blonde n'est pas là, le massacre n'aura pas lieu (elle parlait à voix basse, tout près de mon oreille pour se faire entendre dans le vacarme). Il nous suffit donc de trouver le moyen de la faire sortir d'ici. CQFD !

— Non. Une prémonition dans un rêve n'est pas la copie conforme de ce qui va se passer. Elle aura beau être en sécurité chez elle, le tireur débarquera quand même au bowling.

— Au moins, elle sera sauvée. Cela fera toujours une victime de moins.

— Sauf que quelqu'un d'autre périra à sa place, quelqu'un qui n'aurait pas dû mourir aujourd'hui. Par exemple, la serveuse qui l'aura remplacée au bar. Ou moi, ou toi.

— Mais ce n'est pas sûr à cent pour cent.

— Non, pas à cent pour cent... mais comment sauver une personne en sachant que, probablement, une autre personne va mourir à sa place ?

Trois ou quatre joueurs ont fait un strike presque en même temps. Le bruit évoquait une rafale de mitraillette ; même si je savais que ce n'étaient que des quilles se renversant, j'ai sursauté.

— Je n'ai pas le droit de sauver quelqu'un et de condamner quelqu'un d'autre à la mort...

Ah, les rêves prophétiques, et leur cortège de dilemmes moraux !... Par bonheur, j'en faisais rarement.

— En plus, tu me vois aller au bar et dire tout de go à cette fille qu'elle va se faire tuer si elle ne se sauve pas immédiatement ? Tu crois qu'elle va m'écouter ?

— Elle va te prendre pour un fou, ou un type dangereux, d'accord, mais elle peut quand même suivre ton conseil...

— Non. Elle ne bougera pas. Elle ne voudra pas prendre le risque de perdre son boulot. Et quand bien même elle me croirait, elle refuserait par bravade. De nos jours, les femmes, comme les hommes, n'aiment pas passer pour des êtres faibles. Dans le meilleur des cas, à la fin de son service, elle demandera à l'un de ses collègues de l'accompagner jusqu'à sa voiture, mais ça s'arrêtera là.

Stormy a observé en silence la fille blonde derrière le comptoir, pendant que je jetais un regard circulaire dans la salle au cas où une avant-garde de supporters bodachs ait pris place – mais non, que des humains en vue.

— Elle est si jolie, si pleine de vie. Regarde-la, elle est drôle et malicieuse, et son rire est si communicatif...

— Elle te paraît extraordinaire parce que tu sais qu'elle va bientôt mourir.

— Ce n'est pas bien de partir comme ça et de l'abandonner à son sort. Il faut au moins la prévenir, lui donner une petite chance de vivre...

— Le meilleure façon de la sauver, elle, et tous les autres, c'est d'arrêter Robertson.

— Et quelles sont tes chances de réussite ?

— J'ai un petit avantage ; je l'ai vu au Grille ce matin. Je l'ai bien observé, lui et son escorte de bodachs.

— Mais rien ne te dit que tu pourras l'arrêter.

— Rien n'est certain en ce bas monde.

Elle a cherché mon regard, troublée par ma réponse.

— Sauf nous deux, n'est-ce pas ?

— Sauf nous deux. (Je me suis levé de table.) Allons-y.

Stormy a encore regardé la serveuse blonde.

— C'est si dur.

— Je sais.

— Si injuste.

— La mort n'est jamais juste.

Stormy s'est levée à son tour.

— Tu ne vas pas la laisser mourir, Oddie, hein ?

— Je ferai mon possible.

On est sortis. Je voulais m'en aller avant que l'agent envoyé par Wyatt n'arrive et ne me pose des questions sur les raisons de ma présence ici.

Aucun policier de Pico Mundo ne comprend la nature de mes relations avec leur chef. Ils sentent qu'il y a quelque chose de spécial, mais cela s'arrête là. Wyatt Porter protège à merveille mon petit secret.

Pour certains, je tourne autour de leur patron parce que je veux devenir flic. Ils me voient comme une sorte de groupie fantasmant sur la vie des policiers mais n'ayant pas les tripes ou les neurones pour le devenir.

La grande majorité considère que Wyatt Porter est une sorte de père spirituel pour moi, mon père biologique n'étant vraiment pas un exemple à suivre. Et sur ce point, ils n'ont pas entièrement tort.

Ils pensent que leur supérieur s'est pris de sympathie pour ma personne, quand, à l'âge de seize ans, j'ai décidé que je ne pouvais plus vivre chez ma mère ou chez mon père et que j'ai dû me débrouiller tout seul. Wyatt et Karla n'ayant pas d'enfant, ils en ont conclu que les Porter avaient reporté leur affection sur moi et me considéraient comme un fils de substitution. C'est peut-être vrai et c'est très bien comme ça.

Mais les membres de la police de Pico Mundo savent, d'instinct, qu'ils n'ont pas toutes les données pour comprendre la relation qui nous unit, Wyatt et moi. C'est pourquoi, alors que j'apparais comme un petit gars tout simple, voire naïf, je reste un mystère à leurs yeux, un puzzle dont on aurait retiré plusieurs pièces cruciales. Et ça les agace.

Quand Stormy et moi sommes sortis du bowling, il était dix heures du soir ; il faisait nuit depuis une heure, mais la température dépassait encore les trente-huit degrés. Dans le meilleur des cas, à minuit, il ferait trente-cinq.

Si Bob Robertson voulait répandre les feux de l'enfer sur terre, il avait la canicule de son côté.

— Parfois, je me demande comment tu arrives à vivre avec tout ce que tu vois, a déclaré Stormy alors que nous nous dirigions vers la Mustang de Terri.

Je pensais à l'épée de Damoclès suspendue au-dessus de la tête de cette fille blonde.

— C'est une question d'attitude.

— D'attitude ? Et ça marche ?

— Certains jours mieux que d'autres.

Elle s'apprêtait à me tirer les vers du nez quand la voiture de patrouille est arrivée, nous surprenant dans le faisceau de ses phares. Évidemment, on m'avait reconnu. J'ai donc attendu, tenant Stormy par la main, que la voiture s'arrête devant nous.

C'était Simon Varner qui avait répondu à l'appel. Il avait rejoint la brigade de Pico Mundo depuis trois ou quatre mois – ce n'était donc plus une nouvelle recrue comme Bern Eckles qui m'avait lancé un regard soupçonneux au barbecue chez Wyatt –, mais il n'était pas encore assez ancien pour que sa curiosité à mon endroit se soit émoussée.

L'agent Varner avait un visage poupin de présentateur d'émission pour enfants, avec les paupières tombantes d'un Robert Mitchum. Il s'est penché à la fenêtre, son bras poilu pendant mollement en travers de la portière, comme un gros nounours mal réveillé sortant d'hibernation.

— Odd, content de te voir. Miss Llewellyn. Qu'est-ce que je suis censé chercher là-dedans ?

J'étais certain que le chef Porter n'avait pas mentionné mon nom en envoyant Varner au bowling. Quand je suis impliqué dans une affaire, il s'efforce de me rendre aussi invisible que possible, et ne laisse jamais entendre qu'il a obtenu ses informations par des voies surnaturelles – il veut non seulement protéger mon secret, mais aussi éviter qu'un avocat ne puisse obtenir la relaxe de son client en prétextant que le dossier de l'accusation repose sur les dires d'une espèce de médium.

Toutefois, à cause de mon passage chez Wyatt, Eckles avait dû effectuer des recherches sur Robertson. Il savait donc que j'avais un rapport avec la situation. Et si Eckles savait, alors il avait passé le mot à ses collègues. Sans doute, tout le monde au poste était-il au courant.

Mais j'ai jugé préférable de jouer l'idiot.

— Ce que vous devez chercher? Comment ça?

— Tu es là, alors j'en déduis que tu as dû dire quelque chose au chef et que c'est pour ça qu'il m'a envoyé ici.

— Nous sommes simplement venus voir des amis jouer. Moi, je ne joue pas, je suis trop nul.

— C'est Monsieur Rigole! a renchéri Stormy.

Varner m'a montré la photo d'identité de Robertson, extraite de son permis de conduire.

— Tu connais ce type, pas vrai?

— Je l'ai vu deux fois. Je ne le connais pas vraiment.

— Tu n'as pas dit au chef qu'il pouvait se montrer ici?

— Non. Ce n'est pas moi. Comment je pourrais savoir ça?

— Le chef a dit que si je le voyais débarquer et qu'il plongeait les deux mains dans ses poches, ce n'était pas pour sortir des bonbons.

— À votre place, je ne mettrais pas en doute la parole du chef.

Une Lincoln Navigator s'est engagée dans le parking et s'est arrêtée derrière la voiture de patrouille. Varner a agité son bras par la fenêtre pour faire signe au véhicule de le doubler.

J'ai bien regardé les deux personnes à bord de la Lincoln. Aucun des deux n'était Robertson.

— Comment tu connais ce type? a insisté le policier.

— Il est venu ce matin déjeuner au Grille.

Les grosses paupières se sont soulevées légèrement devant ses yeux d'ours endormi.

— C'est tout? Tu lui as juste préparé à manger? Je croyais que… enfin qu'il s'était passé quelque chose entre toi et lui.

— Oui… mais pas grand-chose. (Je lui ai résumé la journée, passant sous silence ce que Varner n'avait nul besoin de savoir.) Je l'ai trouvé bizarre au restaurant. Le chef était là aussi; il a eu la même impression que moi. Et puis cet après-midi, après mon boulot, je suis tombé de nouveau sur lui, et il s'est montré agressif, vraiment menaçant.

Les paupières devinrent des meurtrières, ne laissant voir qu'un filet de prunelles, luisant de suspicion. Varner sentait que je ne lui disais pas tout. Il n'était pas si lent d'esprit, malgré son air d'ours endormi.

— Menaçant comment ?

Stormy est venue à mon secours ; elle savait que j'étais un piètre menteur.

— Ce salaud me draguait ; il ne voulait pas me lâcher alors Odd lui a dit de se barrer.

Mr. Champignon n'avait pourtant pas la tête d'un tombeur qui croit que toutes les filles se pâment pour lui.

Mais Stormy est si jolie que Varner voulait bien croire qu'elle ait fait tourner la tête du vilain Robertson.

— Le chef dit que ce gars a mis à sac l'église St. Bart. Tu es au courant, je suppose ?

Pour couper court à cet interrogatoire, Stormy a lancé :

— Monsieur l'agent, ma curiosité est trop grande. Vous voulez bien me dire ce que signifie votre tatouage ?

Il portait une chemise à manches courtes, laissant apparents ses avant-bras de Popeye. Sur son poignet gauche, au-dessus de la montre, on pouvait lire trois lettres : PDT.

— Miss Llewellyn, à mon grand regret, quand j'étais jeune, je me suis écarté du droit chemin. J'ai fait partie d'un gang. J'ai redressé la barre avant qu'il ne soit trop tard. Dieu soit loué. Ce tatouage, c'est un truc de gang, un signe de reconnaissance.

— Et que signifient ces lettres ?

Varner a paru embarrassé.

— C'est plutôt obscène, vous savez, Miss Llewellyn. Je préfère ne pas choquer vos oreilles.

— Pourquoi ne l'avez-vous pas fait effacer ? On a fait de grands progrès en ce domaine.

— J'y ai pensé. Mais ça m'aide à me souvenir jusqu'où je me suis égaré et à quel point il est facile de faire un faux-pas.

— C'est absolument fascinant et si courageux de votre part. (Elle s'est penchée à la portière comme pour observer de plus près cet exemple de vertu.) Il y a tant de personnes qui préfèrent réécrire leur passé plutôt que de le regarder droit dans les yeux. Je suis contente que ce soient des gens comme vous qui veillent sur nous.

Elle a sorti ces éloges sirupeux avec un accent confondant de sincérité.

Pendant que l'agent Varner, transporté par ces compliments, flottait sur un petit nuage, comme une amande sur de la crème chantilly, Stormy s'est tournée vers moi et a dit :

— Odd, je voudrais vraiment rentrer maintenant. Je dois me lever tôt demain, tu sais.

J'ai souhaité bonne chance à Varner ; il n'a pas tenté de me retenir pour me cuisiner encore. Ses soupçons semblaient s'être envolés.

— J'ignorais que tu avais autant de talent pour la duperie, ai-je dit à Stormy une fois dans la Mustang.

— Oh… « duperie », comme tu y vas… Je l'ai juste, disons, un peu manipulé.

— Quand nous serons mariés, il faudra que j'ouvre l'œil.

— Comment ça ?

— Au cas où tu essaierais de me manipuler aussi.

— Dieu du ciel, Oddie chéri ! Je te manipule tous les jours. Pire qu'un chiropracteur à domicile !

Était-ce du lard ou du cochon ?

— Ah bon ?

— Gentiment, bien sûr. Et avec plein d'amour. Et tu adores ça.

— J'adore ça ?

— Tu sais très bien comment m'inciter à le faire.

J'ai enclenché la marche avant, mais j'ai gardé le pied sur le frein.

— Tu veux dire que je t'*incite* à me manipuler ?

— Certains jours, on dirait que tu n'attends que ça.

— Je n'arrive pas à savoir si tu es sérieuse…

— Je sais. Tu es mignon tout plein.

— Les chiots sont mignons. Je ne suis pas un petit chien.

— Toi et les chiots. Pareil. Vous êtes mignons à croquer.

— Seigneur, tu es sérieuse !

— Tu crois ?

Je l'ai bien regardée.

— Non... tu ne l'es pas.

— Ah oui ?

J'ai poussé un long soupir.

— Je peux voir les morts, mais toi, tu resteras à jamais un mystère pour moi.

Nous nous sommes dirigés vers la sortie pendant que l'agent Varner se garait devant l'entrée du bowling.

Au lieu de surveiller les lieux discrètement afin de repérer Roberston avant qu'il ne passe à l'acte, il se rendait aussi visible qu'une arme de dissuasion ! C'était, à n'en pas douter, une interprétation toute personnelle de la mission que lui avait assignée Wyatt Porter.

En passant devant lui, il nous a fait un petit signe. Il mangeait un beignet.

Mamie Sugars, grande superstitieuse, fuyait comme la peste les pensées négatives ; imaginer le pire, disait-elle, faisait venir le malheur ; et il arrivait justement la catastrophe qu'on redoutait le plus. Mais je n'ai pu m'empêcher de me dire que Robertson pouvait s'approcher de la voiture de patrouille par-derrière, et tirer une balle dans la nuque de Varner pendant qu'il avait le nez fourré dans sa pâtisserie.

24.

Viola Peabody, la serveuse qui nous avait, à Terri et moi, apporté notre déjeuner au Grille, huit heures plus tôt, vivait à proximité de Camp's End. Mais elle mettait tellement d'ardeur à entretenir son jardin et sa maison qu'elle semblait habiter à des années-lumière de ce quartier sinistre.

Sa maison, quoique humble et modeste, ressemblait à une chaumière de conte de fées peinte par Thomas Kinkade. Sous la lune gibbeuse, les murs luisaient doucement, comme de l'albâtre éclairé de l'intérieur ; une lanterne sur la façade illuminait les fleurs pourpres d'une treille entourant la porte d'entrée.

Sans s'étonner le moins du monde de nous voir débarquer chez elle à cette heure indue, elle nous a fait entrer avec bonne humeur et nous a proposé du café ou du thé glacé. Nous avons décliné son offre poliment.

On s'est installés dans son petit salon. Viola avait décapé et vitrifié le parquet, tissé elle-même le tapis, cousu les rideaux et refait le capiton des fauteuils pour leur donner une nouvelle jeunesse.

Perchée sur le bord d'un fauteuil, Viola était aussi menue qu'une jeune fille. La vie et le temps n'avaient pas marqué son visage. Comment croire qu'elle élevait seule ses deux filles de cinq et six ans qui dormaient en ce moment dans la pièce du fond ?

Son mari, Rafael, qui était parti et ne lui versait pas un dollar pour pourvoir aux besoins des enfants, était un tel crétin qu'il aurait dû se promener avec un bonnet d'âne rivé sur la tête.

La maison n'était pas équipée d'une climatisation. Les fenêtres étaient ouvertes et un ventilateur électrique vrombissait dans un coin de la pièce, ses pales agitant l'air pour donner une illusion de fraîcheur.

Viola se tenait penchée vers nous, les mains refermées sur ses genoux ; elle avait perdu son sourire et nous regardait d'un air grave, car elle savait ce qui nous amenait.

— C'est pour mon rêve, n'est-ce pas ?

J'ai répondu à voix basse, pour ne pas réveiller les enfants :

— Tu peux me le raconter encore une fois ?

— Je me suis vue avec un trou dans le front, et mon visage était... tout brisé.

— Tu penses qu'on t'a tiré dessus.

— Tiré comme un lapin (elle a joint ses mains entre ses genoux, comme pour prier). Mon œil droit était plein de sang et tout enflé, horrible, à moitié sorti de son orbite.

— Les cauchemars, a commencé Stormy pour rassurer Viola, n'ont rien à voir avec l'avenir.

— Odd m'a dit ça, cet après-midi. Il était du même avis que toi (elle s'est tournée vers moi). Mais, apparemment, il a dû réviser son jugement, sinon vous ne seriez pas ici.

— Où se passait ton rêve ?

— Nulle part. Un endroit classique de rêve... c'était tout vaporeux, tout brumeux.

— Tu joues au bowling ?

— Ça coûte trop cher. J'économise pour les études de mes filles. Je veux qu'elles s'en sortent.

— Tu n'es jamais allée au Green Moon Lanes ?

Elle a secoué la tête.

— Non.

— Y avait-il, dans ton rêve, un indice pouvant laisser supposer que ça se passait dans un bowling ?

— Non, comme je t'ai dit, ce n'était pas un lieu réel. Pourquoi un bowling ? Toi aussi, tu as fait un rêve ?

— Oui.

— Des gens étaient morts ?

— Oui.

— Et tes rêves se sont parfois réalisés ?

— C'est arrivé, ai-je reconnu.

— Je savais que tu me comprendrais… C'est pour ça que je t'ai demandé de lire en moi.

— Parle-moi encore de ce rêve, Viola.

Elle a fermé les yeux, pour faire appel à sa mémoire.

— Je courais pour fuir quelque chose. Il y avait des ombres, des éclairs de lumière, mais ça ne ressemblait à rien de connu.

Mon don est unique, par sa nature et sa précision. Mais je crois que beaucoup de gens ont des perceptions extrasensorielles (certes moins fortes que les miennes) qui se manifestent de temps en temps : des prémonitions sous forme de rêves ou pendant ces moments mystérieux où l'esprit est ouvert sur l'univers.

Les gens n'explorent pas cette voie sans doute parce que ce serait, pour eux, reconnaître l'existence de l'irrationnel. Mais surtout, c'est la peur qui les inhibe, souvent inconsciemment. Ils sont terrifiés d'ouvrir leur cœur et leur esprit à une réalité de l'univers bien plus vaste et bien plus complexe que le monde euclidien où le tout n'est que la somme de toute chose.

Je n'aurais donc pas été surpris, finalement, que le cauchemar de Viola, qui m'avait paru anodin cet après-midi, puisse se révéler d'une importance cruciale.

— Dans ton rêve, y avait-il des sons, des gens qui parlaient ? Chez certaines personnes, c'est totalement muet.

— Non, il y avait du son. Je m'entendais respirer. Et il y avait le bruit de cette foule.

— Quelle foule ?

— Le rugissement d'une foule, comme dans un stade.

— Où pourrait-il y avoir autant de monde à Pico Mundo ?

— Je ne sais pas. À un match de division régionale au stade ?

— Non, les gens ne sont pas si nombreux, a précisé Stormy.

— Ils ne sont pas nécessairement des milliers, a repris Viola. Peut-être deux cents. Deux cents personnes qui hurlent, ça fait du bruit.

— Et ensuite, ai-je poursuivi. Dans quelles conditions t'a-t-on tiré dessus ?

— Je ne vois pas quand ça arrive. Il y des ombres, des éclairs, je cours, je cours, et soudain je m'écroule, je tombe à quatre pattes par terre...

Les yeux de Viola s'agitaient derrière ses paupières, comme si elle était en sommeil paradoxal et vivait le cauchemar pour la première fois.

— ... à quatre pattes, a-t-elle répété. J'ai les mains dans quelque chose de poisseux. C'est du sang. Puis les ombres s'en vont et la lumière arrive... des lumières qui tournent... et c'est alors que je vois mon visage, je suis morte.

Elle a frissonné et rouvert les yeux.

Des petites gouttes de sueur perlaient sur son front et sa lèvre supérieure.

Malgré les efforts du ventilateur, la pièce était une fournaise. Mais elle ne transpirait pas avant de se remémorer ce rêve.

— C'est tout, pas d'autres détails ? ai-je demandé. La moindre chose peut être un indice... Tu étais... enfin, ton cadavre... il était allongé sur quel genre de sol ? De l'herbe, du macadam ?

Elle a réfléchi un moment, puis a secoué la tête.

— Je ne sais pas. La seule chose dont je me souvienne c'est de l'homme, du mort à côté de moi.

Je me suis redressé dans le canapé.

— Un autre cadavre, tu veux dire ?

— Juste à côté. Il gisait sur le flanc, son bras était tordu dans son dos.

— Il y avait d'autres victimes ? a demandé Stormy.

— Je ne sais pas. Peut-être.

— Tu pourrais reconnaître cet homme ?

— Je n'ai pas vu son visage. Il était tourné de l'autre côté.

— Essaie de te souvenir, Viola...

— De toute façon, je ne me suis pas intéressée à lui. J'étais trop terrorisée pour me demander qui c'était. Je ne pouvais pas détacher les yeux de mon propre visage, ravagé ; j'ai voulu crier, mais impossible. J'avais beau essayer, pas moyen, et je me suis réveillée, assise dans le lit et le cri est sorti, mais un filet de cri, tu sais, comme toujours dans ces cas-là.

Le souvenir de cet épisode mettait les nerfs de Viola à rude épreuve. Elle s'est levée, mais s'est rassise aussitôt. Peut-être avait-elle les jambes flageolantes.

Comme si elle lisait encore une fois dans mes pensées, Stormy a demandé :

— Comment était-il habillé ?

— Qui ça ? L'homme dans mon rêve ? Il avait un pied sorti de sa chaussure... un mocassin.

On a attendu que Viola fouille sa mémoire. Les rêves, qui sont riches comme de la crème fraîche pendant le sommeil, ne sont plus que lait écrémé à notre réveil et avec le temps, il ne subsiste dans notre mémoire que des résidus, tel du petit lait filtré dans de la gaze.

— Son pantalon était plein de sang. Un pantalon de toile... je crois... en tout cas, il était marron.

La lente giration du ventilateur agitait le palmier en pot dans un coin de la pièce, les feuilles bruissaient comme si une colonie de cafards, de rats ou autres bestioles sinistres y grouillaient.

Examinant les restes de son rêve au fond du tamis, Viola a ajouté :

— Il avait un polo...

Je me suis levé d'un bond. Il fallait que je bouge. Mais la pièce était trop petite pour faire les cents pas, alors je suis resté sur place.

— Vert, a précisé Viola. Un polo vert.

J'ai pensé au gars à la location de chaussures, à la serveuse blonde du bar – tous les deux dans leur nouvelle tenue de travail.

D'une voix blanche, Viola m'a demandé :

— Dis-moi la vérité, Odd. Regarde mon visage. Est-ce que tu me vois morte ?

— Oui, ai-je répondu.

25.

Même si je suis incapable de lire sur les visages pour découvrir l'avenir des gens ou les secrets de leurs cœurs, je n'ai pu regarder plus longtemps le minois de Viola... Je voyais, en pensée, ce que je ne pouvais voir avec mes yeux : deux filles orphelines, pleurant devant la tombe de leur mère.

Je me suis dirigé vers les fenêtres ouvertes. Sur le côté, les faux-poivriers étendaient leur feuillage au-dessus de la pelouse. Les jasmins plantés par Viola embaumaient l'air nocturne.

D'ordinaire, je n'avais pas peur de la nuit. Mais celle-ci était terrifiante; c'était la nuit du 14 ou 15... et le changement de date arrivait à grands pas, comme si Dieu avait donné une pichenette sur le globe terrestre pour le faire tourner plus vite.

Viola était toujours assise sur le bord de son fauteuil. Ses yeux, déjà grands d'ordinaire, étaient ronds et écarquillés comme ceux d'une chouette effrayée et son teint chocolat était devenu couleur cendre.

— C'est ton jour de congé, demain, n'est-ce pas ?
Elle a hoché la tête.

Comme sa sœur pouvait s'occuper des petites, Viola en profitait pour travailler au Grille six jours par semaine.

— Tu comptais faire quoi, demain ? a demandé Stormy.

— M'occuper de la maison le matin. Il y a toujours une foule de choses à faire. Et puis consacrer l'après-midi aux filles.

— Tu parles de Nicolina et Levanna ? ai-je dit en citant les deux prénoms de ses enfants.

— Samedi, c'est l'anniversaire de Levanna. Elle va avoir sept ans. Mais le samedi, c'est bondé au Grille. Je peux pas m'absenter. Alors, on va fêter ça plus tôt.

— Comment ?

— Il y a ce nouveau film, que les gosses adorent... cette histoire de chien... On va aller à la séance de quatre heures.

Avant même que Stormy n'ouvre la bouche, je savais ce qu'elle allait dire :

— Dans un cinéma climatisé en plein été, il risque d'y avoir plus de monde qu'à un match de division régionale.

— Et après le cinéma, tu as prévu quoi ?

— Terri m'a dit de les amener au Grille, elle leur offre le dîner.

Le restaurant, certes, peut être bruyant quand la salle est pleine, mais les conversations animées de nos chers clients n'ont rien à voir avec les hurlements d'une foule. Cependant, dans les rêves, tout est déformé, y compris les sons...

Dos à la fenêtre ouverte, je me suis soudain senti en danger. Les poils dans ma nuque se sont hérissés.

Je me suis retourné – tout était tranquille dans le jardin.

Les branches gracieuses des arbres pendaient dans la nuit aux senteurs de jasmin. Les ombres et les buissons formaient un camaïeu de ténèbres, mais, à première vue, personne ne s'y tenait tapi – ni Robertson, ni qui que ce soit d'autre.

Et pourtant, j'ai fait un pas de côté pour m'écarter de la fenêtre avant de me tourner de nouveau vers Viola.

— Il vaudrait mieux que tu changes ton programme pour demain.

En arrachant Viola à son destin, je condamnais peut-être quelqu'un d'autre à la mort, comme ç'eût été le cas avec la serveuse blonde du bar si je l'avais prévenue du danger. La seule différence, c'est que je ne connaissais pas cette fille blonde, et que Viola était une amie.

Parfois choix cornéliens et dilemmes moraux sont solutionnés moins par raison et recherche d'équité que par sentiment. Peut-être ces décisions « affectives » pavent-elles notre route vers l'Enfer; si c'est le cas, la mienne est une via Appia flambant neuve, et tout au bout, le comité d'accueil a déjà mon nom sur sa liste.

Mon seul argument, pour ma défense, c'est qu'en sauvant Viola, je sauvais aussi ses filles. Trois vies contre une seule.

— Ai-je une chance de... (Viola a touché son visage de ses doigts tremblants, effleurant ses pommettes, sa mâchoire, son front, comme si ce n'était pas son visage qui se trouvait là mais le masque de scène de la Mort)... une chance d'échapper à ça?

— Le destin n'est pas une route rectiligne, ai-je répondu, en jouant l'oracle, alors que je m'étais refusé à le faire le matin même. Il y a des embranchements, beaucoup de chemins, chacun vers des destinations différentes. C'est nous qui choisissons la route.

— Fais ce que te dit Oddie, a conseillé Stormy. Et tout ira bien.

— Ce n'est pas si facile, ai-je précisé aussitôt. Parfois, tu as beau changer de route, celle-là s'incurve sournoisement et te ramène vers le même destin.

Viola m'a regardé avec gravité, peut-être même avec crainte.

— J'étais certaine que tu savais ces choses, Odd, ces choses sur l'Autre monde et au-delà.

Mal à l'aise devant tant d'admiration, je me suis dirigé vers l'autre fenêtre ouverte. La Mustang de Terri était garée dans la rue, sous un lampadaire. Tout était calme. Rien de suspect – et pourtant...

Nous avions fait des détours depuis notre départ du bowling, pour être sûr qu'on ne nous suivait pas. Mais je restais sur mes gardes... Les apparitions de Robertson devant la maison de Little Ozzie, puis à l'église, m'avaient pris au dépourvu. Je ne voulais pas être surpris une troisième fois.

— Viola (une fois de plus, je me suis tourné vers elle), changer ton programme pour demain ne suffira pas. Tu devras être aux aguets, rester sur tes gardes, repérer le moindre événement bizarre.

— Je suis déjà tendue comme un ressort!

— Être tendue, ce n'est pas être vigilante.

Elle a hoché la tête.

— Tu as raison.

— Tu dois rester le plus calme possible.

— Je vais faire de mon mieux.

— Calme et attentive, prête à réagir au premier signe inquiétant, sans pour autant céder à la panique.

Perchée sur le bord de son fauteuil, elle semblait toutefois susceptible de sauter en l'air au moindre bruit...

— Demain matin, a expliqué Stormy, on te montrera la photo du type dont il faudra te méfier. (Elle m'a regardé :) Tu penses pouvoir nous trouver ça, Oddie ?

J'ai acquiescé. Wyatt Porter me sortirait une copie de la photo que lui avait fournie le service des permis de conduire.

— À quoi il ressemble ? a demandé Viola.

Aussi précisément que possible, je lui ai décrit Mr. Champignon ; quand il était au Grille, Viola n'avait pas encore pris son service.

— Si tu le vois, sauve-toi. C'est que le pire arrive. Mais je ne pense pas qu'il se passera quelque chose cette nuit. Pas ici. À mon avis, il compte faire les gros titres avec une action d'éclat dans un lieu public, là où il y a plein de monde...

— Demain, ne mets pas les pieds dans un cinéma.

— Promis.

— Et ne sors pas dîner avec les filles.

Brusquement, contre toute logique, j'ai ressenti le besoin irrépressible de m'assurer que tout allait bien pour Nicolina et Levanna.

— Viola, je peux voir tes filles ?

— Maintenant ? Elles dorment.

— Je ne veux pas les réveiller. Mais c'est... important.

Elle s'est levée et nous a conduits vers la chambre où les deux sœurs dormaient : deux lampes, deux tables de nuit, deux lits, et deux fillettes angéliques endormies sous les draps (mais sans couverture).

L'une des lampes était réglée en position veilleuse. L'abat-jour abricot diffusait dans la pièce une douce lumière.

Deux fenêtres étaient ouvertes sur la nuit. Aussi diaphane qu'un esprit, un papillon de nuit voletait contre la
moustiquaire, avec le désespoir d'une âme perdue voulant passer les portes du paradis.

Sur le châssis de la fenêtre, des barres de sécurité,
dont le système d'ouverture était inaccessible de l'extérieur, empêchaient des individus comme Harlo Landerson d'entrer dans la chambre des fillettes.

Moustiquaires et barreaux pouvaient tenir en échec
les papillons et les psychopathes, mais ils n'arrêtaient
pas les bodachs. Et il y en avait cinq dans la chambre...

26.

Deux ombres sinistres se tenaient de chaque côté des lits, des voyageurs venant des enfers, ou d'ailleurs, qui avaient transité par la chambre noire.

Ils étaient penchés au-dessus des fillettes, et semblaient les observer avec un intérêt avide. Leurs mains (si les bodachs avaient des mains) flottaient à quelques centimètres des draps, comme pour suivre la forme des corps sous les draps.

Je ne sais pas trop ce qu'ils faisaient… j'imagine qu'ils étaient attirés par cette vie impétueuse qui coulait dans les veines de Nicolina et Levanna, et qu'ils s'en nourrissaient…

Ces créatures n'avaient pas remarqué ma présence. Sans doute étaient-elles absorbées (pour ne pas dire hypnotisées) par ce rayonnement d'énergie qui émanait des deux fillettes, une aura invisible pour moi, mais à l'évidence parfaitement enivrante pour eux.

Le cinquième bodach rampait au sol, se déplaçant avec des mouvements souples et coulés de reptile. Il s'est glissé sous le lit de Levanna et s'est mis à tourner en rond ; j'ai cru qu'il voulait s'y installer mais, quelques instants plus tard, il est ressorti, tout frémissant, en se tortillant comme une salamandre excitée, et s'est rendu sous le lit de Nicolina pour recommencer le même manège.

J'en ai eu le frisson. Ce cinquième bodach devait se repaître de quelques spores délicieux, quelque résidu éthéré, qu'avaient laissés les pieds des fillettes. Et j'ai cru voir (et j'espère que ce ne fut qu'une illusion) le bodach affamé lécher la moquette de sa langue de serpent.

— Tu peux entrer, tu sais ; elles ont le sommeil lourd, m'a dit Viola, voyant que je restais sur le seuil.

— Elles sont adorables, a chuchoté Stormy.

Le visage de Viola s'est éclairé de fierté.

— Ce sont de gentilles petites. (Puis elle a remarqué mon air livide :) Qu'y a-t-il ?

J'ai esquissé tant bien que mal un sourire ; Stormy a tout de suite su que quelque chose n'allait pas. Les yeux plissés, elle a scruté les recoins de la pièce – à droite, à gauche, au plafond – dans l'espoir de repérer ne serait-ce qu'un indice trahissant la présence de ces abominations d'un autre monde.

Les quatre bodachs qui passaient leurs mains sur les corps des fillettes endormies ressemblaient à des prêtres d'un culte satanique, à des Aztèques sur l'autel d'un sacrifice humain.

Devant mon silence, Viola a cru qu'il y avait un problème avec ses filles et s'est avancée dans la chambre.

Doucement, je l'ai retenue par le bras.

— Excuse-moi, Viola. Non, tout va bien. Je voulais juste m'assurer que les filles étaient en sécurité. Mais avec ces barres aux fenêtres, il n'y a rien à craindre.

— Elles savent comment les détacher en cas d'urgence, a-t-elle précisé.

L'une des créatures, devant le lit de Nicolina, s'est redressée, comme si elle avait conscience de notre présence. Ses mains ont ralenti leur va-et-vient au-dessus de la petite fille, mais sans cesser leurs mouvements mystérieux. Le bodach a relevé la tête pour nous scruter avec intensité de son visage sans yeux.

L'idée de laisser les fillettes avec ces fantômes me glaçait le sang, mais je ne pouvais rien y faire.

En outre, d'après mes observations, même si les bodachs peuvent se promener à leur gré dans notre monde, ils n'ont aucun effet sur les choses. Jamais je ne les ai entendus faire un bruit, déplacer un objet sur leur passage, pas même troubler le mouvement brownien des poussières en suspension dans l'air.

Ils ont moins de substance qu'un esprit flottant au-dessus d'un guéridon. Ce sont des créatures des songes qui ont franchi la barrière du sommeil.

Les filles ne risquaient rien. Pas ici. Pas encore.

Du moins je l'espérais.

Ces esprits nomades, qui venaient de débarquer à Pico Mundo pour être aux premières loges quand viendrait le bain de sang, se distrayaient en attendant la grande attraction. Peut-être prenaient-ils plaisir à rendre visite aux victimes avant qu'elles ne se fassent tuer ? Peut-être cela les excitait-il de voir des personnes vaquer à leurs affaires comme d'habitude alors qu'elles allaient mourir dans quelques heures ?

Me gardant de révéler la présence de ces créatures de cauchemar, j'ai mis un doigt en travers de ma bouche, comme pour dire à Viola et à Stormy de laisser dormir les filles, et je les ai fait sortir de la chambre. J'ai refermé la porte aux deux tiers, comme elle l'était à notre arrivée, laissant les bodachs ramper au sol, renifler la moquette et accomplir leur ballet mystérieux.

Je craignais que certains d'entre eux nous suivent, mais par chance, nous n'avons pas eu droit à leur escorte ectoplasmique.

— Il y a un point que j'aimerais préciser, ai-je dit à Viola de retour dans le salon en parlant presque aussi doucement que dans la chambre des filles. Quand je te dis de ne pas aller au cinéma demain, cela s'applique aussi aux filles. Pas de cinéma, pas de sortie. Rien.

Le front brun de Viola s'est froncé comme du velours côtelé.

— Mais mes petites chéries... il ne leur arrive rien dans mon rêve...

— Les rêves prémonitoires ne révèlent pas tout. Juste des fragments.

Ce n'est pas l'inquiétude qui est apparue sur son visage, mais la colère. Parfait. La peur était nécessaire, mais la colère aussi... elle aiguiserait ses sens, l'aiderait à prendre les bonnes décisions demain.

Pour enfoncer le clou, j'ai ajouté :

— Tu as peut-être refoulé cette partie, à ton réveil.

— On va rester à la maison, a déclaré Viola, pleine de détermination. On fera une petite fête ici, juste entre nous.

— Je ne crois pas non plus que ce soit très prudent.

— Pourquoi ? Mon rêve ne dit pas où ça se passe, mais une chose est sûre, ce n'est pas ici, à la maison.

— Souviens-toi... Des routes différentes peuvent mener au même point.

Je ne voulais pas lui révéler la présence des bodachs dans la chambre de ses enfants, car cela m'aurait contraint à dévoiler tous mes secrets. Seuls Terri, les Porter et Little Ozzie savaient une grande partie de la vérité... et Stormy était la seule à *tout* savoir.

Si trop de gens entrent dans ce club très fermé, il y aura inévitablement des fuites. Je deviendrai la proie des médias, un monstre pour beaucoup, un gourou pour certains. Ma vie sera alors trop compliquée pour valoir la peine d'être vécue.

— Dans ton rêve, ai-je poursuivi, ce n'est pas dans cette maison que tu as été tuée, c'est entendu ; mais si ton destin, c'est de mourir dans un cinéma et que tu ne mets pas les pieds dans une salle, le destin peut venir ici accomplir ce qui est prévu. C'est pas sûr. Mais possible.

— Et dans ton rêve à toi, c'est pour demain ?

— Oui. Je serais donc plus rassuré si tu faisais un pas supplémentaire pour t'éloigner de cet avenir.

J'ai jeté un regard vers la porte du couloir. Pas de bodachs en vue.

Même si je pense qu'ils n'ont pas d'effet tangible sur notre monde, j'ai préféré ne courir aucun risque et j'ai baissé la voix :

— Premier pas : ne va pas ni au cinéma ni au Grille, ai-je chuchoté. Deuxième pas : ne reste pas ici.

— Ta sœur habite loin ? a demandé Stormy.

— À deux pâtés de maisons. Sur Maricopa Lane.

— Je passerai demain matin, entre neuf et dix heures, avec la photo, ai-je annoncé. Et je t'emmènerai, toi et les filles, chez ta sœur.

— C'est inutile, Odd. Je peux y aller toute seule.

— Non. Je t'emmène. C'est nécessaire.

Je devais m'assurer qu'aucun bodach ne suivrait Viola et ses enfants.

— Ne dis pas à Nicolina et Levanna ce que tu vas faire, ai-je ajouté dans un murmure. Et ne préviens pas ta sœur non plus de ta venue. On pourrait t'entendre.

Viola a jeté un regard circulaire dans la pièce, inquiète, mais aussi étonnée.

— Qui pourrait nous entendre ?

Par nécessité, je me suis fait mystérieux.

— Certaines forces... (Si les bodachs avaient vent de la manœuvre, Viola ne serait plus à deux pas de son destin funeste, mais à un seul.) Tu crois, n'est-ce pas, que je sais des choses sur « l'Autre monde et au-delà » comme tu dis ?

Elle a hoché la tête avec vigueur.

— Oui, je le crois.

Elle avait les yeux tellement écarquillés d'admiration que j'en avais le frisson... Ces yeux me rappelaient ceux d'un cadavre.

— Alors, fais-moi confiance, Viola. Essaie de dormir un peu. Je reviendrai demain matin. Dans vingt-quatre heures, tout ça ne sera plus qu'un mauvais rêve, rien de prophétique.

Je n'en n'étais pas si convaincu, mais j'ai souri et l'ai embrassée sur la joue.

Elle m'a pris dans ses bras, puis a serré Stormy.

— Grâce à vous, je me sens moins seule.

À l'extérieur, l'air nocturne en l'absence de ventilateur était encore plus étouffant que dans la petite maison.

La lune montait lentement vers les étoiles, levant ses voiles jaunes pour révéler sa face d'argent. Une face aussi implacable qu'un cadran d'horloge.

27.

Il restait un peu plus d'une heure avant que ne sonne minuit. J'ai garé la voiture derrière le Pico Mundo Grille, en songeant avec inquiétude à cette journée du 15 août qui approchait à grands pas.

— Tu ne quitteras donc jamais cette ville ? m'a demandé Stormy alors que j'éteignais les phares et coupais le moteur.

— J'espère que je ne traînerai pas dans le coin après ma mort, comme ce pauvre Tom Jedd à Pneus Univers.

— Je voulais dire : de ton vivant.

— Rien que d'y penser, j'en ai la chair de poule au cerveau !

— Pourquoi ?

— C'est grand, ailleurs.

— Pas forcément. Il y a des villes plus petites et plus tranquilles que Pico Mundo.

— Ce que je veux dire, c'est qu'ailleurs, tout sera nouveau pour moi. Je préfère me cantonner à ce que je connais. Avec tout ce que je dois gérer chaque jour... je ne pourrais jamais m'habituer à toutes ces choses nouvelles. Des nouveaux noms de rues, des nouveaux quartiers, de nouvelles odeurs, sans parler de tous les gens...

— Depuis toute petite, je rêve de vivre dans les montagnes...

— Nouveau climat ! (J'ai secoué la tête.) Pas bon, nouveau climat.

— Pour l'instant, je ne te parle pas de partir d'ici pour toujours. Juste une virée d'un jour ou deux. On pourrait aller à Las Vegas, par exemple ?

— C'est ça ta petite ville tranquille ? Il doit y avoir des milliers de morts là-bas qui hantent les rues.

— Pourquoi donc?

— Des malheureux qui ont tout perdu au craps ou à la roulette, et qui se tirent une balle dans la tête en rentrant dans leur chambre d'hôtel. (J'ai frissonné.) Les suicidés traînent toujours après leur mort. Ils ont trop peur de partir.

— Tu as une image bien sombre de Las Vegas, Oddie l'Étrange. Les femmes de chambre là-bas ne découvrent pas dix macchabées par jour en faisant les lits!

— Plein de gars, aussi, se font descendre par la mafia. Leur cadavre est balancé dans les fondations des nouveaux hôtels. Tu peux être sûr que ceux-là ne sont pas prêts à partir et qu'ils sont animés d'une vive colère *post-mortem*. Et puis, de toute façon, je n'aime pas les jeux d'argent.

— C'est le petit-fils de mamie Sugars qui dit ça?

— Elle a tout essayé pour faire de moi un as des cartes, mais, sur ce point, je l'ai beaucoup déçue.

— Elle t'a appris le poker, non?

— Oui. On jouait des cents.

— Même si c'étaient des cents, tu risquais de perdre.

— Pas avec mamie Sugars.

— Elle te laissait gagner? Ça, c'est gentil.

— Elle voulait que je fasse avec elle le circuit des compétitions de poker. Elle disait : « Odd, je compte finir ma vie sur les routes, pas dans un rocking-chair sous l'auvent d'une maison de retraite, à radoter avec de vieilles biques incontinentes; je veux mourir sur la feutrine, la tête dans mes cartes, en pleine partie, et non d'ennui à un thé dansant pour octogénaires édentées, en train de danser le cha-cha avec des déambulateurs. »

— Sur la route? a répété Stormy. Ça, c'était la nouveauté assurée à chaque virage.

— Tous les jours, des surprises, rien que du neuf!... (J'ai soupiré.) Mais on se serait bien amusés, c'est sûr... Elle voulait que je sois là pour partager avec elle les bons moments... et aussi, si d'aventure son cœur lâchait en pleine partie, pour empêcher les autres joueurs de la dépouiller de ses gains et de laisser sa carcasse dans le désert pour servir de dîner aux coyotes.

— Que tu n'aies pas voulu partir avec elle sur les routes, ça se comprend, mais pourquoi refuser de jouer?

— Parce que je gagnais quasiment tout le temps, même quand mamie Sugars jouait à son meilleur niveau.

— À cause de ton... don?

— Tout juste.

— Tu sais d'avance quelles cartes vont sortir?

— Non. Rien d'aussi spectaculaire. Je sens simplement quand ma main est plus forte que celle des autres joueurs et inversement. Et cette intuition est juste neuf fois sur dix.

— C'est effectivement un sacré avantage au poker.

— Idem pour le black jack et tous les autres jeux de cartes.

— Ce n'est plus du pari...

— Voilà. C'est juste de la récolte de billets.

Stormy a compris aussitôt pourquoi j'avais abandonné les cartes.

— C'est même de l'escroquerie...

— Je n'ai pas, à ce point, besoin d'argent. Et ça continuera tant que les gens aimeront ce que je leur prépare sur le gril.

— Ou tant qu'ils auront des pieds.

— Exact. À condition que je me reconvertisse dans la chaussure.

— Quand je mentionnais Vegas, je ne pensais pas aux jeux...

— Ça fait loin, juste pour profiter du buffet d'entrées!

— Je pensais à Vegas parce qu'en trois heures on peut y être et que là-bas les chapelles pour se marier sont ouvertes vingt-quatre heures sur vingt-quatre. Pas besoin de prise de sang. On pourrait être mariés avant l'aube.

Mon cœur a fait un saut périlleux dans ma poitrine. Seule Stormy avait le don de lui faire accomplir ce genre d'acrobaties.

— Houlà... pour un peu, ça me donnerait presque le courage d'y aller.

— Presque?

— On pourrait faire nos tests sanguins demain matin, faire paraître les bans jeudi, et se passer la bague au doigt samedi. Et nos amis pourraient être là. J'ai envie qu'ils soient présents. Pas toi ?

— Oui, mais j'ai plus encore envie de me marier.

Je l'ai embrassée.

— Après tant d'hésitations, pourquoi cette précipitation ?

Nos pupilles s'étaient dilatées pour compenser la pénombre qui régnait dans la voiture. Sans cette acclimatation, jamais je n'aurais pu discerner l'inquiétude sur son visage, dans ses yeux ; ce n'était pas de la simple anxiété, mais une terreur sourde.

— Hé, hé... tout ira bien.

Stormy était trop forte pour se laisser aller à pleurer. Son ton était calme, assuré, mais derrière, j'ai senti perler une angoisse indicible.

— Depuis qu'on a mangé cette glace devant la mare aux carpes et que ce type est arrivé...

Sa voix est restée en suspens.

— Mr. Champignon...

— Oui. Ce salopard... depuis que je l'ai vu... j'ai peur, peur pour toi. J'ai toujours peur pour toi, Oddie l'Étrange, et d'ordinaire, je ne dis rien, parce que je ne veux pas être la dame pleureuse qui n'arrête pas de te dire de faire attention à toi. Mais là...

— La « dame pleureuse » ?

— Excuse-moi. J'ai dû zapper sur ma vie antérieure dans les années 30 ! Mais c'est la vérité, la dernière chose dont tu as besoin c'est d'avoir aux basques une chieuse hystérique.

— Je préférais « dame pleureuse ». D'accord, ce type est un vrai malade, c'est une bombe à retardement de dix mégatonnes, mais Wyatt et moi on est sur le coup, et on va la désamorcer avant qu'elle n'explose.

— Tu es bien sûr de toi... Je t'en prie, Oddie, pas d'assurance mal placée. Ce type va te tuer...

— Non, il ne va pas me tuer.

— J'ai vraiment peur, Oddie.

— Demain soir, Bob Robertson, alias Mr. Champignon, sera en prison, dans une belle tenue orange de détenu... peut-être aura-t-il tué des gens, peut-être lui aura-t-on mis la main dessus avant, mais une chose est certaine, je serai là pour dîner avec toi, pour parler de notre mariage et j'aurai toujours mes deux jambes, mes deux bras, et...

— Arrête Oddie, tais-toi...

— ... et le même air idiot que maintenant...

— Arrête.

— ... et mes deux yeux aussi, parce que, pour vivre, j'ai besoin de te voir, et mes deux oreilles, parce que je veux encore t'entendre me dire que l'on va se marier, et j'aurai encore...

Elle m'a donné un coup de poing sur la poitrine.

— Tais-toi, nom de Dieu ! Ne tente pas le sort !

À cause de sa position assise, elle n'avait pu appuyer son coup. Je n'avais quasiment rien senti.

J'ai repris ma respiration et j'ai enchaîné :

— Je ne crains pas de tenter le sort. Je ne suis pas superstitieux.

— Moi, si.

— On va s'en sortir.

On s'est embrassés.

Un monde parfait.

J'ai passé mon bras autour d'elle.

— Stupide Dame pleureuse ! Je suis d'accord avec toi... Bob Robertson est sûrement dingue au point d'être refoulé du motel des Bates dans *Psychose*... mais il reste un fou. Il n'a rien d'autre qu'un petit vélo dans la tête. Je reviendrai entier, sans une égratignure. Et mon numéro national d'identité sera toujours valide dans les fichiers de l'administration.

— Mon nounours... (Elle m'appelait parfois comme ça.)

Voyant que je l'avais un peu rassurée, je me sentais comme un de ces shérifs des vieux westerns, flegmatique, imperturbable qui, d'un sourire, effaçait les craintes des dames et s'en allait ensuite occire une armée de méchants sans même tacher son chapeau blanc.

J'étais le roi des idiots. Quand je songe à cette nuit d'août, aux blessures, aux souffrances que j'ai endurées depuis, ce Odd Thomas, inconscient, indemne, me paraît à des années-lumière de moi. Il était si sûr de lui alors, un chien fou plein d'entrain. Comme je regrette cet autre moi !

Surtout, ne pas être trop sombre, garder un ton léger... sinon ma muse de deux cents kilos va m'écrabouiller de son arrière-train éléphantesque, sans compter les représailles de son chat.

28.

Quand nous sommes sortis de la Mustang, l'allée, derrière le restaurant, m'a paru plus sombre que de coutume ; de part et d'autre de nous, la ruelle se perdait dans l'obscurité comme si le clair de lune, ce soir, ne parvenait à chasser les ombres.

Au-dessus de la porte de service brillait une lanterne de sécurité, mais les ténèbres l'enveloppaient d'un suaire noir.

L'escalier extérieur menait à l'étage, où se trouvait l'appartement de Terri Stambaugh. Il y avait de la lumière aux fenêtres.

Arrivée sur le palier, Stormy a désigné un groupe d'astres dans le ciel.

— C'est Cassiopée, là-bas.

J'ai scruté les étoiles et ai repéré la constellation.

Dans la mythologie grecque, Cassiopée était la mère d'Andromède. Andromède devait être dévorée par Cetus, mais le héros Persée, qui avait déjà eu raison de la gorgone Méduse, a tué le monstre et l'a sauvée.

À l'instar d'Andromède, Stormy Llewellyn, fille d'une autre Cassiopée, mériterait, elle aussi, d'avoir sa constellation, tant elle est ma lumière cosmique. Mais je n'ai tué aucune gorgone et je ne suis pas Persée.

J'ai toqué à la porte. Terri a ouvert ; elle a récupéré les clés de la voiture et a insisté pour que nous entrions prendre un café ou une tisane.

Deux bougies dispensaient une douce lumière dans la cuisine, leurs flammes tremblotant dans l'air froid de la climatisation. Un petit verre d'alcool de pêche trônait sur la toile cirée à damier.

Comme de coutume, la musique de fond était Elvis ; cette fois c'était *Wear my ring around your neck*.

On se doutait que Terri allait insister pour nous offrir à boire ; c'est la raison pour laquelle Stormy n'était pas restée en bas de l'escalier.

Terri souffrait d'insomnie. Même avec Elvis, les nuits étaient longues.

Quand elle accrochait le panneau « Fermé » derrière la porte du Grille, le soir, après le départ du dernier client, Terri s'offrait, suivant l'humeur du moment, un déca ou un breuvage plus fort. Mais, qu'elle soit triste ou gaie, c'était, toujours, pour trinquer à la solitude.

Son mari, Kelsey, son amoureux depuis le lycée, était décédé neuf ans plus tôt. Son cancer était féroce, mais Kesley était un combattant, et il avait mis trois ans avant de rendre les armes.

Quand la tumeur avait été découverte, il avait juré qu'il n'abandonnerait pas Terri. Il possédait la volonté de fer pour tenir sa promesse, mais son corps de chair n'avait pu suivre.

Dans les dernières années, Kesley avait mené son ultime combat avec discrétion et courage, sans jamais perdre sa bonne humeur... L'amour et le respect de Terri pour son mari en étaient sortis encore grandis.

D'une certaine manière, Kesley avait tenu sa promesse. Son fantôme ne traînait pas au Grille ni dans quelque endroit de Pico Mundo, mais il vivait toujours dans les souvenirs de Terri, sa mémoire gravée à jamais dans son âme.

Après trois ou quatre années de deuil, la douleur s'était muée en chagrin. Avoir accepté sa mort n'avait pas pour autant refermé la plaie dans son cœur. Le vide laissé par Kesley était devenu plus doux que quelque emplâtre pour le combler.

La fascination de Terri pour Elvis était née neuf ans plus tôt, quand elle avait trente-deux ans, l'année de la mort de Kesley.

Les raisons de cette elvismania *post-mortem* sont, certes, nombreuses. Mais il y en a une évidente : tant qu'elle aura sa collection mnémonique des hauts faits du

King à entretenir – ses chansons, sa vie, son œuvre – elle n'aura pas le temps de s'intéresser à un homme vivant et son cœur restera fidèle à son défunt mari.

Elvis est la porte qu'elle ferme à toute histoire d'amour. Il est sa tour où elle vit recluse, son nid d'aigle, son couvent.

Nous nous sommes installés autour de la table, Terri veillant à ce que personne ne s'asseye sur la chaise qu'occupait Kesley de son vivant.

Aussitôt, on a parlé de notre mariage imminent. Terri a empli d'eau-de-vie nos verres et on a trinqué à notre bonheur.

Tous les automnes, Terri faisait bouillir des marmites de cet élixir et le mettait elle-même en bouteilles. L'alcool était délicieux et si fort qu'il valait mieux le boire dans des tout petits verres, si on voulait pouvoir se relever.

À la deuxième tournée, alors que le King chantait *Love me tender*, j'ai raconté à Terri qu'Elvis était monté dans sa voiture. Elle a réprimé un frisson, puis a compati quand elle a appris qu'il avait pleuré tout le long du trajet.

— Ce n'est pas la première fois que je le vois pleurer, ai-je expliqué. Depuis sa mort, il semble fragile. Mais aujourd'hui c'était vraiment les grandes eaux !

— Évidemment, a répliqué Terri ; c'est normal qu'il soit dans cet état aujourd'hui !

— Si tu voulais bien éclairer ma lanterne…

— On est le 14 ! Le 14 août 1958, à 3h14 du matin, sa mère est morte. Elle n'avait que quarante-six ans.

— Gladys ?… a dit Stormy. C'est bien comme ça qu'elle s'appelait ?

La gloire existe, certes. Tom Cruise est célèbre, Mick Jagger aussi… Il y a des célébrités chez les écrivains, les hommes politiques… mais quand les gens, toutes générations confondues, se souviennent du nom de votre mère un demi-siècle après sa mort et un quart de siècle après la vôtre, alors… alors seulement… on peut parler de « légende ».

— Elvis était au service militaire, se souvenait Terri. Le 12 août, il s'envole pour Memphis afin de se rendre au chevet de sa mère et la veiller jusqu'à son dernier souffle. Mais le 16 août, aussi, est un jour noir pour le King...

— Ah oui ?

— C'est le jour de sa mort.

— La mort d'Elvis ? s'est étonnée Stormy.

— Oui. Le 16 août 1977.

J'ai vidé mon deuxième verre d'alcool de pêche.

Terri a soulevé la bouteille, voulant me resservir. J'en avais grand besoin, mais ce n'eût pas été raisonnable. J'ai posé la main sur mon verre.

— Elvis semble s'inquiéter pour moi, ai-je annoncé.

— Comment ça ? a demandé Terri.

— Il m'a tapoté le bras d'un air triste... comme s'il compatissait... comme s'il avait de la peine pour moi.

Cette révélation a aussitôt inquiété Stormy.

— Je n'étais pas au courant de ça ! Pourquoi ne m'en as-tu pas parlé ?

J'ai haussé les épaules.

— Ça ne voulait rien dire, tu sais. C'était juste Elvis...

— Si ça n'a aucune importance, a renchéri Terri, pourquoi tu en parles maintenant ?

— En tout cas, pour moi, ça a un sens ! a insisté Stormy. Gladys est morte le 14, Elvis le 16. Et le 15, c'est pile entre les deux – et c'est le jour où l'autre dingue de Robertson va flinguer tout le monde. Demain !

Terri a froncé les sourcils.

— Robertson ?

— Mr. Champignon. C'est pour retrouver ce type que je t'ai emprunté ta voiture.

— Et tu as réussi ?

— Oui. Il vit à Camp's End.

— Et alors ?

— Alors le chef et moi... on le surveille.

— Ce Robertson est un mutant tout droit sorti d'un film d'horreur, a expliqué Stormy. Il nous a pourchassés à St. Bart et quand on lui a filé entre les doigts, il a tout cassé dans l'église.

Terri a offert à Stormy une nouvelle lampée d'eau-de-vie.

— Il va tirer sur des gens, tu dis ?

Stormy, qui ne buvait pas d'ordinaire, a tendu son verre.

— Le rêve récurrent de ton cuistot préféré va finalement se réaliser.

Maintenant, c'était Terri qui était inquiète.

— Les morts du bowling ?

— Et peut-être d'autres gens aussi dans une salle de cinéma, a lancé Stormy avant de vider son verre cul sec.

— Cela a un rapport avec le cauchemar de Viola ? a demandé Terri.

— Ce serait trop long à t'expliquer, ai-je répondu. Il est tard. Je suis vanné.

— Oui, ça un rapport on ne peut plus étroit, a expliqué Stormy.

— Vraiment, il faut que je dorme. Je te raconterai tout demain, Terri, promis… quand tout sera fini.

J'ai repoussé ma chaise pour me lever, mais Stormy m'a attrapé le bras et m'a fait me rasseoir.

— Et maintenant j'apprends qu'Elvis, en personne, t'a prévenu que tu allais mourir demain…

J'ai contre-attaqué aussitôt :

— Pas du tout. Il n'a jamais dit ça ! Il m'a juste tapoté le bras et puis, un peu plus tard, au moment de descendre de voiture, il m'a serré la main.

— Serré la main ? a répété Stormy comme si ce geste scellait définitivement mon arrêt de mort.

— Il n'y a pas de quoi fouetter un chat. Il a juste refermé ses deux mains sur la mienne et l'a serrée deux fois.

— Deux fois !

— Et il m'a encore regardé.

— D'un air *apitoyé*, c'est ça ?

Terri a soulevé la bouteille et a voulu servir une nouvelle rasade à Stormy, mais j'ai tendu le bras pour l'arrêter.

— On a assez bu.

Stormy a pris ma main dans les siennes, comme Elvis, et m'a regardé avec insistance.

— Ce qu'il essayait de te dire, Monsieur l'apprenti justicier, c'est que sa mère est morte le 14, que lui est mort le 16, et que, si tu ne fais pas attention à tes fesses, tu vas mourir le 15 – et qu'à vous trois vous allez faire le tiercé gagnant.

— Non, ce n'est pas ça....

— Ah oui ? tu penses qu'il te draguait peut-être ?

— Il est mort. Les histoires d'amour, pour lui, c'est fini.

— De toute façon, a rappelé Terri, Elvis n'était pas homo.

— J'ai pas dit ça. C'est Stormy qui...

— Je parie le Grille, a lancé Terri, et ma culotte de cheval, qu'il n'était pas homo !

J'ai gémi de lassitude.

— Au secours, c'est quoi cette conversation de dingues !

Terri s'est rebiffée.

— Tu es mal placé pour nous faire la leçon. Avec toi, j'ai eu des dizaines de conversations bien plus dingues que ça !

— Moi aussi, a renchéri Stormy. Odd Thomas, tu es une source intarissable de conversations ubuesques.

— Un geyser, a surenchéri Terri.

— J'y suis pour rien. C'est ma vie qui est comme ça, leur ai-je rappelé.

— Ne te mêle pas de cette affaire, a repris Terri. Laisse Wyatt Porter s'en charger.

— Bien sûr que c'est lui qui va s'en charger. Je ne suis pas policier. Je n'ai pas de permis de port d'arme. Tout ce que je peux faire, c'est le conseiller.

— Ne le conseille même pas ! s'est emportée Stormy. Pour cette fois, s'il te plaît, reste en dehors. Allons plutôt à Vegas nous marier. Tout de suite.

J'aurais tant aimé lui faire plaisir... lui faire plaisir me fait toujours plaisir – le chant des oiseaux est soudain plus mélodieux, le miel des abeilles plus parfumé encore, et le monde en général plus beau... du moins, de mon point de vue.

Mais le vouloir et le devoir étaient deux choses distinctes...

— Le problème, ai-je répondu, c'est que je suis sur terre pour faire ce boulot, et que si je me dérobe, ça me retombera dessus, d'une manière ou d'une autre.

J'ai ramassé mon verre pour boire un coup. Voyant qu'il était vide, je l'ai reposé.

— Quand j'ai une cible, mon magnétisme psychique fonctionne dans les deux sens... Je peux me promener au hasard dans les rues et finir par trouver celui que je cherche – en l'occurrence, Robertson – mais lui aussi peut me trouver, parce qu'il sera également attiré vers moi, même s'il ne l'a pas décidé. Et dans ce second cas, je risque d'être pris de court et c'est là qu'est le vrai danger.

— C'est purement théorique, a rétorqué Stormy.

— Je ne peux rien prouver, mais c'est la vérité. Je le sais dans ma chair.

— Je savais bien que tu ne pensais pas avec ta tête! a lancé Stormy, sur un ton passant de l'impatience (voire de la colère) à la résignation affectueuse.

Terri s'est tournée vers moi.

— Si j'étais ta mère, je te mettrais une paire de claques!

— Si tu étais ma mère, je ne serais pas ici.

Ces deux-là étaient les deux femmes les plus chères dans ma vie, chacune pour des raisons différentes. Et ne pas accéder à leur demande, même pour de bonnes raisons, m'était très difficile.

Les bougies ambraient leurs visages, leur donnaient cette même couleur dorée, et dans leurs yeux, il y avait une inquiétude identique... comme si par leur simple intuition féminine elles pouvaient voir ce qu'avec mon sixième sens je ne pouvais distinguer.

Sur la chaîne stéréo, Elvis roucoulait *Are you lonesome tonight?*

J'ai consulté ma montre.

— Ça y est, on est le 15!

Quand j'ai voulu me lever, Stormy n'a pas tenté de me retenir. Elle s'est levée avec moi.

— Terri, tu vas devoir te passer de moi demain matin... Demande à Poke s'il veut bien me remplacer.

— Quoi? Tu ne peux pas faire cuire des hamburgers et sauver le monde en même temps?

— Si, mais je risque de faire brûler le bacon. Désolé de te prévenir si tard.

Terri nous a raccompagnés à la porte. Elle nous a enlacés tour à tour. Mais à moi, l'accolade s'est terminée par une claque sur la tête :

— Tu as intérêt à être là après-demain, à la première heure, pour faire sauter les pancakes, sinon je te colle au distributeur de coca !

29.

À en croire le panneau d'information numérique de la Bank of America, la température était tombée à 32 petits degrés Celsius, un véritable frima pour cette deuxième partie de la nuit, ces heures indues où les sorcières sillonnent le ciel sur leurs balais.

Une brise molle traversait la ville, hésitante, toujours sur le point de mourir, comme si la rouille avait grippé les mécanismes d'Éole. Sèche et chaude, elle voyageait par bouffées éparses, faisant bruisser les ficus, les palmiers, les jacarandas.

Les rues étaient tranquilles. Quand la brise retenait son souffle, j'entendais le cliquetis des relais électriques commandant les feux tricolores, qui passaient alternativement du vert à l'orange et au rouge.

On a marché jusqu'à l'appartement de Stormy, sur le qui-vive, nous attendant à voir surgir Robertson entre les voitures en stationnement ou jaillir d'un porche tel un diablotin.

Hormis les feuilles agitées par le vent, le seul mouvement perceptible a été le passage fugace d'un groupe de chauves-souris en chasse, traversant le halo d'un lampadaire pour se perdre sous la lune et, plus loin encore, sous les yeux multiples de Cassiopée.

Stormy habitait à trois cents mètres du Pico Mundo Grille. On a marché en silence, main dans la main.

Ma décision était prise. Malgré ses objections, Stormy savait que je n'avais pas le choix ; je devais aider le chef de la police à arrêter Robertson avant qu'il ne commette le massacre qui hantait mes nuits depuis trois ans.

Toute parole serait inutile ou redondante. Et ici, sur la pente obscure des heures qui menait à cette aube funeste, ni l'un ni l'autre n'avions le cœur à parler.

La vieille maison victorienne avait été scindée en quatre appartements. Stormy occupait celui du rez-de-chaussée, sur la droite.

Je ne pensais pas trouver Robertson sur le perron. Même s'il avait appris qui j'étais, il y avait peu de chances pour qu'il ait découvert l'adresse de Stormy.

S'il voulait me régler mon compte, mon appartement au-dessus du garage de Rosalia Sanchez était un bien meilleur affût.

Par précaution, toutefois, nous avons ralenti le pas et nous sommes entrés dans le hall avec prudence. Chez Stormy, il flottait dans l'air frais un doux parfum de pêche. Le désert du Mojave nous a paru très loin, une fois passé le seuil de la porte.

L'appartement comptait trois pièces, une salle de bains, une cuisine. Sitôt allumé la lumière, Stormy s'est rendue dans sa chambre à coucher, où elle gardait son pistolet 9 mm.

Elle a sorti le chargeur, pour s'assurer qu'il était plein, et l'a remis en place.

J'ai peur des armes à feu... tout le temps, avec n'importe qui – sauf avec Stormy. Elle aurait pu avoir le doigt sur le bouton de mise à feu d'un missile nucléaire que j'aurais dormi à côté d'elle comme un bébé.

On a vérifié rapidement les fenêtres : fermées, comme à son départ.

Aucun croque-mitaine n'avait élu domicile dans ses placards.

Pendant que Stormy se brossait les dents et se déshabillait, j'ai appelé le Green Moon Lanes. Je suis tombé sur le répondeur, annonçant les horaires d'ouverture, les services et les tarifs. Ils ouvraient à 11 heures du jeudi au dimanche et à 13 heures du lundi au mercredi.

Robertson ne pourrait donc venir attaquer le bowling avant une heure de l'après-midi.

Pico Mundo possédait deux cinémas multiplex, soit vingt salles. Par téléphone, j'ai appris que le film que comptait voir Viola se jouait dans deux salles du même cinéma. J'ai mémorisé les heures des séances. La première commençait à 13h10.

Dans la chambre, j'ai ôté le dessus-de-lit, retiré mes chaussures et me suis étendu sur la fine couverture, en attendant Stormy.

Elle a meublé son nid avec du mobilier d'occasion trouvé chez Goodwill ou à l'Armée du Salut ; et pourtant, tout est assorti, et cela a même un certain cachet. Elle a un don pour l'éclectisme et elle sait discerner la magie cachée d'un objet alors que le commun des mortels passerait à côté et jugerait l'objet en question vieillot, bizarre, voire grotesque.

Les lampes sont décorées d'abat-jour en soie avec des franges de perles, deux fauteuils de style campagnard sont mariés à des repose-pieds victoriens ouvragés, il y a des reproductions de Maxfield Parrish aux murs, des vases de verre multicolores, des bibelots en pagaille... Ce mélange hétéroclite devrait être douloureux pour l'œil, et pourtant l'harmonie est là. La chambre à coucher de Stormy est pièce la plus accueillante, la plus chaleureuse qu'il m'ait été donné de voir.

Ici, j'ai l'impression d'être hors du temps.

Je suis en paix dans ces pièces. J'oublie mes soucis. La légèreté des pancakes et la colère des *poltergeist* ne m'inquiètent plus.

Ici, rien ne peut m'arriver.

Ici, je connais ma destinée et je suis comblé.

Ici, vit Stormy, et là où elle vit, je m'épanouis.

Au-dessus du lit, dans un cadre, la carte que nous a remise la machine diseuse de bonne aventure : VOUS ÊTES DESTINÉS A VIVRE ENSEMBLE POUR TOUJOURS.

Quatre ans plus tôt, dans une fête foraine, la machine bigarrée appelée « La Mère Gitane » nous attendait dans un coin sombre d'un stand qui proposait des attractions étranges et macabres.

La machine, haute de deux mètres, ressemblait à une antique cabine téléphonique. Le premier mètre était plein, le reste équipé de parois de verre sur trois côtés.

Dans cette portion vitrée trônait une naine habillée en gitane, couverte de breloques et de foulards chatoyants. Ses petites mains noueuses étaient posées sur ses cuisses, et ses ongles vernis verts semblaient couverts de moisissure.

Une plaque à ses pieds annonçait qu'il s'agissait du corps embaumé d'une véritable gitane qui avait été célèbre, dans l'Europe du XVIIIᵉ siècle, pour la précision de ses prédictions.

La peau marbrée de son visage semblait une feuille de papyrus tendue sur son crâne, les paupières, closes, étaient, comme la bouche, cousues avec du fil noir.

C'était évidemment moins l'œuvre de Dame la Mort sur la chair que celle d'un artiste sur le plâtre et le latex.

À notre arrivée devant La Mère Gitane, un autre couple glissait une pièce dans la fente de la machine. La femme s'est penchée vers l'hygiaphone et a posé sa question : « Mère Gitane, dis-nous si notre mariage, à Johnny et à moi, sera long et heureux. »

L'homme, le Johnny en question, a enfoncé le bouton RÉPONSE et une carte est tombée dans une coupelle de cuivre. Il l'a lue à haute voix : « La bise souffle et chaque nuit semble durer mille ans. »

Ni Johnny ni sa fiancée ne considéraient que cela répondait à leur question... alors ils ont mis une nouvelle pièce. Prédiction de la deuxième carte : « Le fou saute de la falaise, mais le lac dessous est gelé. »

La femme croyait que la gitane avait mal entendu, alors elle a répété : « Est-ce que Johnny et moi, on va être heureux ensemble ? »

Une troisième carte : « Le fruit d'un arbre malade est empoisonné. »

Une quatrième : « Une pierre n'apaise la faim, pas plus que le sable n'étanche la soif. »

Avec une insistance impénétrable, le couple a mis encore quatre pièces dans la machine, à la recherche d'une réponse. Ils commencèrent à se chamailler à la cinquième carte. Lorsque est arrivée la huitième, le froid prédit s'était déjà installé entre eux.

Après le départ de Johnny et de sa fiancée, Stormy et moi nous sommes approchés à notre tour de La Mère Gitane. Une seule pièce a suffi à nous convaincre que nous étions faits l'un pour l'autre.

Quand Stormy raconte cette histoire, elle soutient que lorsque la momie nous a délivré cette réponse que l'autre couple attendait tant, elle nous a fait un clin d'œil.

Moi, je n'ai rien vu. Je ne vois pas comment on pourrait cligner de l'œil avec les paupières cousues... Mais l'image d'une momie nous faisant un clin d'œil continue d'entretenir d'étranges résonances en moi.

Et aujourd'hui, j'attendais Stormy, sous la carte de la naine gitane. Stormy est apparue dans une culotte de coton toute simple, et un grand T-shirt Bob l'Éponge.

Tous les top-models réunis des catalogues de lingerie fine, en string, porte-jarretelles et soutien-gorge pigeonnant, n'auront jamais autant de pouvoir érotique que ma Stormy en culotte d'écolière et T-shirt.

Couché en chien de fusil, lovée contre moi, elle a posé sa tête sur ma poitrine et a écouté mon cœur, l'oreille tout contre.

Elle aime bien s'endormir comme ça. Je suis le capitaine du navire qui va l'emmener aux pays des rêves, celui en qui elle a confiance.

Au bout d'un silence, elle a articulé :

— Si tu veux... je suis prête.

Je ne suis pas un saint. J'ai utilisé mon permis de conduire pour m'introduire chez quelqu'un. Je réponds à la violence par la violence et ne tends jamais l'autre joue ; j'ai des tas de pensées impures, à en détruire toute la couche d'ozone. Et j'ai souvent mal parlé à ma mère.

Mais quand Stormy s'est offerte à moi, j'ai pensé à la petite orpheline de sept ans, qui s'appelait alors Bronwen, seule et effrayée, qui, lorsqu'elle avait été enfin adoptée, n'avait pas trouvé l'amour et la sécurité comme elle le croyait, mais un beau-père qui avait fait d'elle son jouet sexuel. Je n'imaginais que trop la confusion de Stormy, sa terreur, son humiliation, sa honte.

J'ai pensé aussi à Penny Kallisto et à ce coquillage contre lequel elle m'avait demandé de plaquer mon oreille. Des entrailles roses et nacrées, la voix d'un monstre m'était parvenue, vociférant des obscénités.

Même si mon désir n'était en rien comparable avec la perversité démente d'un Harlo Landerson, je n'arrivais

à chasser de ma mémoire ses halètements et ses grognements de bête.

— Samedi, c'est tout prêt, ai-je répondu à Stormy.
Tu m'as appris les vertus de l'attente...

— Et s'il n'y avait pas de samedi ?

— On aura ce samedi, et des milliers d'autres.

— J'ai besoin de toi.

— Ce n'était pas le cas avant ?

— Bien sûr que si.

— Pareil pour moi.

Je l'ai serrée contre moi. Elle écoutait mon cœur. Ses
cheveux s'étalaient comme une aile de corbeau sur sa
joue. Je me suis senti transporté.

Bientôt, elle a murmuré dans son sommeil ; elle parlait à quelqu'un ; elle paraissait contente de le voir. Le
capitaine avait fait son boulot à la barre et Stormy croisait sereinement sur les eaux des rêves.

Je me suis levé sans la réveiller, j'ai remonté le drap
sur ses épaules et baissé la lumière ; elle n'aimait pas se
réveiller dans le noir.

J'ai remis mes chaussures, l'ai embrassée sur le front
et je suis sorti de la chambre en laissant le pistolet sur la
table de nuit.

J'ai éteint les lampes dans les autres pièces et j'ai
quitté l'appartement en fermant la porte à double tour
avec la clé qu'elle m'avait donnée.

La porte du hall était percée d'un vitrail ovale. Les
morceaux de verre biseautés donnaient une image dis-
tordue du perron.

J'ai plaqué mon œil sur une portion plate de la vitre
afin de voir plus distinctement ce qui se passait dehors.
Une camionnette de la police, banalisée, était garée de
l'autre côté de la rue.

La police de Pico Mundo menait rarement des opérations clandestines et elle ne possédait que deux véhicules
de ce type.

Les habitants ne soupçonnaient pas l'existence de ces
deux véhicules et auraient été incapables de les repérer ;
mais ayant souvent collaboré sur des interventions avec
Wyatt Porter, je connaissais bien ces deux sous-marins.

Parmi les indices trahissant la véritable identité de cette camionnette, l'antenne ondes courtes saillant du toit n'était pas très discrète.

Je n'avais pas demandé de protection pour Stormy ; elle m'aurait passé un savon si j'avais osé faire ça, se considérant, en toute circonstance, assez grande pour se défendre toute seule – elle avait son pistolet, son diplôme d'autodéfense, et sa fierté féminine !

Le danger pour elle, s'il y en avait un, était dû à ma présence à ses côtés. Bob Robertson n'avait aucun grief contre Stormy.

Par conséquent, le sous-marin était là pour moi.

Sans doute s'agissait-il moins de protection que de surveillance. Robertson m'avait suivi jusque chez Little Ozzie, puis à St. Bart. Wyatt me faisait filer dans l'espoir de repérer Robertson dans mon sillage et de pouvoir l'arrêter pour vandalisme.

Cela se tenait, mais je n'aimais pas cette idée. Il aurait pu me demander poliment si cela ne me dérangeait pas que je serve d'appât.

En outre, dans l'exercice de mon don, j'ai parfois recours à des méthodes que réprouve la police. Wyatt le sait. Être surveillé par les forces de l'ordre risque de me bloquer ou de mettre le chef Porter dans une position délicate si je réagis, comme à mon habitude, par pur instinct.

Au lieu de sortir par l'entrée principale, j'ai fait demi-tour vers la porte de derrière. Une petite cour menait aux garages et à un portillon donnant dans une ruelle.

L'agent dans la camionnette, croyant me surveiller, serait, à son insu, l'ange gardien de Stormy. Et elle ne pourrait m'en tenir grief puisque je n'étais pour rien dans l'affaire.

Malgré la fatigue, je savais que je ne pourrais pas dormir. Mais je suis quand même rentré chez moi.

Peut-être Robertson m'attendait-il devant ma porte pour me faire la peau ? Peut-être aurais-je le dessus ? Si je parvenais à le neutraliser et à appeler Wyatt Porter, je pourrais mettre un terme à cette histoire.

Je voulais croire en une fin heureuse.

30.

Le désert avait cessé de respirer. Ses poumons morts n'exhalaient plus cette brise molle qui nous avait accompagnés, Stormy et moi, durant le trajet jusqu'à son appartement.

Par un raccourci savant, empruntant un dédale de rues et d'allées, un terrain vague, et même un collecteur d'eau de pluie à sec depuis des mois, je suis rentré chez moi sans traîner.

Les bodachs étaient partout.

D'abord je les ai vus au loin… un groupe d'une dizaine d'individus courant à quatre pattes. Quand ils passaient dans des zones sombres, ils n'étaient qu'un jeu d'ombres informes, mais sous les réverbères, ils m'apparaissaient nettement. Leur démarche de prédateurs, hideuse, évoquait des panthères en chasse.

Une maison géorgienne, sur Hampton Way, attirait les bodachs comme un aimant. En passant devant la bâtisse, sur le trottoir d'en face, j'ai vu une trentaine de ces créatures d'encre, rampant sur les murs, se faufilant dans les fentes des huisseries. Certains sortaient de la maison, d'autres y entraient – un ballet monstrueux.

Sous la lanterne du perron, l'un d'entre eux se tortillait au sol, comme pris d'un accès de démence, puis, soudain, il s'est redressé et a filé comme une fusée par le trou de la serrure.

Deux autres quittaient la maison par une chatière sur le toit. Comme des araignées, ils ont couru sur la façade, sauté sur le toit de l'auvent avant de détaler sur la pelouse.

C'était la maison des Takuda ; Ken et Micali, et leurs trois enfants. Toutes les lumières étaient éteintes. Les

Takuda dormaient, ignorant qu'un essaim d'esprits mal-veillants, plus silencieux que des cafards, se pressaient dans leurs chambres pour les épier dans leur sommeil.

À l'évidence, l'un des Takuda (peut-être tous ?) allait mourir aujourd'hui, dans les prochaines heures, lors de cette foire au sang à laquelle tous ces bodachs étaient impatients d'assister.

Les bodachs ne se rassemblaient que pour les grands événements, comme à la crèche Buena Vista avant le tremblement de terre. Mais cette fois, l'horreur allait se produire ailleurs. Les Takuda ne périraient pas dans leur maison, pas plus que Viola et ses filles dans leur petit bungalow.

Les bodachs ne se concentraient pas dans un lieu unique. Ils étaient partout en ville, et à voir leur nombre grandissant et leur excitation, ils devaient visiter les futures victimes avant le grand show. Une sorte de pré-ambule, de mise en bouche.

Je me suis vite éloigné de la maison des Takuda sans me retourner ; ce n'était pas le moment que les bodachs découvrent que je pouvais les voir.

Sur Eucalyptus Way, une autre horde de bodachs avait jeté son dévolu sur la maison de Morris et Rachel Melman.

Morris Melman était l'ancien directeur de l'école ; depuis qu'il avait pris sa retraite, il avait cessé de lut-ter contre son horloge interne : il était noctambule et consacrait ses nuits à ses hobbies. Pendant que Rachel dormait à l'étage, toutes les lumières étaient allumées au rez-de-chaussée.

Les silhouettes voûtées des bodachs, dressés sur leurs pattes postérieures, étaient visibles derrière toutes les fenêtres. Ils allaient et venaient, passaient de pièce en pièce dans un ballet incessant, comme si l'odeur de la mort les plongeait dans une sorte d'hyperactivité com-pulsive.

Tous les bodachs que j'avais croisés depuis ce matin, montraient, à des degrés divers, cette même excitation. Et cette agitation fébrile, silencieuse, me glaçait le sang jusqu'aux os.

J'ai levé les yeux vers le ciel, inquiet, craignant de voir des nuées de bodachs obscurcir les étoiles. Mais la lune comme les constellations, de l'Aigle à celle des Voiles, étaient claires.

N'ayant pas de masse, les bodachs sont insensibles à la gravité. Mais je n'en ai jamais vu un seul voler. Bien que d'essence surnaturelle, ces créatures restent sujettes à certaines lois physiques.

En arrivant sur Marigold Lane, j'ai été soulagé de voir qu'aucun bodach ne hantait ma rue.

J'ai dépassé l'endroit où j'avais ce matin arrêté Harlo Landerson dans sa Firebird 400 – et dire que je trouvais que la journée commençait mal !

Maintenant que son meurtrier ne pouvait plus agresser d'autres jeunes filles, Penny Kallisto avait pu quitter ce monde en paix. Ce succès me donnait du baume au cœur… peut-être, après tout, pourrais-je empêcher ce carnage, ou tout au moins limiter son ampleur qui faisait saliver d'avance les légions de bodachs qui avaient envahi notre ville ?

Toutes les lumières étaient éteintes chez Rosalia Sanchez. Elle se couchait tôt, car elle se levait toujours avant l'aube… tant elle était pressée de savoir si elle était encore visible ou non.

Je n'ai pas pris l'allée qui menait au garage ; j'ai traversé la pelouse sur le côté, profitant du couvert des arbres pour repérer les alentours.

Une fois assuré que ni Robertson, ni quelque autre ennemi ne m'attendait tapi dans les buissons, j'ai fait le tour du garage. Personne encore. Mais en m'approchant, j'ai fait fuir un lapin qui était caché dans un parterre de liriope. Quand il a détalé, j'ai fait un bond en l'air, battant tous mes records de sursaut.

Tout en grimpant l'escalier qui menait à mon appartement, j'ai scruté les fenêtres au-dessus, pour voir si les stores bougeaient.

Les dents de ma clé ont crocheté les picots de la serrure avec un petit cliquetis. J'ai ouvert la porte et allumé la lumière.

Et j'ai vu l'arme… c'est ça que j'ai aperçu en premier, avant tout le reste – un pistolet.

Même si je n'avais pas eu le chef de la police locale pour ami et Stormy pour fiancée, j'aurais pu faire la différence entre un pistolet et un revolver, car ma mère, en de multiples et sinistres occasions, m'avait appris tout ce qu'on pouvait savoir sur les armes à feu.

Le pistolet n'était pas abandonné par terre... il avait été placé au sol avec soin, comme un joaillier présentant un collier de diamants sur un carré de velours pour séduire son client ; la lumière du réverbère soulignait les contours de l'arme comme les courbes sensuelles d'une femme dans une photo de charme. Visiblement, on voulait que je prenne cette arme...

31.

Mes vilains meubles de seconde main (que même l'Armée du Salut ne voudrait pas), mes livres de poche bien rangés sur mes rayonnages faits de planches et de briques empilées, mes affiches encadrées de Charles Laughton en Quasimodo, de Mel Gibson en Hamlet, et d'E.T. du film éponyme (trois personnages auxquels, pour des raisons diverses, je m'identifie), mon diorama d'Elvis en carton, avec son sourire perpétuel... Apparemment, rien n'avait disparu.

Ma pièce était dans l'état où je l'avais laissée ce matin.

La porte était fermée à clé et ne portait aucun signe d'effraction. En faisant le tour du garage, je n'avais vu aucune vitre brisée.

Maintenant, j'étais en plein dilemme; devais-je laisser la porte ouverte pour faciliter une fuite éventuelle ou la fermer à double tour pour empêcher quelqu'un d'entrer derrière moi ? Choix cornélien ! Après une longue hésitation, j'ai enfin pris une décision : j'ai refermé le battant et j'ai poussé la tirette.

Hormis les *hou-hou-hou* d'une chouette filtrant des deux fenêtres que j'avais ouvertes le matin pour laisser l'air circuler, le silence était si total qu'une goutte d'eau, tombant dans l'évier en inox, a résonné comme un coup de canon.

Puisqu'on voulait très fort que je ramasse ce pistolet, j'ai résisté à la tentation (sans grand mal) et l'ai enjambé.

L'un des avantages de vivre dans une seule pièce (où le salon est à deux mètres du lit et le lit à deux mètres du réfrigérateur) c'est que la recherche d'un intrus dans les lieux ne prend qu'une poignée de secondes. Votre tension n'a pas le temps de monter et de provoquer une crise cardiaque, puisqu'il vous suffit de regarder derrière le canapé et d'ouvrir la porte de l'unique placard pour passer en revue toutes les cachettes possibles.

Restait la salle de bains...

La porte était fermée. À mon départ, elle était ouverte...

Après ma douche, je la laisse toujours entrebâillée parce que la pièce n'est pourvue que d'une petite fenêtre (à peine un vasistas) et d'un extracteur qui fait plus de bruit (mais remue moins d'air) qu'une batterie malmenée par un musicien de heavy metal. Si je fermais la porte, la baignoire était instantanément envahie par des cohortes de moisissures mutantes avides de chair humaine et j'étais bon pour aller me laver à l'évier.

J'ai pris mon téléphone portable, songeant à appeler la police pour signaler la présence d'un intrus chez moi.

Mais si les agents ne trouvaient personne dans la salle de bains, j'aurais l'air fin. Je passerais pour un idiot ou pis encore.

J'ai jeté un coup d'œil sur l'arme au sol. Quelqu'un l'avait placée là intentionnellement, dans le but que je m'en empare... Qui ? Pourquoi ?

J'ai posé le téléphone sur le comptoir du coin cuisine et me suis approché de la porte de la salle de bains, l'oreille aux aguets. Les seuls bruits qui me parvenaient étaient les appels périodiques de l'oiseau de nuit, et puis, après un long silence, le *ploc !* tonitruant d'une nouvelle goutte d'eau tombant dans l'évier.

La poignée a tourné sans résistance. La porte s'ouvrait vers l'intérieur.

Quelqu'un avait allumé la lumière.

Je suis très scrupuleux en matière d'économie d'énergie. Il ne s'agit peut-être que de quelques dollars, mais un cuisinier qui va se marier ne peut se permettre de laisser brûler les lumières ou de mettre de la musique pour bercer les araignées et les esprits visitant son *home* durant son absence.

Une fois la porte plaquée contre le mur, le seul endroit où un intrus pouvait encore se cacher, c'était dans la baignoire, derrière le rideau de douche.

Je tire toujours le rideau après avoir pris une douche, parce que, s'il reste plié, il sèche mal dans cette pièce mal ventilée et les moisissures colonisent aussitôt chaque vallon de plastique.

Depuis mon départ, ce matin, quelqu'un avait ouvert le rideau et cette personne (ou une autre) était, en ce moment, couchée à plat ventre dans la baignoire.

Peut-être avait-elle fait une chute fatale ou avait-elle été abandonnée là après sa mort, parce qu'en tout état de cause la personne en question était morte. Aucun être vivant ne resterait dans cette position improbable, la face contre la bonde, le bras droit replié et tordu dans le dos, dont l'angle aberrant laissait supposer une luxation de l'épaule doublée, éventuellement, d'un poignet disloqué.

Les doigts de la main visible étaient repliés comme des serres. Inertes. Ni mouvement, ni tremblement.

Sur le pourtour de la baignoire, un fin filet de sang avait coagulé sur le blanc de l'émail.

Quand la victime a perdu beaucoup de sang, on le sent aussitôt; s'il est frais, ce n'est pas une odeur forte, mais un effluve douceâtre et terrifiant. Et là, je ne sentais rien.

Une trace de savon liquide sur la paillasse autour du lavabo et un dépôt de mousse dans la vasque prouvaient que le tueur s'était lavé les mains après son forfait – peut-être pour laver le sang ou éliminer l'odeur de poudre sur ses doigts?

Après s'être séché les mains, il avait jeté la serviette dans la baignoire. Le tissu-éponge couvrait la tête de la victime.

Sans m'en être rendu compte, j'avais reculé d'un pas et me tenais sur le seuil, tétanisé.

Mon cœur battait la chamade, en arythmie totale avec les appels de la chouette.

J'ai, à nouveau, regardé l'arme sur la moquette, posée juste devant la porte d'entrée. J'avais bien fait de ne pas y toucher, même si, je ne savais pas encore exactement ce qui s'était passé chez moi.

Mon portable était sur le comptoir, le téléphone de ma ligne fixe sur la table de nuit. Qui devais-je appeler? Et surtout, qui *pouvais-je* appeler? Aucune solution ne me convenait.

Pour mieux comprendre la situation, il fallait que je voie le visage du mort.

Je suis retourné dans la salle de bains, me suis penché au-dessus de la baignoire. En évitant de toucher la main crochue, j'ai attrapé les vêtements et, en bandant mes muscles, j'ai fait pivoter le cadavre sur le flanc puis sur le dos.

La serviette est tombée de son visage.

Les yeux de Bob Robertson étaient toujours d'un gris délavé, mais éteints, sans cette luminescence surnaturelle. Ils étaient moins vagues, moins étranges, finalement, que de son vivant. Son regard était fixé au loin, comme si, aux derniers instants de sa vie, il avait vu quelque chose de plus effrayant, de plus étonnant, que le visage de son assassin.

32.

Pendant un moment, je fus persuadé que Mr. Champignon allait battre des paupières, m'attraper par le col, me faire tomber dans la baignoire, pour me mordre avec autant d'avidité qu'il avait dévoré son repas gargantuesque au Grille.

Cette mort inattendue me privait de méchant dans l'immédiat. Je ne savais plus que penser... Je croyais que c'était lui le fou de la gâchette, lui qui allait massacrer les gens de mon rêve... Je ne m'attendais pas à ce qu'il soit une victime. Maintenant que Robertson était mort, il n'y avait plus de Minotaure au centre du labyrinthe ; je n'avais plus personne à traquer, plus de monstre à abattre.

Il était mort d'une balle dans la poitrine, à bout portant, le canon littéralement plaqué sur le torse. Sa chemise était brûlée tout autour du trou d'entrée.

Son cœur ayant cessé de battre presque aussitôt, très peu de sang s'était échappé de son corps.

Encore une fois, j'ai reculé.

J'ai failli refermer la porte. Et puis j'ai eu la certitude que sitôt que le battant aurait pivoté, Robertson, malgré son cœur en charpie, allait se relever et m'attendre, assis sur le rebord de la baignoire.

Il était mort, je le savais, mais je ne pouvais empêcher ces peurs irrationnelles de vriller mes nerfs.

Laissant la porte entrouverte, je suis allé me laver les mains dans l'évier. Après les avoir séchées avec des serviettes en papier, j'ai failli les laver de nouveau.

J'ai décroché le téléphone mural ; sans le vouloir, j'ai cogné le combiné contre le support et il a failli m'échapper. Mes mains tremblaient.

J'ai écouté la tonalité.

Je connaissais le numéro de Wyatt Porter par cœur.

Mais j'ai raccroché, sans composer un seul chiffre sur le clavier.

Le temps des douces relations avec le chef de la police était révolu. Il y avait un cadavre chez moi. Et l'arme du crime s'y trouvait aussi.

Je lui avais, plus tôt, narré ma rencontre mouvementée avec Robertson à l'église St. Barthélemy. Wyatt Porter savait que je m'étais introduit chez lui illégalement cet après-midi et que c'était sans doute pour cette raison que l'homme en avait après moi.

Si le pistolet était enregistré au nom de Robertson, la police en déduirait que l'homme était venu me trouver chez moi pour avoir des explications ou peut-être pour me menacer. La discussion avait mal tourné, il y avait eu une bagarre, et je l'avais tué avec son arme par autodéfense.

Ils ne m'inculperaient pas pour homicide, et encore moins pour meurtre avec préméditation. Ils ne me mettraient peut-être pas même en garde-à-vue pour m'interroger.

Mais si le pistolet n'était pas au nom de Robertson, j'étais fait comme un rat.

Wyatt Porter me savait incapable de tuer quelqu'un de sang-froid. Il était, certes, le chef de la police, il dirigeait ses hommes, prenait les décisions, mais il n'était pas tout seul. Les autres policiers seraient moins enclins à croire en mon innocence sans enquête approfondie, et pour la forme, le chef serait contraint de me garder au poste pour la journée, jusqu'à ce qu'il puisse me disculper.

En cellule, je ne risquerais rien, mais je ne pourrais empêcher le bain de sang qui allait se produire à Pico Mundo. Je ne pourrais pas emmener Viola Peabody et ses filles à l'abri chez sa sœur. Je ne pourrais prévenir les Takuda du danger et les convaincre de changer leur programme pour ce mercredi.

Je voulais, aujourd'hui, suivre les bodachs lorsqu'ils feraient mouvement vers le lieu de la tragédie à venir. Ces esprits malfaisants se rassembleraient sans doute un peu en avance, pour ne rien rater du spectacle… J'aurais alors peut-être le temps de changer le destin funeste de tous ces gens qui avaient rendez-vous avec la mort, quelque part en ville, dans un endroit qui m'était encore inconnu.

Mais un Ulysse enchaîné ne pouvait revenir à temps à Ithaque.

Je me permets cette allusion homérique uniquement parce que Little Ozzie sera amusé d'apprendre que je me compare au héros de la guerre de Troie. « Veille à garder un ton léger, mon garçon. Même si cela te paraît déplacé et indécent, m'avait-il conseillé avant que je ne me mette à écrire. Ce n'est pas par la morbidité que tu atteindras la vérité de la vie, mais par l'espoir. »

Ce conseil est, pour moi, de plus en plus difficile à suivre à mesure qu'avance mon récit, que s'approche, inexorable, l'heure du dénouement sanglant. La lumière me fuit, les ténèbres m'envahissent. Alors pour ne pas décevoir ma muse de deux quintaux, j'en suis réduit à faire ce genre de clin d'œil.

Puisqu'il était mal venu d'appeler Wyatt Porter à la rescousse, j'ai éteint toutes les lumières, à l'exception de celle de la salle de bains. Rester dans le noir total, en compagnie d'un cadavre, me terrifiait. Même mort, Robertson pouvait encore me réserver des surprises.

Malgré l'obscurité, j'ai traversé ma pièce encombrée à grands pas, zigzaguant entre les objets comme si j'étais né aveugle et que j'avais toujours vécu ici. Arrivé à l'une des fenêtres, côté rue, j'ai appuyé un court instant sur la commande d'ouverture du volet roulant.

Sur la droite, j'apercevais l'escalier luisant sous le clair de lune, entre les lattes du store électrique. Personne ne montait les marches menant à mon appartement.

Juste en face : la rue. Les arbres me bouchaient la vue, mais, en regardant entre les branches, j'ai constaté qu'aucun véhicule suspect ne s'était garé depuis mon arrivée.

Pour l'instant, personne ne me surveillait, mais il était évident que le ou les assassins de Robertson allaient revenir. Dès qu'ils sauraient que j'étais rentré chez moi et que j'avais découvert le cadavre, soit ils viendraient me tuer et déguiseraient le meurtre en suicide, soit (et c'était plus vraisemblable) ils passeraient un appel anonyme à la police pour me dénoncer. Et je me retrouverais en cellule, ce que, justement, je voulais éviter.

Ça sentait le guet-apens à dix pas.

33.

J'ai refermé le volet roulant et, toujours dans l'obscurité, je me suis dirigé vers mon bureau, installé à côté de mon lit (dans cette pièce, toute chose se trouvait à proximité du lit, du canapé au four à micro-ondes).

Dans le tiroir du bas, je rangeais ma literie. Sous les taies, j'ai trouvé ce que je cherchais.

Même si cela me brisait le cœur de saccager un joli drap, ce sacrifice s'imposait. Je n'utilise que des draps de coton ; ils coûtent cher mais je suis allergique à la plupart des fibres synthétiques.

Dans la salle de bains, j'ai déplié mon précieux tissu.

Robertson, étant mort et donc totalement indifférent à mes problèmes, ne risquait pas de me faciliter la tâche ; mais j'ai quand même été surpris de le voir résister quand j'ai voulu le sortir de la baignoire. Ce n'était pas une résistance active et consciente, mais celle, passive (et non moins efficace), de la *rigor mortis*.

Il était aussi raide et difficile à bouger qu'un tas de planches clouées dans tous les sens.

Avec répugnance, j'ai posé ma main sur son visage. La peau était glacée, bien plus froide que je ne m'y attendais.

J'allais, sans doute, devoir réviser l'historique de la soirée... À l'évidence, j'avais prêté à Robertson des faits et gestes qu'il n'était pas en mesure d'accomplir.

Pour en avoir le cœur net, un examen approfondi s'imposait. Maintenant que j'avais retourné le cadavre, je pouvais déboutonner sa chemise.

J'ai entrepris cette tâche avec réticence. Je savais que cela n'allait pas être agréable, mais je ne m'attendais pas

à ressentir un tel dégoût – toucher cette chair, ce corps...
j'en ai eu des haut-le-cœur.

J'avais les mains moites. Les boutons de nacre glissaient entre mes doigts tremblants.

Dans un sursaut, j'ai relevé la tête vers le visage de
Robertson ; une lumière s'était allumée dans ses yeux au
contact de mes mains, j'en étais sûr ! Mais son expression figée de terreur était toujours la même ; il continuait
à regarder quelque chose, au loin, par-delà le voile qui
sépare ce monde de l'autre.

Ses lèvres étaient entrouvertes, comme si lors de son
dernier souffle, il avait prononcé une ultime supplique à
la Mort.

Maintenant que j'avais regardé ce visage, j'étais
vraiment au bord de la panique. Quand j'ai reporté mon
attention sur les boutons récalcitrants, j'ai eu l'impression de sentir son regard posé sur moi. Si, à cet instant,
Robertson avait lâché une bouffée de son haleine fétide,
j'aurais poussé un cri – un cri de terreur, mais non de
surprise.

Aucun cadavre ne m'avait fait peur comme ça. Dans
la plupart des cas, les morts auxquels j'ai affaire sont
des apparitions... je vois rarement la mort biologique à
l'œuvre.

Mais aujourd'hui, j'étais moins troublé par les odeurs
et la vue des premiers signes de décomposition des chairs
que par les caractéristiques intrinsèques du mort... Il y
avait cet aspect spongieux et lisse de champignon, et surtout cette fascination sinistre qu'il avait de son vivant
pour la brutalité, la violence, la torture, les démembrements, les décapitations et le cannibalisme.

Enfin, le dernier bouton a cédé et j'ai pu ouvrir les
pans de la chemise...

Il ne portait pas de T-shirt ; j'ai vu aussitôt la lividité
avancée du corps. Après la mort, le sang reflue à travers
les tissus vers les points les plus bas du corps, formant
à ces endroits des zones violacées. Le torse et l'abdomen
de Robertson étaient couverts de taches pourpres et
sombres.

La froideur de la peau, la raideur cadavérique, la lividité avancée, tout cela prouvait que la mort ne datait pas d'une heure ou deux, mais qu'elle avait eu lieu bien plus tôt. La chaleur de l'appartement pouvait avoir, certes, accéléré la détérioration des tissus, mais pas à ce point.

Selon toute vraisemblance, lorsque Robertson, au cimetière de St. Bart, m'avait fait un doigt d'honneur, il était déjà mort. Il était un spectre.

Stormy l'avait-elle vu de ses propres yeux à l'église? Elle s'était baissée pour sortir le fromage et les crackers du panier. Je l'avais bousculée sans le faire exprès et le contenu des Tupperware s'était renversé par terre…

Non. Elle n'avait pas vu Robertson. Lorsqu'elle s'était relevée et s'était penchée sur le parapet pour scruter le cimetière, il avait disparu.

Juste après, quand j'ai ouvert la porte de l'église et que j'ai vu Robertson monter les marches, Stormy se trouvait derrière moi. Je lui bouchais la vue. J'avais claqué aussitôt la porte et je l'avais entraînée dans la nef.

Avant d'aller à St. Bart, j'avais vu Robertson à deux reprises chez Little Ozzie, à Jack Flats – une première fois sur le trottoir devant la maison, une deuxième fois dans le jardin.

À aucun de ces moments, Ozzie n'était en position de l'apercevoir, ce qui aurait pu m'apprendre s'il s'agissait d'un revenant ou d'une personne encore vivante.

De son poste d'observation sur l'appui de fenêtre, Chester le Terrible l'avait vu derrière la grille et cela l'avait mis dans tous ses états. Mais cela ne signifiait pas pour autant que Robertson était fait de chair et de sang.

En nombre d'occasions, je me suis rendu compte que les chiens et les chats voyaient les esprits – juste les esprits, pas les bodachs. D'ordinaire, les animaux n'ont pas de réactions spectaculaires; on note simplement qu'ils ont remarqué leur présence; visiblement, les fantômes ne leur font pas peur.

L'hostilité patente de Chester le Terrible ne concernait pas la nature ectoplasmique de Robertson, mais plutôt son aura maléfique, dont l'homme devait être nimbé, dans la mort comme de son vivant.

La dernière fois que j'étais certain d'avoir vu Robertson vivant, c'était à son départ de chez lui, à Camp's

End, juste avant que je ne joue les Arsène Lupin et que je découvre la chambre noire.

Depuis, c'est son spectre qui me suivait... et il n'était pas content du tout. Comme s'il me reprochait sa propre mort.

Même s'il avait été assassiné dans mon appartement, il savait pourtant que ce n'était pas moi qui avais appuyé sur la détente... Il avait vu son assassin, puisqu'il avait été tué de face et à bout portant.

Et d'abord, que faisaient, chez moi, Mr. Champignon et son meurtrier ? Il me fallait du temps... du temps et du calme pour réfléchir.

Bien sûr, vous vous dites que l'esprit du mort, fou de rage, aurait dû m'attendre chez moi, tapi dans la salle de bains ou le coin cuisine, pour me faire ma fête ou tout au moins piquer une grosse colère comme à l'église... mais vous vous trompez... vous oubliez que si certaines âmes s'attardent en ce bas monde, c'est parce qu'elles ne peuvent accepter leur mort.

Fort de ma grande expérience en ce domaine, la dernière chose que ferait une âme en peine serait de rester à côté de son cadavre. Il n'y a pas de rappel plus poignant de sa propre mort que la vue de son cadavre gisant dans ses humeurs.

Devant le spectacle de son corps sans vie, l'esprit n'a qu'une hâte : quitter ce monde pour rejoindre l'au-delà, une réaction compulsive à laquelle justement une âme errante doit résister. Robertson pourrait revenir finalement sur les lieux de sa mort, mais pas avant que sa dépouille ne soit emportée et que toute trace de sang n'ait été nettoyée.

Cela me convenait parfaitement. Je n'avais nul besoin, en plus de mes soucis du moment, de recevoir la visite d'un esprit en colère.

Le saccage de la sacristie n'était pas l'œuvre d'un mortel, mais le travail d'un fantôme furieux ayant choisi de s'exprimer sur le mode « poltergeist énervé ».

Par le passé, j'ai perdu une chaîne hifi, une lampe, un radio-réveil, un joli tabouret de bar et toute une collection d'assiettes à cause de ces manifestations ectoplasmiques.

Un cuistot n'a pas les moyens d'accepter sous son toit des hôtes de cette espèce.

Voilà pourquoi je n'achète que des meubles dans des dépôts-ventes. Moins ils ont de valeur, moins je risque de perdre gros.

Bref, dès que j'ai vu la lividité avancée du bedonnant Robertson, j'en ai tiré les conclusions qui s'imposaient et j'ai entrepris aussitôt de reboutonner la chemise, bien décidé à ne pas regarder le trou d'entrée de la balle. Mais mon goût du morbide a eu le dessus...

Au milieu du torse marbré, l'impact avait formé un cratère, petit, mais déchiqueté, visqueux – il y avait aussi quelque chose de bizarre, d'étrange... mais je n'ai pas voulu m'attarder.

Je sentais la nausée remonter les parois de mon estomac de plus en plus en vite. J'avais quatre ans, j'étais cloué au lit avec une grippe carabinée, tout faible et souffreteux, et j'avais sous les yeux le tunnel noir de ma propre mort.

Pas question d'imiter Elvis lors de ses derniers instants sur terre... j'avais assez de nettoyage à faire ! J'ai donc serré les dents, contenu mes haut-le-cœur et refermé la chemise de Robertson.

Même si j'en savais plus que le commun des mortels sur les phases post-mortem, je n'étais pas médecin légiste. Je ne pouvais déterminer l'heure exacte (à une demi-heure près) du décès de Robertson.

Par simple logique, j'en ai déduit qu'il était mort entre 17h30 et 19h45. Durant ce laps de temps, je m'étais introduit chez lui et avais découvert la chambre noire ; j'avais emmené Elvis chez Wyatt Porter puis l'avais déposé devant l'église baptiste avant de poursuivre mon chemin, seul, jusque chez Little Ozzie.

Wyatt Porter et ses invités pouvaient confirmer l'heure de mon passage au barbecue, mais aucun tribunal n'accepterait que le fantôme d'Elvis authentifie le reste de mes pérégrinations.

J'étais vraiment dans une position délicate, et le temps jouait contre moi. Lorsqu'on viendrait toquer à ma porte, ce serait sans doute la police, alertée par un appel anonyme.

34.

L'urgence et la panique qui se profilait m'ont donné un regain d'énergie. Avec force grognements et quelques jurons hauts en couleur, j'ai sorti Robertson de ma baignoire et l'ai déposé sur mon joli drap que j'avais étendu au sol.

Il y avait vraiment très peu de sang. J'ai ouvert le robinet et j'ai nettoyé les taches au jet.

Je ne pourrais plus jamais prendre un bain dans cette baignoire. J'étais condamné à rester crasseux le reste de mes jours ou à trouver un autre logement.

En fouillant Robertson, j'ai découvert dans les deux poches de son pantalon une liasse de billets; vingt billets de cent dollars tout neufs dans la poche gauche, vingt-trois dans la droite. Visiblement, l'argent n'était pas le mobile du meurtre.

J'ai remis les billets à leur place.

Il y avait encore de l'argent dans son portefeuille. Je lui ai laissé ses dollars, mais j'ai gardé le portefeuille... peut-être y trouverais-je un indice révélant ses intentions?

Le cadavre a émis des gargouillis inquiétants quand je l'ai emmailloté dans le drap. Des bulles de glaire ou de sang ont éclaté dans sa gorge, nauséabondes comme un rot.

J'ai tortillé les deux extrémités du tissu aux pieds et à la tête et j'ai ficelé le tout avec des lacets pris sur une paire de baskets.

Le paquet ressemblait à un joint géant. Je ne touche pas à la drogue, pas même à l'herbe, mais c'était vraiment ça : un gros pétard.

Ou alors un cocon, abritant une larve ou une chrysa-lide géante, en pleine métamorphose. Pour devenir quoi ? Je ne tenais pas à le savoir.

Dans un sac en plastique provenant d'une librairie, j'ai jeté pêle-mêle vêtements de rechange, shampooing, dentifrice, brosse à dents, rasoir électrique, téléphone portable, paire de ciseaux, lampe électrique, lingettes, et une boîte entière d'anti-acide pour l'estomac, dont j'au-rais grand besoin dans les heures à venir.

J'ai sorti le cadavre de la salle de bains, l'ai traîné jus-qu'à la plus grande de mes fenêtres côté jardin. Si j'avais vécu dans un appartement ordinaire, avec des voisins en dessous, le syndic de la copropriété aurait ajouté au règlement intérieur, le lendemain à la première heure, un article stipulant qu'il était interdit de traîner des cadavres chez soi après 22 heures.

Le corps était bien trop lourd pour que je puisse le porter. Le balancer du haut de l'escalier aurait été un peu trop bruyant – et un spectacle pour le moins surprenant si quelqu'un venait à passer dans la rue.

Une table en demi-lune et deux chaises se trouvaient devant la fenêtre. Je les ai tirées sur le côté, j'ai soulevé le châssis coulissant et retiré la moustiquaire, et me suis penché pour m'assurer que cette portion du jardin était invisible des maisons alentour.

Une palissade et des peupliers garantissaient toute discrétion. Même si un voisin pouvait apercevoir quelque chose à travers les branchages, le clair de lune était trop faible pour qu'un tribunal puisse accorder foi à son témoignage.

J'ai soulevé mon paquet et l'ai juché sur la fenêtre, les pieds en avant... même si Robertson était indubita-blement mort, je n'osais pas le jeter dans le vide la tête la première. Je l'avais glissé à mi-corps lorsque le drap s'est coincé sur un clou. Mais en bandant mes muscles, je suis parvenu à gagner quelques centimètres encore, jusqu'à ce que la gravité prenne le relais.

La chute n'était pas bien grande – quatre mètres tout au plus. Mais l'impact a été brutal... un son terrifiant, le bruit caverneux d'un corps heurtant le sol, reconnais-sable à cent mètres.

Aucun chien n'a aboyé. Personne, alentour, n'a dit :
« T'as pas entendu comme un bruit, chérie ? » Personne
n'a répondu : « Mais si, c'est Odd Thomas qui vient de
balancer un cadavre du haut de sa fenêtre. » Pico Mundo
dormait à poings fermés.

En me munissant d'une serviette en papier pour ne
pas laisser d'empreintes, j'ai ramassé l'arme et l'ai glissée
dans le sac avec le reste.

Je suis retourné dans la salle de bains m'assurer que je
n'avais pas laissé de traces trop évidentes. Je devrais revenir
faire un nettoyage plus approfondi – éliminer d'éventuels
cheveux ou fibres égarés, effacer les empreintes digitales
de Robertson, ce genre de choses...

Ce nettoyage était sans conséquence en ce qui concernait l'enquête sur le véritable assassin. Le meurtre était
l'œuvre d'un professionnel ; selon toute vraisemblance, le
tueur n'avait laissé ni empreintes ni indice compromet-
tant sur les lieux du crime.

J'ai consulté ma montre : 1h38 seulement. J'aurais
pourtant juré que le temps s'était accéléré, que l'aube,
soudain, était pressée de se lever ! Je m'attendais à ce
qu'il soit beaucoup plus tard – au moins 2h30.

Véloce ou non, le temps restait néanmoins mon
ennemi. J'avais une montre à cristaux liquides, et pourtant je l'entendais cliqueter.

J'ai éteint la lumière de la salle de bains, je suis
retourné à la fenêtre côté façade pour surveiller la rue.
Personne. Du moins pour autant que je puisse en juger.

Mon sac plastique sous le bras, je suis sorti de l'appartement et j'ai verrouillé la porte à double tour. En
descendant l'escalier, je sentais mille regards sur moi,
comme une concurrente à Miss Amérique durant le défilé
en maillot de bain.

Même si j'étais quasiment certain que personne ne
me regardait, je sentais peser sur mes épaules le poids
de la culpabilité. Je sondais la nuit tout azimut, regardant partout, sauf là où je mettais les pieds. C'est bien la
preuve qu'un Dieu existe car je n'ai raté aucune marche !
Si je m'étais brisé le cou, la police aurait eu deux cadavres
sur les bras.

Pourquoi me sentais-je coupable? On peut effectivement se poser la question, puisque je n'avais pas tué Robertson.

Je n'ai pas besoin de raisons rationnelles pour éprouver du remords. Parfois, je me sens responsable lorsqu'un train déraille en Floride, quand une bombe terroriste explose dans une ville lointaine, quand une tornade ravage le Kansas...

Si je mettais plus d'ardeur à utiliser mon don, au lieu de me contenter de le « supporter » bon an mal an, je pourrais permettre l'arrestation de davantage de criminels et sauver des vies (que ces personnes soient victimes de la cruauté humaine ou de fléaux naturels) – et pas seulement à Pico Mundo, mais ailleurs aussi. Une part de moi considère que je manque à ma mission. Explorer plus avant mon don me ferait perdre pied définitivement avec la réalité, m'emporterait dans une spirale infernale, menant à la folie, et alors je ne serais plus utile à personne. Mais cette part mécontente de moi se rappelle régulièrement à mon souvenir; je ne suis pas totalement digne du don qui m'a été offert et cela me sape le moral.

Je sais pourquoi je suis un bon client pour l'autoflagellation... c'est à cause de ma mère et de ses armes à feu.

Savoir, toutefois, sur quelles fondations s'est édifiée sa propre personnalité n'aide en rien à la reconstruire. La Chambre de la Culpabilité Irrationnelle fait partie de la maison, et je doute pouvoir, un jour, rénover cette pièce.

Arrivé au bas des escaliers (sans que quiconque ne se soit rué sur moi en hurlant « à l'assassin! »), j'ai commencé à faire le tour du garage, mais je me suis immobilisé, saisi de terreur; la maison était toute proche, si proche. Rosalia...

Je comptais lui emprunter sa Chevrolet pour transporter la dépouille de Robertson, et remettre l'auto à sa place ni vu ni connu. Pour ce faire, je n'avais nul besoin des clés. Au lycée, Pythagore et son théorème ne voulaient pas entrer dans ma tête de pioche, mais démarrer une voiture sans clé, ça, j'avais appris!

Ce n'était pas le risque qu'elle me surprenne dans mes activités macabres qui me pétrifiait ainsi. C'était pour elle que je m'inquiétais !

Si quelqu'un, ayant l'intention de commettre un meurtre, était entré chez moi en compagnie de Robertson, entre 17h30 et 19h45, il faisait alors grand jour. Le grand soleil du Mojave.

Les deux hommes avaient dû arriver en catimini, le tueur ayant sans doute raconté à Robertson qu'ils allaient se cacher quelque part dans mon appartement et attendre que je rentre pour me faire la peau. Mr. Champignon était évidemment tombé des nues quand son compère avait braqué l'arme vers lui.

Une fois Robertson mort, le guet-apens monté pour me faire accuser du meurtre, l'assassin n'avait pas dû s'attarder chez moi pour essayer mes T-shirts ou goûter mes restes dans le réfrigérateur. Il était ressorti prestement, toujours en plein jour.

Forcément, il s'est dit que quelqu'un, dans la maison d'à côté, pouvait l'avoir vu entrer avec sa victime et ressortir seul...

Ne voulant courir le risque de laisser un témoin derrière lui, il avait toqué à la porte de Rosalia, côté jardin, après en avoir terminé avec Robertson. Une gentille veuve, vivant seule... une proie facile.

Il était même possible, en professionnel organisé et prudent, qu'il ait rendu visite à Rosalia *avant* de faire venir Robertson ici. Et qu'il ait utilisé la même arme pour les deux crimes, histoire de me faire porter le chapeau.

À en juger par sa rapidité à éliminer un associé gênant, l'inconnu était forcément organisé, pour ne pas dire méticuleux.

La maison de Rosalia était silencieuse. Aucune lumière ne brillait aux fenêtres, hormis une face blanche de fantôme – reflet de la lune qui s'enfuyait vers l'ouest.

35.

Par réflexe, sans l'avoir décidé consciemment, j'ai marché vers le perron de Rosalia. Mais je me suis arrêté après quelques pas.

Si elle était morte, je ne pourrais rien faire pour elle. Et si l'assassin de Robertson lui avait rendu visite, il n'y avait guère de chance pour qu'il l'ait laissée vivante.

Jusqu'à présent, je pensais que Robertson était un tueur solitaire, un dingue ourdissant en solo son fait d'armes sanglant, son moment de gloire, à l'instar de la grande majorité des ordures qui peuplaient ses dossiers.

C'est ce qu'il était peut-être au début… mais ensuite, il était devenu bien pire. Il avait rencontré un alter ego qui avait les mêmes fantasmes que lui et, à eux deux, ils étaient devenus une hydre à deux têtes, deux âmes haineuses, quatre mains pour accomplir la part du Diable.

L'indice se trouvait accroché au mur dans le bureau de Robertson. Manson, McVeigh et Atta. Aucun de ces trois-là ne travaillait tout seul. Ils avaient tous des partenaires.

L'histoire regorge de cas de tueurs fous ayant agi seuls, mais ces trois personnages, dans l'antre de Robertson, avaient appartenu à de grandes confréries du Mal.

Robertson avait eu vent de mon intrusion chez lui, à Camp's End. Peut-être des caméras étaient-elles cachées un peu partout dans la maison…

Les psychopathes sont souvent de grands paranoïaques. Robertson avait les moyens de s'offrir un système de vidéosurveillance dernier cri.

Il avait dû dire à son ami meurtrier que j'avais fureté chez lui. Et l'ami en question avait vu la chose d'un très mauvais œil. Si on apprenait son partenariat avec Robertson...

Ou alors, ma visite inopinée à Camp's End avait inquiété Robertson. À cause des risques, il avait jugé plus prudent d'ajourner son attaque du 15 août.

Son complice psychotique n'avait rien voulu savoir. Après avoir attendu si longtemps ce déferlement jouissif de violence, il était comme un lion en cage, affamé. L'envie de tuer s'était muée en besoin impérieux.

J'ai fait demi-tour.

Si j'entrais chez Rosalia et découvrais qu'elle était morte à cause de moi, je serais anéanti... Comment, alors, trouverais-je la force de me débarrasser du corps de Robertson ? À la seule pensée de découvrir son cadavre – « Odd Thomas, tu me vois encore ? Odd Thomas, je suis encore visible ? » – j'ai senti ma raison défaillir ; je savais que je ne m'en remettrais pas. En tout cas pas mentalement.

Viola Peabody et ses filles comptaient sur moi.

Un nombre inconnu de gens allaient mourir avant le prochain coucher du soleil. Je ne pourrais pas les sauver si je me retrouvais sous les barreaux ; il fallait que je sache le lieu et l'heure du massacre.

Le clair de lune a semblé soudain gagner en force, comme si la magie avait pris le pas sur les lois physiques. Je sentais la pression de ce rayonnement sélénique grandir à chacun de mes pas qui me ramenaient vers le garage, et vers la dépouille de Robertson enveloppée dans son suaire.

La porte de derrière n'était pas fermée à clé. À l'intérieur, les ténèbres sentaient le caoutchouc, l'huile de moteur, le cambouis, mêlés au fumet de bois de la charpente qui avait cuit au soleil toute la journée. J'ai déposé mon sac.

Puis j'ai tiré le corps à l'intérieur, non sans mal... les événements des dernières heures avaient tout autant grevé mes forces que mon mental. Puis j'ai cherché à tâtons l'interrupteur de la lumière.

C'était un grand garage : trois places, dont une était occupée par un grand établi. Aujourd'hui, il n'accueillait plus qu'une seule voiture : la Chevrolet de Rosalia, garée le long du mur.

J'ai voulu ouvrir le coffre arrière, mais il était verrouillé.

Pas question d'avoir le mort sur la banquette arrière – juste derrière moi – quand je serai au volant !

En vingt ans, j'ai vécu beaucoup de moments étranges. L'un des plus bizarres, c'est quand j'ai vu le fantôme du président Lyndon Johnson descendre d'un car Greyhound à la gare routière de Pico Mundo. Il arrivait de Portland, en Oregon, via San Francisco et Sacramento ; il est monté aussitôt dans le car en partance pour Phoenix, Tucson, et des villes du Texas. Décédé à l'hôpital, il était pieds nus, en pyjama, et il semblait perdu. Quand il s'est aperçu que je pouvais le voir, il s'est mis en colère ; il a baissé son pantalon et m'a montré ses fesses.

Jamais, je n'avais vu un mort revenir à la vie, ni rencontré quelque cadavre animé par je ne sais quelle force démoniaque. Et pourtant, l'idée de conduire dos tourné à Robertson me donnait des sueurs froides.

Je ne pouvais pas, toutefois, l'installer sur le siège côté passager et me promener dans Pico Mundo avec un machin blanc qui ressemblait à un joint géant.

Hisser le corps à l'arrière de la Chevrolet a mis à rude épreuve mes muscles comme mon estomac. Dans son cocon, Robertson paraissait tout mou, comme un fruit pourri.

Je ne cessais de revoir en pensée ce trou déchiqueté au milieu de sa poitrine, les marbrures tout autour, le jus noir qui suintait de l'orifice... Je n'avais pas regardé la blessure de près, j'avais vite détourné la tête, mais cette image me hantait.

Lorsque enfin, après moult efforts, je suis parvenu à déposer mon fardeau sur la banquette, j'étais trempé comme une serpillière qu'on vient de tordre pour l'essorer. Ce n'est pas une image, c'est exactement comme ça que je me sentais.

Dehors, à 2 heures du matin, la température était descendue à vingt-neuf petits degrés Celsius. Mais dans cet espace confiné aux murs aveugles, l'air était encore une étuve.

En battant des paupières pour chasser la transpiration qui me coulait dans les yeux, j'ai passé la tête sous le tableau de bord et j'ai commencé à tripatouiller les fils du contact. En ne me prenant qu'une seule décharge de courant (pas si mal pour un vieux!), j'ai réussi à démarrer le moteur.

Malgré cette salve d'électrons, le mort derrière moi n'a pas bougé.

J'ai éteint la lumière, me suis installé au volant, le sac à côté de moi, et j'ai ouvert la porte du garage avec la télécommande.

Alors que je m'épongeais le visage avec un Kleenex trouvé dans la console centrale, je me suis aperçu que je n'avais pas songé à l'endroit où je pourrais me débarrasser de Robertson. Ni la déchetterie ni un conteneur de collecte de vêtements n'étaient une bonne idée.

Dès qu'on retrouvera Robertson, Wyatt Porter voudra me poser un tas de questions; si je suis retenu au poste, je n'aurai plus aucune chance d'empêcher la catastrophe qui plane sur Pico Mundo. L'idéal serait que le corps poursuive tranquillement sa décomposition pendant au moins vingt-quatre heures, avant qu'un quidam tombe dessus et que la frayeur causée par cette découverte morbide fasse de lui un chrétien dévot pour le restant de ses jours.

Et soudain, j'ai eu l'illumination : l'église de la Comète qui Murmure ! – bar topless, librairie pour adultes et paradis du hamburger.

36.

L'église de la Comète qui Murmure se dressait depuis plus de vingt ans sur la nationale, à la sortie de la ville, sur une portion de terre aride.

Même du temps où elle était le temple d'un culte un peu particulier, l'endroit n'avait jamais ressemblé à une église. Ce soir, sous le ciel pur et étoilé, le bâtiment principal – un demi-cylindre en tôle ondulée, de soixante mètres de long pour dix-huit de large, percé de quelques hublots – ressemblait à un vaisseau spatial à demi enfoncé dans le sol ayant perdu son nez pendant la descente dans l'atmosphère.

Au milieu des arbres morts ou moribonds, cachés dans les ombres pommelées du clair de lune, d'autres hangars, plus petits, étaient disséminés dans la propriété et avaient servi, autrefois, de baraquements aux fidèles.

Le fondateur de l'église, Caesar Zedd junior, prétendait recevoir des messages sous forme de murmures, le plus souvent en rêve, mais parfois également en état de veille, de la part d'extra-terrestres voyageant vers la Terre dans la queue d'une comète. Ces E.T. disaient êtres les dieux qui avaient créé les humains ainsi que toutes les espèces sur la planète.

Les habitants de Pico Mundo étaient persuadés qu'un jour ou l'autre une messe à l'église de la Comète se terminerait par une distribution de soda empoisonné et qu'il y aurait des centaines de morts[1]. Mais la sincérité religieuse du gourou Zedd a eu du plomb dans l'aile

1. Allusion au suicide collectif des adeptes de la secte du Temple du Peuple de Jim Jones. *(N.d.T.)*

quand, avec son clergé, il a été condamné pour avoir mis sur pied le plus grand réseau mondial de fabrication et de distribution d'ecstasy.

À la chute de l'Église, une organisation baptisée la Société pour la Sauvegarde du Premier Amendement – qui n'était autre qu'une chaîne de librairies pour adultes, de boîtes de striptease, de sites Internet pornographiques et de salles karaoké – a fait pression sur le comté de Maravilla pour obtenir le droit de racheter le domaine. Ils ont alors transformé les lieux en une sorte de parc à thème « sexe & amusements ». Ils ont remplacé le vieux panneau peint de l'église par une enseigne rutilante au néon : ÉGLISE DE LA COMÈTE QUI MURMURE-BAR TOPLESS, LIBRAIRIE POUR ADULTES ET PARADIS DU HAMBURGER.

On disait que les frites et les hamburgers étaient excellents et que les sodas, conformément à leur publicité, étaient réellement à volonté. Toutefois, l'établissement n'a jamais pu attirer une clientèle familiale ou des couples cadres-sup qui sont essentiels à la pérennité de tout restaurant.

Le complexe, surnommé dans le coin le Hamburger qui Murmure, s'est révélé très rentable, malgré le déficit de son restaurant. Le bar à serveuses seins nus, la librairie (qui ne vendait aucun livre mais uniquement des cassettes vidéo) et le lupanar (dont l'existence n'était évidemment pas mentionnée dans le projet officiel soumis au comté) faisaient couler l'argent à flot dans cette oasis du désert.

Même si les avocats d'affaires, ces preux défenseurs de la constitution, s'étaient débrouillés pour que l'établissement reste ouvert malgré dix condamnations pour proxénétisme, le Hamburger qui Murmure avait implosé tout seul, après qu'un client, nu comme un ver, bourré de PCP et de Viagra, avait abattu trois prostituées.

En remboursement des impôts et amendes impayés, le comté avait récupéré le site. Cinq années d'absence d'entretien et de travail opiniâtre du désert avaient réduit cette ancienne et fière demeure de dieux extra-terrestres en un tas de ruines.

Autrefois, ici, un paradis tropical s'offrait au regard – des pelouses verdoyantes, des palmiers d'essences diverses, des fougères arborescentes, des bambouseraies, des glycines en fleur. Mais sans arrosage journalier, la courte saison des pluies ne pouvait préserver ce morceau d'Éden.

J'ai éteint mes phares sitôt que j'ai quitté la nationale et me suis engagé sous le couvert des palmiers morts qui se découpaient devant la lune. L'allée de bitume, crevassée et parsemée de nids-de-poule, menait derrière le hangar principal, avant de bifurquer vers les autres baraques.

Je n'étais pas très chaud à l'idée de laisser le moteur tourner, mais je voulais pouvoir partir vite, le cas échéant. Sans les clés, il me fallait un certain temps pour démarrer.

J'ai pris la lampe de poche dans le sac et suis parti à la recherche d'un endroit où abandonner le corps.

Le désert respirait de nouveau. Une brise molle soufflait de l'est, apportant une odeur de végétation brûlée, de sable chaud, mêlée aux effluves mystérieux du désert.

Chacun des dix petits baraquements abritait soixante membres de l'Église, qui dormaient les uns sur les autres comme dans une fumerie d'opium. Quand l'église avait été remplacée par un bordel avec restaurant, on avait réaménagé quelques-uns de ces hangars pour que, dans des petites pièces douillettes, des prostituées puissent offrir au client ce que les serveuses du bar topless ne faisaient que promettre.

Depuis que le domaine était à l'abandon, des gens, poussés par une curiosité morbide, avaient visité et saccagé tous les bâtiments. Les portes béaient, défoncées, certaines étaient tombées de leurs gonds.

Le troisième baraquement que j'inspectais avait encore sa porte… et la serrure fonctionnait.

Robertson était un monstre sanguinaire, j'en étais persuadé, mais quel que soit le mal qu'il ait fait, ou s'apprêtait à faire, je ne pouvais me résoudre à livrer son corps en pâture aux coyotes – peut-être parce que mamie Sugars, justement, redoutait que ce soit ce sort-là qu'on lui réserve si elle tombait, un jour, raide morte en pleine partie de poker.

D'ailleurs, les coyotes n'étaient peut-être pas des charognards. Peut-être ne mangeaient-ils que les animaux qu'ils tuaient ?

Mais le désert abritait bien plus d'animaux qu'on ne le supposait. Et bon nombre d'entre eux, à n'en pas douter, aurait fait bombance d'une carcasse bien fraîche comme celle de Robertson.

Après avoir approché la Chevrolet le plus près possible du hangar, j'ai pris une minute pour rassembler mon courage. Et deux comprimés d'anti-acide.

Pendant tout le trajet, Robertson n'avait pipé mot. Pas de questions du genre : « Quand est-ce qu'on arrive ? » Et pourtant, contre toute rationalité, je me méfiais toujours de lui. N'allait-il pas se réveiller d'entre les morts ?

Dieu merci, le sortir de la voiture a été moins pénible que de l'y hisser, sauf à un moment, quand son corps gélatineux a bougé dans le suaire de fortune. J'ai eu l'impression qu'un nid de serpents grouillait sous mes mains.

Après l'avoir traîné jusqu'à la porte du hangar que j'avais coincée en position ouverte avec ma lampe de poche, j'ai fait une pause pour éponger ma sueur. C'est alors que j'ai vu des yeux dans l'obscurité... des yeux jaunes, à une dizaine de mètres de moi, qui me regardaient avec une avidité manifeste.

J'ai attrapé la lampe et dirigé le faisceau vers ce regard. C'était bien ce que je craignais : un coyote. Un coyote qui venait du désert et faisait un tour d'inspection des ruines. Grand, vigoureux, le front vif, la mâchoire puissante, il était plus beau que bon nombre d'êtres humains, mais à cet instant précis, c'était, pour moi, un démon venant de traverser la porte des enfers.

La lumière ne l'a pas effrayé ; signe qu'il était habitué à la présence humaine – et donc dangereux – et qu'il n'était peut-être pas seul. Inquiet, j'ai balayé les ténèbres. Une autre bête se tenait derrière lui, tapie au sol.

Il y a quelques années encore, les coyotes attaquaient rarement les enfants, et jamais les adultes. Mais à mesure que les constructions humaines rognent leur territoire de chasse, ces bêtes deviennent plus téméraires, plus agressives. Récemment, plusieurs personnes en Californie ont été harcelées par des meutes et même blessées.

Ces deux spécimens ne semblaient nullement intimidés par ma personne... plutôt mis en appétit.

J'ai fouillé le sol à mes pieds, à la recherche d'une pierre ; j'ai trouvé un morceau de ciment, détaché du bord de l'allée. J'ai lancé mon projectile sur le prédateur le plus proche. Mon missile a heurté le macadam à dix centimètres de sa cible et a rebondi dans les ténèbres.

Le coyote a fait un petit écart au moment de l'impact, mais n'a pas fui pour autant. Son compère, quant à lui, n'a pas bougé d'un iota.

Les cliquetis souffreteux du moteur, qui ne perturbaient en rien les coyotes, moi, m'inquiétaient... Le Hamburger qui Murmure était loin de tout ; personne ne risquait d'entendre le moteur tourner et de s'approcher pour voir ce qui se passait. En revanche, si d'autres intrus poilus étaient dans le secteur, le bruit de la voiture couvrirait leur approche.

Je ne pouvais gérer deux problèmes à la fois. D'abord, me débarrasser du corps ; je me soucierais plus tard de ces deux coyotes...

Quand je ressortirais du bâtiment, peut-être les prédateurs auraient-ils disparu, attirés par l'odeur d'un lapin ou d'une proie plus facile ?

J'ai tiré le cadavre dans les entrailles du hangar. Et j'ai refermé la porte derrière moi.

Un couloir latéral desservait quatre chambres et une salle de bains. Chaque pièce était le lieu de travail d'une prostituée.

Dans le faisceau de ma lampe, de la poussière, des toiles d'araignées, deux bouteilles de bière vides et un tapis d'abeilles mortes...

Après toutes ces années, l'air sentait encore l'encens, les bougies, les huiles parfumées, l'eau de toilette. Sous ces fragrances planait une odeur âcre d'urine – des animaux venus se soulager.

Les meubles avaient été emportés depuis longtemps. Dans deux pièces, des miroirs installés au plafond laissaient deviner l'emplacement des lits. Les murs étaient rose bonbon.

Chaque pièce était équipée de deux lucarnes. Les vitres avaient servi de cible aux carabines à air comprimé des gamins.

Dans la quatrième pièce, les deux petites fenêtres étaient intactes. Aucun charognard ne pourrait venir dévorer le cadavre.

L'un des lacets s'était détaché, et le pied de Robertson saillait entre les plis du drap.

Je voulais récupérer les liens et le drap. Cela pouvait être des indices permettant de remonter jusqu'à moi, même si on trouvait ces articles partout et qu'ils ne permettraient pas, à eux seuls, de m'inculper.

Au moment où je me suis baissé pour récupérer mes affaires, l'image de la plaie béante dans la poitrine m'est revenue en mémoire. En pensée, j'ai entendu la voix de ma mère : « Vas-y, appuie sur la détente pour moi ! Vas-y, appuie ! »

J'ai chassé ce souvenir de mon esprit – avec le temps, j'avais acquis une certaine expérience en la matière. Rapidement, j'ai réussi à mettre la voix de ma mère en mode « silence ».

En revanche, occulter l'image du trou dans le poitrail de Robertson était moins aisé. Cet orifice humide et suintant soubresautait devant les yeux, comme si le cœur du mort battait dessous.

Dans ma salle de bains, quand j'avais ouvert la chemise du mort pour vérifier le stade de la lividité cadavérique et que j'avais découvert ce trou dans la chair pourpre, j'avais senti une force m'attirer vers cet orifice noir ; il fallait que je le regarde de plus près... Répugné par cette impulsion morbide, terrifié aussi – n'était-ce pas là la preuve que ma mère m'avait plus traumatisé que je ne le croyais ? – j'avais résisté à cette attirance et j'avais reboutonnée la chemise.

Et maintenant, alors que je me battais pour défaire les nœuds du dernier lacet, je tentais de refouler l'image de ce trou suintant, mais elle ne cessait de jaillir devant les yeux.

Dans le cadavre, des gaz de fermentation ont émis des gargouillis puis se sont échappés dans une sorte de sifflement, comme si le mort, sous le drap, se mettait à respirer.

Ne pouvant plus rester une seconde de plus à côté du corps, je me suis levé d'un bond et me suis enfui de cette chambre rose. Je courais dans le couloir quand j'ai réalisé que je n'avais pas fermé la porte. Je suis revenu sur mes pas et j'ai repoussé le battant pour protéger le mort des grands prédateurs du désert.

Avec le pan de ma chemise, j'ai essuyé les poignées de toutes les portes que j'avais manipulées. J'ai frotté mes pieds par terre, pour effacer mes traces de semelles dans la poussière.

Quand je suis sorti du bâtiment, trois coyotes m'attendaient à côté de la Chevrolet, leurs yeux jaunes luisant dans le faisceau de ma lampe.

37.

Avec leurs pattes fines et nerveuses, leurs flancs creusés, leur museau étroit, les coyotes sont taillés pour les assauts sauvages et rapides, et pourtant, quand ils vous regardent, malgré leur air avide de prédateurs, il y a dans leurs yeux cette douceur typiquement canine. Certains les appellent les « loups de prairie », même s'ils n'ont pas la grâce de *canis lupus* ; en revanche, ils ressemblent vraiment à des chiots, avec leurs pieds trop gros pour leur corps et leurs oreilles trop grandes pour leur tête.

Ces trois animaux paraissaient plus curieux que menaçants – abstraction faite de leur posture ramassée et de leurs naseaux frémissants. Leurs grandes oreilles étaient dressées, et l'un des trois coyotes me regardait, en inclinant la tête sur le côté, comme s'il me trouvait réellement bizarre (une réaction, à mon égard, partagée aussi par nombre d'êtres humains).

Deux bêtes se tenaient devant la Chevrolet, à environ cinq mètres de la calandre. Le troisième animal était posté le long du véhicule, non loin de la portière arrière que j'avais laissée ouverte, et me barrait le chemin.

J'ai poussé un cri (le plus fort possible) dans l'espoir de les effrayer. On dit que ces animaux ont peur du bruit. Deux ont bougé les oreilles. Mais aucun des trois n'a battu en retraite.

Baignant dans ma transpiration, je devais dégager un fumet irrésistible pour ces carnassiers…

Quand j'ai reculé pour me réfugier dans le bâtiment, les coyotes ne se sont pas rués sur moi, preuve qu'ils n'étaient pas encore totalement sûrs de pouvoir me régler mon compte. J'ai refermé la porte.

À l'autre bout du couloir, une autre porte donnait sur l'extérieur, mais si je sortais par là, je me retrouverais très loin de la voiture. Je n'avais aucune chance de m'approcher de la voiture par-derrière et de me faufiler à l'intérieur par la portière ouverte. Je n'aurais pas fait dix pas que l'un de ces trois Vil Coyote aurait senti mon odeur et m'attendrait de pied ferme. Et pour me faire la peau, contrairement à leur homologue du dessin animé, ils n'auraient pas besoin de se faire livrer, par la poste, une baliste romaine.

Si j'attendais l'aube pour sortir, je pourrais peut-être m'échapper, car les coyotes, étant des chasseurs nocturnes, seraient sans doute partis se trouver une autre proie avant que le jour ne se lève. La jauge d'essence de la Chevrolet indiquait un demi-plein. Il y avait de quoi tenir le reste de la nuit, mais le moteur finirait pas surchauffer à tourner ainsi au ralenti, et la voiture serait inutilisable.

En outre, les piles de ma lampe électrique ne dureraient pas plus d'une heure. Malgré mon beau discours plus tôt, où j'affirmais que je n'avais pas peur du surnaturel, je n'avais aucune envie de me retrouver coincé dans les ténèbres en compagnie d'un cadavre.

N'ayant rien pour occuper mes rétines, je suis certain que l'image du trou d'entrée de la balle reviendrait danser devant mes yeux. À chaque bruissement de la brise dans les vitres cassées des lucarnes, je serais convaincu d'entendre bouger Robertson pour sortir de son suaire de coton.

Il me fallait trouver des projectiles à lancer sur les coyotes. À moins de récupérer les chaussures du mort (ce qui était au-dessus de mes forces), je n'avais, comme munitions, que deux canettes de bière vides. C'est donc avec mes deux petites bouteilles que je suis retourné vers la porte. J'ai éteint ma lampe, l'ai glissée sous ma ceinture et j'ai attendu quelques minutes dans le noir. Le temps pouvait jouer en ma faveur cette fois… et cela permettait à mes yeux de s'acclimater à l'obscurité.

J'ai enfin ouvert la porte, espérant confusément que ma garde affamée soit repartie… évidemment, j'ai été fort déçu. Les trois animaux étaient, à quelques détails près, là où je les avais laissés. Deux devant le capot de la voiture, le troisième assis à côté du pneu avant, côté passager.

Au soleil, leur robe paraît beige, parsemée de poils noirs, avec des reflets roux. Mais la nuit, elle était couleur vieil argent. Et dans leurs yeux, éclairés par la lune, brillait une lueur de folie.

Parce qu'il paraissait le plus téméraire du trio, j'ai supputé que le coyote le plus près de moi était le chef de meute. C'était le plus grand, et les poils grisonnants autour de la gueule indiquaient une solide expérience dans l'art de la chasse.

Les spécialistes disent qu'en cas de confrontation avec un chien en colère, il faut éviter de le regarder dans les yeux... c'est sinon un message de défi auquel l'animal risque de répondre de manière agressive.

Si le canidé en question est un coyote évaluant vos qualités nutritionnelles, et que vous suivez ce conseil d'expert, vous êtes mort en ni une ni deux ! Baisser les yeux sera interprété comme un signe de faiblesse, et vous vous retrouverez aussitôt avec l'étiquette « À consommer sur place » ; autant vous offrir sur un plateau accompagné d'allumettes avec double séjour en Enfer et d'une portion de péteurs d'Alabama.

Après avoir établi un contact visuel avec le chef de meute, j'ai cogné de toutes mes forces l'une de mes deux canettes contre le chambranle de métal, en la tenant par le goulot. Au deuxième essai, elle s'est enfin brisée. Je me suis retrouvé avec, dans la main, un tesson hérissé d'arêtes acérées.

Ce n'était pas une arme idéale pour affronter un adversaire qui a une gueule bardée de stylets acérés comme tout carnivore qui se respecte, mais c'était mieux que mes petites mains.

Mon plan : marcher vers la voiture d'un pas décidé, afin de semer le doute dans leurs esprits canins – du moins durant un petit moment. Mon objectif : atteindre la portière ; pour cela, trois ou quatre secondes d'hésitation de leur part me suffisaient.

J'ai claqué la porte derrière moi et j'ai avancé vers le chef.

Aussitôt il a retroussé les babines, dévoilant ses crocs, et a poussé un grognement sourd pour m'inciter à faire demi-tour.

Ignorant l'avertissement, j'ai fait un autre pas, et j'ai balancé ma canette de bière intacte. La bouteille a heurté violemment le museau de l'animal et a rebondi au sol.

Sous le coup de la surprise, le coyote a cessé de grogner. Il s'est déplacé vers l'avant de la voiture, sans s'éloigner, et a rejoint ses deux compagnons, comme pour me montrer qu'il n'était pas seul.

Au moins, le chemin était dégagé jusqu'à la portière ; malheureusement, je ne pouvais piquer un sprint tout en continuant à défier la meute du regard.

Dès que je me mettrais à courir, ils se rueraient sur moi. La distance à parcourir pour rejoindre la voiture était identique à celle qui me séparait des bêtes ; or la vélocité des coyotes est bien supérieure à celle d'un humain.

En agitant dans leur direction mon bras armé du tesson, j'ai commencé à avancer en crabe vers la Chevrolet, chaque pas accompli étant une petite victoire.

Deux coyotes me regardaient avec une curiosité évidente, museau relevé, bouche ouverte, langue pendante – attendant la suite, prêts à bondir à la moindre opportunité. Ils étaient ramassés sur eux-mêmes, poitrail en avant, les muscles de leurs membres postérieurs bandés.

Mais la posture du mâle dominant était plus inquiétante. Il avait la tête baissée, les oreilles plaquées en arrière sur le crâne, il montrait les crocs, sans sortir la langue ; cette bête me fixait des yeux avec intensité – deux billes étincelantes sous son front.

Il pressait si fort les pattes sur le sol, à la recherche d'un bon appui, que même dans la pénombre je pouvais distinguer ses doigts écartés en éventail sur le bitume. Les articulations des phalanges saillaient, les griffes plantées à la verticale, comme si l'animal était dans des starting-blocks.

Voyant que je ne les quittais pas des yeux, les coyotes ont amorcé un mouvement tournant sur ma droite. La portière salvatrice se trouvait sur mon flanc gauche.

Les entendre grogner aurait été moins terrifiant que ce silence épais, et la vue de leurs babines retroussées, hérissées, crocs luisants.

J'avais parcouru la moitié du chemin qui me séparait de la Chevrolet. Pouvais-je tenter un sprint? Avais-je le temps de plonger dans la voiture et de tirer la portière avant que leurs mâchoires ne se referment sur moi? Peut-être…

Mais un grognement sur ma gauche a mis fin à ce fol espoir.

Ils étaient quatre! Le quatrième de la bande se tenait caché derrière la voiture et maintenant, il me barrait la route.

Ça bougeait sur ma droite. Je me suis retourné vers le trio. Profitant de mon court instant d'inattention, les trois coyotes s'étaient approchés.

Sous le clair de lune, un filet de bave scintillait au coin de la gueule du chef de meute.

Sur ma gauche, le grognement du quatrième coyote grandissait, devenait presque aussi fort que le *ron-ron* de la Chevrolet. J'avais affaire à une machine à tuer, tournant pour l'instant au ralenti, mais qui allait, d'un instant à l'autre, enclencher la première et fondre sur moi. À la périphérie de mon champ de vision, je le voyais déjà faire un pas…

38.

La porte du hangar était désormais inaccessible. Je n'aurais pas fait trois foulées que le chef de meute me sauterait sur les épaules et me planterait ses crocs dans la nuque tandis que les autres me broieraient les jambes pour me faire tomber.

Dans ma main, le tesson de bouteille semblait bien frêle, parfaitement inutile sinon pour me trancher la gorge afin de ne pas être dévoré *vivant*.

À en juger par les spasmes dans ma vessie, ces prédateurs auraient sous peu une viande marinée...

Mais, contre toute attente, l'affreux qui grognait sur ma gauche a poussé un gémissement de soumission.

Les trois autres coyotes sur ma droite, dans un bel ensemble, se sont immobilisés, empreints de perplexité. Ils ont abandonné leur posture ramassée d'attaque et se sont relevés, les oreilles dressées, face à moi.

Ce changement de comportement était si soudain, si inattendu, qu'il flottait dans l'air un parfum de magie, comme si un ange gardien avait jeté un sort à ces animaux, pour m'éviter une éviscération imminente.

Je me tenais immobile aussi, de crainte qu'au moindre mouvement, le charme ne soit rompu. Et puis, je me suis aperçu que les coyotes regardaient quelque chose derrière moi.

J'ai tourné la tête avec précaution ; une jeune femme blonde, aux cheveux ébouriffés, se tenait en retrait, un peu sur ma gauche ; elle était jolie, avec un visage délicat, mais très maigre. Elle était entièrement nue, hormis une petite culotte de dentelle, et croisait ses bras pudiquement devant ses seins.

Sa peau pâle et lisse semblait lumineuse sous le clair de lune. Ses yeux bleu cobalt, deux lacs insondables, s'ouvraient sur une mélancolie si profonde que j'ai su aussitôt qu'elle appartenait à la grande communauté des morts.

Le coyote isolé à ma gauche se tenait couché ventre à terre, sa faim oubliée, son agressivité envolée. La bête regardait la jeune femme comme un chien attendant une caresse ou un mot gentil de son maître.

Sur ma droite, les trois coyotes étaient moins prostrés que leur compagnon, mais ils étaient, eux aussi, fascinés par cette apparition. Dressés sur leurs quatre pattes, ils haletaient et se léchaient sans arrêt les babines – deux signes de stress chez les canidés. Lorsque la femme est passée devant moi pour se diriger vers la Chevrolet, les coyotes ont reculé, moins par peur que par déférence.

Une fois arrivée à la voiture, la fille s'est retournée vers moi et a esquissé un sourire mélancolique – on aurait dit une moue de tristesse à l'envers.

J'ai posé au sol mon tesson de bouteille et me suis avancé vers la Chevrolet, pétri d'un nouveau respect pour ces coyotes qui faisaient passer l'appel du merveilleux avant celui du ventre.

J'ai refermé la portière arrière et ouvert celle à l'avant, côté passager.

On s'est regardé d'un air grave ; elle paraissait émue que je puisse la voir tant d'années après sa mort, et moi, j'étais peiné de la voir prisonnière de ce purgatoire qu'elle s'était inventé.

Délicate et fragile comme une rose venant d'éclore, encore pleine de promesses, elle devait avoir à peine dix-huit ans le jour de sa mort ; elle était trop jeune pour se condamner à vivre aussi longtemps enchaînée à notre monde, trop jeune pour endurer cette longue solitude.

C'était, sans doute, l'une des trois prostituées qui avaient été tuées, cinq ans plus tôt, lors du drame qui avait précipité la chute du Hamburger qui Murmure. Son activité avait dû l'endurcir, **et** pourtant elle paraissait timide, effacée.

Touché par sa vulnérabilité et par cette pénitence douloureuse qu'elle s'infligeait, j'ai tendu la main vers elle.

Au lieu de prendre ma paume, elle a incliné la tête d'un air gêné. Après une hésitation, elle a décroisé les bras pour les étendre le long de ses hanches – il y avait deux trous noirs entre ses seins.

Cette fille n'avait aucune affaire en souffrance à régler, et sa vie de mortelle avait été suffisamment douloureuse... rien ne la retenait ici-bas. Si elle se refusait à quitter ce monde, c'était par peur... par peur de la punition qui l'attendait de l'autre côté.

— Ne crains rien, ai-je dit. Tu n'étais pas un monstre dans cette vie, n'est-ce pas ? Tu étais simplement seule, abandonnée, perdue... l'âme brisée... comme n'importe qui l'aurait été à ta place.

Lentement, elle a relevé la tête.

— Peut-être étais-tu faible et naïve, mais tant de gens le sont. Moi le premier.

Elle m'a de nouveau regardé. Sa tristesse semblait plus vaste encore, elle avait l'éclat de la douleur et la profondeur du remords.

— Moi aussi, je suis faible et naïf, ai-je répété. Mais quand je mourrai, je m'en irai sans peur – et ce doit être pareil pour toi.

Ses blessures n'étaient pas, pour elle, des stigmates divins, mais le sceau de l'infamie. Il fallait lui ôter cette idée de la tête...

— Je ne sais pas à quoi ça ressemble de l'autre côté, mais je suis certain qu'une vie meilleure t'y attend... les misères que tu as connues ici seront derrière toi. Là-bas, c'est ta vraie place, là-bas, tu auras l'amour que tu mérites.

À voir l'expression de son visage, je savais qu'être aimée était pour elle un espoir qui n'était jamais devenu réalité durant sa courte existence. Les épreuves douloureuses qui avaient peut-être jalonné sa vie depuis sa naissance avaient atrophié son imagination ; elle ne pouvait croire en un autre monde que celui-ci, un au-delà où l'amour n'était pas une promesse, mais réellement donné.

Elle a relevé les bras et les a croisés de nouveau pour cacher sa poitrine et les deux orifices d'entrée des balles.

— N'aie pas peur, ai-je répété.

Son sourire était toujours aussi triste, mais également énigmatique. Lui avais-je apporté un peu de réconfort ?

J'aurais aimé être plus persuasif... je ne doutais pourtant pas de la réalité de ce que je lui disais... pourquoi étais-je si peu convaincant ? En désespoir de cause, je suis entré dans la voiture par la portière côté passager et me suis glissé derrière le volant.

Je ne voulais pas l'abandonner ici, au milieu des palmiers morts et des tôles rouillées des hangars, seule, l'âme en peine, invisible pour tous, sans une lueur d'espoir pour lui montrer le chemin.

Mais la nuit avançait, la lune et les constellations tournaient dans le ciel inexorablement, comme les grandes aiguilles d'une horloge. Si je n'intervenais pas, dans quelques heures, l'horreur s'abattrait sur Pico Mundo.

Alors que je m'éloignais lentement, j'ai jeté un coup d'œil dans le rétroviseur. La fille se tenait sous le clair de lune, les coyotes ensorcelés à ses pieds, comme une Diane chasseresse, maîtresse de la nuit et de ses créatures, une déesse qui dépérissait, s'étiolait, mais qui ne voulait toujours pas rejoindre l'Olympe.

J'ai quitté l'église de la Comète qui Murmure et j'ai repris la route de Pico Mundo, abandonnant derrière moi cette inconnue avec ses deux trous dans la poitrine, ne me doutant pas que là-bas, en ville, une autre victime m'attendait, mais cette fois quelqu'un qui m'était très proche.

39.

Si je connaissais le nom ou le visage de ce nouvel ennemi public, j'aurais pu tenter de faire appel à mon magnétisme psychique, et sillonner les rues de Pico Mundo jusqu'à ce que mon sixième sens me fasse croiser son chemin. Malheureusement, l'homme qui avait tué Bob Robertson, et qui comptait tuer d'autres gens dans les heures à venir, était un fantôme pour moi. Si je partais à sa recherche sans le moindre indice, je brûlerais de l'essence pour rien et perdrais un temps précieux.

La ville dormait, mais pas ses démons. Les bodachs arpentaient les rues, plus nombreux et plus inquiétants que des meutes de coyotes. Je les voyais courir dans la nuit, excités et impatients à l'idée du festin à venir.

Je passais devant des maisons où s'étaient attroupées ces ombres vivantes. Je les voyais fureter dans les pièces. Au début, j'ai tenté de garder en mémoire la liste de tous ces foyers; car c'était dans ces familles que la mort allait frapper dans les prochaines vingt-quatre heures.

Même si Pico Mundo était une toute petite ville, elle s'était beaucoup agrandie ces derniers temps, avec ces nouveaux quartiers qui poussaient partout comme des champignons. Elle abritait quarante mille âmes sur le demi-million que comptait le comté. Et je n'en connaissais qu'une infime partie.

La plupart des demeures infestées de bodachs appartenaient à des gens que je ne connaissais pas. Je n'avais pas le temps de les rencontrer tous, et encore moins de gagner leur confiance pour qu'ils écoutent mes conseils et changent leur programme du mercredi, comme l'avait fait Viola Peabody.

J'ai pensé, un moment, aller sonner chez ceux que je connaissais et leur demander de me dire ce qu'ils comptaient faire demain. Avec un peu de chance, j'aurais pu, peut-être, découvrir la destination qui leur était commune à tous...

Aucun d'entre eux ne faisait partie de mes intimes. Ils ignoraient mes dons, me considéraient, pour la grande majorité d'entre eux, comme un doux excentrique et n'auraient pas été surpris outre mesure que je leur rende visite en pleine nuit pour leur poser des questions bizarres.

Mais ma petite enquête risquait d'éveiller les soupçons des bodachs. Et ils finiraient par comprendre que je pouvais les voir.

Je me souvenais du sort du petit Anglais qui avait commis l'imprudence de parler des bodachs en leur présence... On l'avait retrouvé écrasé entre un camion et un mur de béton. Le choc avait été si violent que le ciment avait volé en éclats et avait mis à nu les ferrailles à l'intérieur du mur.

Selon l'autopsie, le chauffeur du camion, un jeune homme de vingt-huit ans pourtant en parfaite santé, avait été victime, au volant, d'une crise cardiaque foudroyante.

L'infarctus l'avait terrassé au moment où il abordait une descente, au bas de laquelle se tenait le petit garçon. L'analyse de la police avait démontré qu'étant donné la courbe que décrivait la rue et la position du carrefour plus bas, le camion (privé de son conducteur) n'aurait pas dû toucher l'enfant, mais percuter le mur dix mètres plus loin. Apparemment, durant la descente, le corps du chauffeur mort avait dû faire tourner le volant et contrecarrer les lois physiques qui devaient sauver l'enfant.

J'en sais plus sur les mystères de l'univers que le commun des mortels, mais les arcanes de la vie me restent impénétrables. Toutefois, fort de mon expérience, j'ai pu établir une loi : le hasard n'existe pas.

À l'échelle macroscopique, je perçois un schéma identique à celui que les physiciens ont observé dans le domaine microscopique : même dans le chaos, il règne un ordre, une finalité, ainsi qu'un sens caché qui excite notre sagacité autant qu'il nous échappe.

C'est pourquoi je ne me suis pas arrêté devant ces maisons envahies de bodachs et n'ai réveillé aucun de leurs occupants pour les assaillir de questions ; quelque part, un chauffeur en parfaite santé, au volant d'un gros camion, attendait d'avoir une rupture d'anévrisme associée à une panne simultanée des freins pour croiser mon chemin...

En revanche, j'ai pris la direction du domicile de Wyatt Porter, ne sachant encore si j'oserais le tirer de son lit. Il était 3 heures du matin.

En toutes ces années, je ne l'avais réveillé que deux fois en pleine nuit. La première fois, j'étais trempé et tout crotté, avec aux pieds un reste de la chaîne avec laquelle des types énervés m'avaient attaché à deux cadavres et balancé dans le lac Malo Suerte. La seconde fois, un gros problème méritait son attention immédiate.

Mais cette fois, le problème était encore « virtuel », c'était juste une menace qui planait. Il fallait pourtant que je lui dise que Robertson n'agissait pas seul, qu'il avait un complice...

Je devais lui présenter la chose de façon convaincante mais sans révéler que j'avais retrouvé Robertson mort dans ma baignoire et que j'avais ensuite enfreint une bonne dizaine de lois pour me débarrasser du cadavre.

Au moment où je m'engageais dans la rue de Wyatt Porter, j'ai vu des lumières aux fenêtres de plusieurs maisons, ce qui était curieux à cette heure indue. Et chez le chef de la police, c'était carrément le plein feu.

Quatre voitures de patrouille étaient stationnées devant la maison, garées à la hâte en travers du trottoir. Sur l'un des véhicules, le gyrophare tournait encore.

Sur la pelouse, au milieu des flashes rouges et bleus, un groupe de cinq policiers. Ils semblaient atterrés, sous le choc.

Je comptais me garer en face de la maison, et appeler Wyatt sur sa ligne personnelle, après avoir concocté une histoire à peu près crédible, en passant sous silence ma récente conversion en conducteur de corbillard.

Mais, le cœur pris dans un étau d'angoisse, j'ai abandonné la Chevrolet au beau milieu de la rue, à côté d'une des voitures de patrouille ; j'ai coupé les phares, mais laissé le moteur tourner, en priant pour qu'aucun policier ne s'approche et voie qu'il n'y avait pas de clé sur le contact.

Je connaissais tous les agents sur la pelouse. Ils se sont tournés vers moi alors que je me précipitais vers la maison.

Sonny Wexler, le plus grand et le plus costaud du groupe (et qui paradoxalement avait une petite voix fluette) a tendu son bras de Superman en travers de mon chemin.

— Tout doux, gamin. Reste ici. Les gars du labo sont en train de bosser à l'intérieur.

J'ai alors aperçu Izzy Maldanado sur le perron, à genoux, occupé à relever je ne sais quel indice. Il s'est redressé pour soulager ses reins.

Izzy travaillait au service de la police scientifique du comté de Maravilla. Quand le corps de Bob Robertson serait retrouvé au Hamburger qui Murmure, Izzy serait sans doute envoyé sur place pour relever les empreintes.

Même si je brûlais de savoir ce qui s'était passé, je n'arrivais pas à articuler un mot. J'avais la gorge bloquée, comme si on m'avait versé de la colle dans le larynx.

En essayant de chasser en vain ce bouchon fantôme dû à l'émotion, j'ai pensé à Gunther Ulstein, professeur de musique et chef de l'orchestre du lycée de Pico Mundo, qui soudain avait connu des difficultés à déglutir. En quelques semaines, son état avait empiré. Le temps qu'on dépiste son cancer de l'œsophage, les métastases avaient gagné le larynx.

Comme il ne pouvait plus rien avaler, il avait maigri. On lui avait fait de la radiothérapie, on devait lui retirer son œsophage pour le remplacer par une longueur de colon. Mais les rayons n'avaient pu enrayer le mal et il était mort avant qu'on puisse l'opérer.

Maigre, n'ayant plus que la peau sur les os, on voyait Gunny Ulstein dans son rocking-chair sur le perron de la maison qu'il avait construite de ses mains. Mary, son épouse depuis trente ans, vit toujours là-bas.

Durant la dernière semaine de sa vie, il avait perdu l'usage de la parole. Il y avait tant de choses à dire à Mary – Mary qui avait toujours été à ses côtés, Mary qui l'avait rendu meilleur qu'il n'était – comment la remercier, comment lui dire tout son amour ?... Il ne pouvait exprimer ses sentiments par écrit avec autant de force et d'émotion que par oral. Aujourd'hui, il erre dans la maison, l'âme en peine pour toutes ces choses qu'il ne lui a pas dites quand il le pouvait, espérant qu'en tant que fantôme, il parviendra à trouver le moyen de lui parler.

Un cancer qui rend muet aurait presque été une bénédiction à cet instant, parce qu'il m'aurait dispensé de poser à Sonny Wexler la question fatidique...

— Que s'est-il passé ?

— Je croyais que tu étais au courant... a-t-il répondu. Que c'est pour ça que tu es là. On a canardé le chef.

Jesus Bustamante, un autre policier, a lâché avec fureur :

— Il y a une heure... un salopard l'a plombé ! Trois balles dans la poitrine, juste sur son perron !

Mon estomac s'est contracté, pris de spasmes convulsifs, comme si les éclairs du gyrophare le lacéraient à chacun de leurs passages ; le bouchon fantôme est devenu un nœud brûlant et acide quand une boule de bile est remontée dans mon œsophage et s'est bloquée dans le fond de ma gorge.

J'ai dû pâlir, chanceler, je ne sais pas, car Jesus m'a retenu de son bras et Sonny Wexler a ajouté rapidement :

— Du calme, gamin. Le chef n'est pas mort. Il est salement amoché, mais il est en vie... c'est un dur à cuire.

— Les médecins l'opèrent en ce moment, a expliqué Billy Munday, dont la tache de vin, qui couvrait le tiers de son visage, luisait mystérieusement dans la nuit. (Il ressemblait à un shaman bariolé de peintures magiques sortant d'un entretien avec les esprits.) Il va s'en sortir. C'est obligé. Je veux dire, qu'est-ce qu'on deviendrait sans lui ?

— C'est un dur à cuire, a répété Sonny.

— Il est dans quel hôpital ? ai-je demandé.

— Le County General.

Je me suis précipité vers la voiture.

40.

Ces dernières années, tous les hôpitaux construits en Californie du Sud ressemblent à ces vilains entrepôts d'usines vendant de la moquette ou des fournitures de bureau. Apparemment, une belle architecture ne serait pas un gage de qualité concernant les soins prodigués à l'intérieur.

Le County General, le plus vieil hôpital de la région, arborait, quant à lui, un porche monumental, flanqué de colonnes blanches et surmonté d'une corniche, ouvragée comme de la dentelle, qui faisait tout le tour du bâtiment. Dès le premier regard, on savait qu'à l'intérieur travaillaient des médecins et des infirmières, et non un bataillon de vendeurs.

Le hall de réception était dallé d'albâtre, et non tapissé de moquette industrielle, et dans le comptoir de marbre, à l'accueil, était enchâssé un grand caducée en bronze.

Avant d'avoir pu atteindre le comptoir, j'ai été arrêté par Alice Norrie (dix ans d'ancienneté à la police de Pico Mundo !) qui s'occupait de faire barrage aux journalistes et aux visiteurs importuns.

— Il est au bloc, Odd. Il va y rester un moment.

— Où est Mrs. Porter ?

— Karla est dans la salle d'attente des soins intensifs. Dès sa sortie du bloc, ils emmènent le chef là-bas.

L'unité de soins intensifs se trouvait au troisième étage.

— Je vais monter, ai-je annoncé d'un ton déterminé.

Si elle voulait m'en empêcher, il lui faudrait me mettre les menottes...

— T'auras pas besoin de me passer sur le corps, Odd. Tu es sur la liste que Karla m'a donnée.

J'ai pris l'ascenseur jusqu'au premier, là où sont installés les blocs opératoires.

Il m'a été facile de trouver celui où était opéré Wyatt Porter. Rafus Carter, en uniforme, taillé pour arrêter un taureau en pleine course, montait la garde devant la porte.

À mon approche sous les tubes fluorescents, il a posé la main sur la crosse de son arme.

Voyant ma tête, il s'est aussitôt expliqué.

— Le prends pas mal, Odd... à part Karla, je me méfie de tout le monde.

— Vous croyez qu'il connaissait celui qui lui a tiré dessus ?

— C'est obligé, et cela veut dire que je le connais aussi.

— Comment va-t-il ?

— Pas bien.

— C'est un dur à cuire, ai-je dit en reprenant le mantra de Sonny Wexler.

— Il a intérêt à s'accrocher.

Je suis retourné vers l'ascenseur. Entre le deuxième et le troisième étage, j'ai enfoncé le bouton STOP.

J'étais pris de tremblements incontrôlables. J'avais les jambes en coton. Incapable de tenir debout, je me suis laissé glisser le long de la paroi de la cabine et me suis assis par terre.

Dans la vie, affirme Stormy, il ne s'agit pas de faire les choses vite, ni même de les faire bien. Ce qui importe, c'est la persévérance, rester debout, bien campé sur ses jambes, et avancer pas à pas, peu importe vers quoi.

Après tout, dans la cosmologie personnelle de Stormy, la vie est un camp d'entraînement. Si on ne s'accroche pas, quels que soient les obstacles et les blessures, on n'accède jamais au degré supérieur, celui de la grande aventure, que Stormy appelle « le service actif », et encore moins à notre troisième vie, qu'elle imagine pleine de plaisirs et de gloires, plus délicieuse encore qu'un pot de glace noix de coco, cerise et éclats de chocolat.

Malgré les coups du sort ou le poids grandissant des années sur ses épaules, Stormy restait toujours debout, au sens figuré s'entend ; mais moi, à l'inverse d'elle, il fallait que je fasse une pause de temps en temps, si je voulais trouver la force de persévérer.

Je voulais être calme, solide, avoir repris mes esprits et fait le plein d'ondes positives avant de retrouver Karla. Elle avait besoin de soutien, et non d'avoir en face d'elle un type en larmes, pétri de chagrin ou de pitié.

Après deux ou trois minutes, j'ai retrouvé un certain calme, et à peu près mes esprits. Je ne pouvais pas attendre plus longtemps. Il faudrait faire avec. Je me suis relevé et j'ai relancé la cabine.

Au troisième étage, la salle d'attente se trouvait au bout du couloir – une pièce sinistre avec des murs gris, des dalles de linoléum noires et blanches, des chaises marron. L'effet était aussi déprimant que s'il y avait eu un écriteau, au-dessus de la porte, annonçant « ICI, ON MEURT ». Le type qui s'était chargé de la décoration intérieure méritait des claques...

Eileen Newfield, la sœur de Wyatt Porter, était assise dans un coin, les yeux bouffis par les larmes ; dans ses mains, un mouchoir brodé qu'elle triturait nerveusement.

À côté d'elle, Jake Hulquist la réconfortait. C'était le meilleur ami de Wyatt. Il était entré dans la police la même année.

Jake était en civil. Il portait un pantalon de toile et un T-shirt. Les lacets de ses baskets étaient défaits. Ses cheveux étaient emmêlés, comme s'il était arrivé en toute hâte, sans même prendre le temps de se donner un coup de peigne.

Karla était comme à son habitude : fraîche, belle, et calme.

Ses yeux étaient clairs ; elle n'avait pas pleuré. Elle était d'abord la femme d'un flic, en second une épouse. Elle ne laisserait pas ses larmes couler tant que Wyatt luttait contre la mort, parce qu'elle luttait avec lui en esprit.

Dès que je suis arrivé, Karla est venue à moi et m'a serré dans ses bras.

— Ça craint, mon petit Odd... c'est bien ce que vous diriez, les jeunes, dans un cas comme ça ?

— Oui. Ça craint, grave.

Ne voulant pas inquiéter davantage la fragile Eileen, Karla m'a entraîné dans le couloir pour que nous puissions parler.

— Il a eu un appel sur notre ligne perso, un peu avant 2 heures du matin.

— Un appel de qui ?

— Je ne sais pas. J'étais en plein sommeil. Il m'a dit de me rendormir, que tout allait bien.

— Combien de personnes connaissent sa ligne directe ?

— Très peu. Il ne s'est pas rhabillé. Il a quitté la chambre en pyjama... je ne pensais pas qu'il allait sortir, je croyais qu'il s'agissait d'un problème qu'il allait régler de la maison, alors je me suis rendormie... ce sont les coups de feu qui m'ont réveillée.

— À quelle heure était-ce ?

— À peine dix minutes après le coup de fil. Apparemment, il a ouvert la porte pour faire entrer quelqu'un qu'il attendait...

— Quelqu'un qu'il connaissait.

— Et il y a eu quatre coups de feu.

— Quatre ? On m'a dit qu'il avait reçu trois balles dans la poitrine.

— Oui, trois dans la poitrine... et une dans la tête.

À cette nouvelle, je me suis senti de nouveau vaciller. Voyant mon émoi, Karla s'est empressée d'ajouter :

— Le cerveau n'est pas touché. La balle dans la tête a fait moins de dégâts que les trois autres. (Elle a esquissé un gentil sourire.) Je suis sûre que cela l'amusera beaucoup d'apprendre ça.

— Il doit déjà en rire intérieurement.

— Je l'entends d'ici : « Pour brûler la cervelle du vieux Porter, il faut lui tirer dans le cul ! »

— Oui, ça lui ressemble bien...

— Le tueur pensait donner le coup de grâce, quand Wyatt était au sol, mais il a peut-être paniqué ou a été distrait par quelque chose. La balle n'a fait que lui égratigner le cuir chevelu.

Je n'en revenais pas.

— Mais qui voudrait tuer le chef?

— Le temps que j'appelle le 911 et que je descende avec mon pistolet, le type était parti.

Je l'imaginais, téméraire, en train de dévaler l'escalier, le pistolet dans ses deux mains, et se diriger vers la porte d'entrée, prête à cribler de balles l'homme qui avait abattu son mari. Une lionne, comme Stormy.

— Quand je suis arrivée, Wyatt gisait par terre, inconscient.

Au bout du couloir, une infirmière en tenue verte de bloc opératoire est sortie de l'ascenseur. Sur son visage, on pouvait lire le message subliminal : je ne suis que la messagère, je n'y suis pour rien.

41.

Jenna Spinelli, l'infirmière du bloc opératoire, était sortie du lycée un an avant moi. Ses yeux calmes et gris étaient parsemés de mouches bleues et elle avait les mains fines d'une pianiste.

Les nouvelles qu'elle apportait n'étaient pas aussi noires que je le craignais, mais moins bonnes que je l'espérais. Les fonctions vitales de Wyatt étaient stables, mais faibles. Il avait perdu sa rate, mais on pouvait vivre sans cet organe. L'un des poumons était perforé, mais réparable, et aucun organe vital n'avait été touché.

La suture des vaisseaux endommagés était complexe et Wyatt resterait au bloc pendant encore deux bonnes heures.

— Mais nous avons bon espoir de pouvoir réparer tout ça, a expliqué Jenna. Le vrai défi, cependant, ce sera d'éviter les complications post-opératoires.

Karla est retournée dans la salle d'attente annoncer la nouvelle à sa belle-sœur et à Jake Hulquist.

— Tu as tout dit, ou tu en as gardé sous le pied ? ai-je demandé à Jenna une fois seul avec elle.

— Non, il n'y a rien d'autre, Odd. On ne minimise pas les nouvelles pour les épouses. On leur dit tout, et d'un coup.

— Ça craint.

— Oui. Un max. Je sais que tu es proche de lui.

— Ouais.

— Je pense qu'il va s'en sortir. Pas seulement pour l'opération... pour tout. Il rentrera chez lui sur ses deux pieds.

— Mais ce n'est pas sûr à cent pour cent...

— Rien n'est jamais certain. C'est un beau bordel à l'intérieur. Mais il est moins amoché qu'on ne le croyait avant d'ouvrir. Il y a une chance sur mille de pouvoir survivre à trois balles dans la poitrine. Il a une chance incroyable.

— Si c'est ça, avoir de la chance, il ne vaut mieux pas qu'il mette les pieds à Las Vegas.

De l'index, elle a baissé l'une de mes paupières inférieures et examiné le treillis enflammé des capillaires.

— Tu as une sale tête, Odd.

— Ça a été une longue journée. Le service commence tôt au Grille.

— On est venues l'autre jour avec deux copines. C'est toi qui nous a fait à manger.

— Ah oui ? Parfois, c'est tellement la folie aux fourneaux que je n'ai pas le temps de relever la tête pour voir qui est dans la salle.

— Tu es doué. C'était très bon.

— Merci.

— J'ai appris que ton père vendait des morceaux de lune.

— Ouais, mais ce n'est pas un bon plan pour passer ses vacances. Il n'y a pas d'air pour respirer.

— Tu ne ressembles vraiment pas à ton père.

— Qui voudrait lui ressembler ?

— Presque tous mes mecs.

— Franchement, je ne crois pas.

— Tu sais quoi ? Tu devrais donner des cours de cuisine.

— Mon domaine se limite à la poêle à frire.

— Moi, je m'inscrirais...

— Ce n'est pas précisément de la cuisine saine.

— Il faut bien mourir de quelque chose. Tu es toujours avec Bronwen ?

— Stormy. Oui. C'est écrit.

— Comment le sais-tu ?

— Nos dates de naissance sont identiques.

— Tu parles de celle qu'elle s'est fait tatouer pour que ça colle avec la tienne ?

— Comment ça « tatouer » ? Non, c'est une vraie. Et on va se marier.

— Oh… je ne savais pas.

— C'est tout frais.

— Quand les filles vont apprendre ça…

— Quelles filles ?

— Toutes.

J'avais de plus en plus de mal à suivre le fil de cette conversation.

— Je me sens sale, il faut que je me lave, mais je ne veux pas quitter l'hôpital tant que le chef n'est pas sorti du bloc. Il n'y a pas un endroit, ici, où je pourrais prendre une douche ?

— Je vais en toucher deux mots à l'infirmière en chef de l'étage. On devrait pouvoir te trouver ça.

— J'ai des affaires de rechange dans la voiture.

— Va les chercher. Et puis passe au bureau des infirmières. J'aurai tout arrangé.

Au moment où elle tournait les talons, je l'ai rappelée :

— Jenna, tu prends toujours des cours de piano ?

— Ça fait un bail que j'ai arrêté. Pourquoi tu me demandes ça ?

— Tes mains… elles sont si belles. Je suis sûr que tu joues comme une déesse.

Elle m'a regardé d'un drôle d'air. Impossible de savoir ce qu'elle pensait derrière ces yeux gris pailletés de bleu.

— Ce mariage, a-t-elle fini par dire. C'est pour de vrai ?

— C'est pour samedi, lui ai-je répondu avec fierté, tellement heureux de m'unir à Stormy. Si j'arrive à quitter la ville, on file à Las Vegas et on se marie aussitôt.

— Il y en a qui ont vraiment de la chance. Encore plus de chance que Wyatt Porter qui respire encore avec trois trous dans la poitrine !

Elle voulait sans doute dire que j'avais de la chance d'avoir gagné le cœur de Stormy…

— Après sa bourde avec papa-maman, le destin a décidé de se rattraper et de m'offrir le gros lot.

Le regard de Jenna s'est fait de nouveau impénétrable.

— Appelle-moi quand même, si tu te décides à donner des cours de cuisine. Ce doit être chaud de te voir manier ton fouet…

J'étais réellement perdu.

— Mon fouet ? heu, oui, mais c'est juste pour l'omelette. Pour les pancakes et les gaufres, tout est dans le
maniement de la spatule, et pour le reste, c'est l'huile qui
compte... il faut qu'elle soit bouillante... toujours bouillante...

Elle a esquissé un sourire. Elle a secoué la tête d'un
air attendri et est partie, en me laissant dans un abîme
de perplexité, comme ça m'arrivait parfois du temps où
je jouais au base-ball au lycée et que je ratais un coup
absolument immanquable (alors que j'étais le meilleur
batteur de l'équipe) – une balle magnifique qui venait
droit sur moi, m'offrant un *home-run* sur un plateau, et
je passais complètement à côté, sans même la toucher.

J'ai filé à la voiture de Rosalia. J'ai retiré le pistolet
du sac et l'ai caché sous le siège.

À mon retour au troisième étage, les infirmières
m'attendaient. Bien que s'occuper des malades et des
mourants soit un travail ingrat et difficile, les quatre
jeunes femmes souriaient ; quelque chose, à l'évidence,
les amusait.

En plus des unités de séjour standard, le troisième
étage proposait des chambres « à options » qui permet-
taient au patient de se croire dans un hôtel – moquette
chaleureuse, murs peints, mobilier en bois, petits tableaux
décoratifs, et salle de bains privative avec réfrigérateur.

Les malades ayant les moyens de s'offrir ces sup-
pléments échappaient ainsi à l'ambiance mortifère d'un
hôpital. On disait que cela accélérait la convalescence, et
je voulais bien le croire, même si les bateaux sur l'eau,
les chatons dans les champs de marguerites et autres
croûtes accrochées au mur devant le lit devaient avoir
une influence néfaste sur le moral du patient.

On m'avait remis un jeu de serviettes propres et
conduit dans l'une de ces unités de luxe inoccupée. Les
tableaux ici étaient sur le thème du cirque : des clowns
avec des ballons, des lions aux yeux tristes, un funambule avec une ombrelle. J'ai pris deux comprimés pour
apaiser mes aigreurs d'estomac.

Après m'être rasé, douché, et avoir changé de vêtements, j'avais l'impression, au sortir de la salle de bains,

d'être passé dans une machine à laver géante. J'étais totalement lessivé.

Je me suis écroulé dans un fauteuil et j'ai examiné le contenu du portefeuille de Robertson. Cartes de crédit, permis de conduire, badge de bibliothèque...

Le seul objet intéressant était une carte de plastique noire, portant une inscription en relief. Je sentais des points sous mes doigts et en inclinant la carte, je parvenais à les distinguer. Cela ressemblait à ça :

Les points étaient en relief sur une face, en creux sur l'autre. Il s'agissait, peut-être, d'un code secret que seule une machine pouvait déchiffrer... toutefois, l'hypothèse d'un message en braille classique me paraissait plus probable.

Puisque Robertson n'était pas aveugle, pourquoi avait-il dans son portefeuille une carte écrite en braille ?

Et que disait-elle ?

Je suis resté assis, à passer lentement mon pouce sur les points, puis le bout de mon index. Ce n'étaient que des bosses de plastique, illisibles pour moi, mais plus je glissais les doigts sur cette inscription, plus l'angoisse montait.

Je suivais ces lignes de points, encore et encore, les yeux fermés, m'imaginant aveugle, en espérant que mon sixième sens allait me laisser entrevoir l'utilité de cette carte à défaut de m'en révéler son sens explicite.

Il était tard. La lune descendait derrière les fenêtres, les ténèbres s'épaississaient, se préparant à livrer un combat perdu d'avance contre l'aube – l'aube sanglante !

Il fallait que je me repose. Mais c'était trop risqué. La seconde suivante, je dormais.

Dans mes rêves, les canons crachaient le feu, les balles, au ralenti, foraient des tunnels dans l'air, les coyotes retroussaient leurs babines, dévoilant des crocs noirs qui portaient l'inscription énigmatique, un message que je pouvais presque lire sous mes doigts, presque...

Sur la poitrine de Robertson, maculée de taches pourpres, la plaie s'ouvrait, devant moi, béante, comme un
trou noir. J'étais l'astronaute flottant dans l'espace, et
cette singularité quantique m'aspirait dans son champ
de gravité, m'entraînant dans ses entrailles, vers l'oubli.

42.

J'ai dormi une heure jusqu'à ce qu'une infirmière me réveille : Wyatt Porter sortait du bloc...

Derrière la fenêtre, les collines noires se dressaient contre le ciel étoilé comme autant de points de braille. Une heure encore avant l'aube.

Avec mon sac de linge sale sous le bras, je suis retourné dans le couloir des soins intensifs.

Jake Hulquist et la sœur de Wyatt attendaient. Ni l'un ni l'autre ne savaient à quoi servait cette carte de plastique.

Une minute plus tard, une infirmière et une aide-soignante sortaient de l'ascenseur au bout du couloir, en poussant un brancard où se trouvait Wyatt Porter. Karla marchait à côté de la civière, la main posée sur le bras de son mari.

Lorsqu'ils sont passés devant nous, j'ai vu Wyatt Porter inconscient, avec des tuyaux dans le nez. Son teint était gris, ses lèvres couleur cendre.

L'infirmière ouvrant la marche, l'aide-soignante derrière, elles firent passer le chariot à travers les doubles portes menant aux chambres. Karla a suivi le convoi après nous avoir dit que Wyatt ne se réveillerait pas avant plusieurs heures.

Celui qui avait tué Robertson avait voulu tuer également le chef de la police. Je n'avais aucune preuve, certes ; mais je ne croyais pas aux coïncidences ; deux tentatives de meurtre, perpétrées à quelques heures d'intervalle, dans une petite ville comme Pico Mundo, étaient forcément liées comme deux sœurs siamoises !

Peut-être le tueur avait-il imité ma voix quand il avait appelé Wyatt sur sa ligne personnelle ? En se faisant passer pour moi, il lui avait fait croire que je l'attendais devant chez lui... peut-être espérait-il que Wyatt, dupé, dise à sa femme avant de descendre que c'était moi qui appelais ?

Puisqu'il avait tenté de me mettre le premier crime sur le dos, pourquoi ne pas en faire de même avec le second ?

Même si j'espérais que Wyatt Porter se rétablisse au plus vite, je m'inquiétais de ce qu'il allait dire à son réveil.

Mon alibi au moment du crime était inavouable : j'étais occupé à cacher un cadavre dans l'un des baraquements de l'église de la Comète qui Murmure. Cette explication, éminemment vérifiable, n'aiderait guère mon avocat.

Au troisième étage, aucune des infirmières de garde n'a pu me dire à quoi servait cette carte en braille.

C'est au deuxième étage que la chance m'a souri... Une jeune infirmière, le visage couvert de taches de rousseur, et pâle comme la mort, se tenait derrière le comptoir. Elle vérifiait le détail des médicaments à apporter aux malades. Elle a pris la carte mystérieuse, l'a regardée côté pile, côté face, et a déclaré :

— C'est une carte de méditation.

— Ça sert à quoi ?

— D'ordinaire, il n'y a pas de bosses. Mais des petits symboles imprimés. Comme des séries de croix ou des images de la Sainte Vierge.

— Mais pas celle-là.

— Vous devez répéter une prière, comme le Notre-Père ou le Je vous salue Marie, en passant le doigt de symbole en symbole.

— Une sorte de rosaire qu'on peut glisser dans son portefeuille ?

— Oui. Comme un chapelet. (Elle a passé l'index sur les points.) Mais elles ne sont pas utilisées seulement par les chrétiens. En fait, c'est une invention New Age.

— À quoi ressemblent-elles d'habitude ?

— J'en ai vu avec des séries de cloches, des bouddhas, des signes de paix, avec des chiens et des chats si on veut axer son énergie positive sur la défense des animaux, ou avec des séries de globes terrestres pour méditer sur l'environnement.

— Et cette carte serait pour une personne aveugle ?

— Non. Pas du tout.

Pendant un moment, elle a plaqué le morceau de plastique sur son front, comme un médium cherchant à lire mentalement le contenu d'une enveloppe cachetée.

Je n'ai pas compris ce qu'elle faisait mais j'ai jugé préférable de ne pas poser de questions.

Puis elle a fait courir de nouveau ses doigts sur les points.

— Un quart des cartes sont écrites en braille comme celle-là. Il faut plaquer son doigt sur chaque lettre et méditer.

— Mais qu'est-ce qui est écrit ?

Elle a continué à tripoter la carte et une expression chagrine a peu à peu gagné son visage, comme une image apparaissant sur un film polaroïd.

— Je ne sais pas lire le braille. Mais d'ordinaire, c'est un petit message, quelques mots évocateurs. Un mantra pour concentrer son énergie. Le sens exact est écrit sur l'emballage.

— Je n'ai pas l'emballage.

— On peut aussi en commander une personnalisée, portant une maxime de son propre cru. On peut mettre ce qu'on veut. C'est la première fois que j'en vois une toute noire.

— Elles sont de quelle couleur, d'ordinaire ?

— Blanches, dorées, argentées, bleu ciel, vertes évidemment pour les mantras écolos.

Son air soucieux ne quittait plus son visage.

Elle m'a rendu la carte.

Avec un dégoût évident, elle a regardé ses doigts avec lesquels elle avait touché les points.

— Où avez-vous trouvé ça ? m'a-t-elle demandé.

— En bas, dans le hall.

L'infirmière a pris, derrière le comptoir, un flacon de gel antiseptique, a déposé une noisette sur sa paume et s'est frotté énergiquement les mains.

— À votre place, je m'en débarrasserais (elle a continué à se nettoyer). Et au plus vite !

Elle avait mis tellement de gel que l'odeur de l'alcool me chatouillait les narines.

— M'en débarrasser ? Pourquoi ?

— C'est plein d'énergie négative. De mauvaises ondes. Cela va noircir votre âme.

On en apprenait des choses dans les écoles d'infirmières !

— Je vais la mettre à la poubelle, ai-je promis.

Les taches de rousseur semblaient briller d'un feu intérieur, rouge comme du piment moulu.

— Ne la jetez pas ici.

— D'accord.

— Nulle part dans l'hôpital, d'ailleurs. Allez dans le désert, là où il n'y a personne. Roulez vite et balancez-la par la fenêtre. Laissez le vent s'en occuper.

— Cela me paraît un bon plan.

Ses mains étaient toutes propres et sèches. Son masque d'inquiétude s'était évaporé avec le désinfectant. Elle a esquissé un sourire.

— J'espère vous avoir aidé.

— Vous m'avez été d'un grand secours.

J'ai rangé la carte de méditation et je suis sorti de l'hôpital – mais pas pour foncer vers le désert.

43.

Les studios de la radio KPMC, « la voix de la vallée de Maravilla », se trouvaient sur Main Street, au centre de Pico Mundo, dans une maison géorgienne à trois niveaux, entre le cabinet Knacker & Hisscus et la boulangerie Good Day Bakery.

À ces petites heures du matin, les lumières étaient allumées dans l'arrière-boutique de la boulangerie. Quand je suis sorti de voiture, il flottait dans l'air une odeur de pain frais, de beignets à la cannelle et de strudels au citron.

Aucun bodach en vue.

Le rez-de-chaussée de KPMC abritait les bureaux de la station. Les studios se trouvaient au dernier étage.

Stan Lufmunder, alias « le beau gosse », était aux manettes. Harry Beamis, l'un des rares membres du microcosme radiophonique à ne pas être affublé d'un surnom, était le producteur de l'émission : *Jusqu'au bout de la nuit avec Shamus Cocobolo*.

Je leur ai fait des signes derrière la baie isolée qui séparait le palier du deuxième étage de leur antre électronique.

Après m'avoir répondu, par des gestes explicites, que je pouvais aller me faire sodomiser, ils m'ont fait signe d'entrer. J'ai marché jusqu'au bout du couloir conduisant à la porte des studios.

À en croire le haut-parleur retour installé dans le couloir, ils passaient *String of Pearls* de l'immortel Glenn Miller, l'une des « galettes » préférées de Shamus.

Le morceau provenait en réalité d'un CD, mais dans son émission, Shamus aimait utiliser le jargon des années 40.

Harry Beamis l'a prévenu de mon arrivée. Sitôt entré en cabine, Shamus a retiré son casque, a monté le retour pour suivre l'avancée du morceau et m'a lancé :

— Hé, salut Le Magicien, bienvenue dans *mon* Pico Mundo.

Pour Shamus, j'étais Le Magicien d'Odd, ou Le Magicien tout court.

— Tiens ? Tu ne sens pas le shampooing à la pêche, aujourd'hui...

— Tout ce que j'avais sous la main, c'était du Neutrogena sans odeur.

Il a froncé les sourcils.

— Il y a de l'eau dans le gaz entre toi et ta déesse ?

— Au contraire, ça gaze au poil.

— Tant mieux.

Les cônes de polystyrène qui couvraient les murs assourdissaient nos voix.

Les verres de ses lunettes noires avaient des reflets bleu cobalt. Sa peau était si noire qu'elle paraissait également bleutée.

Je me suis avancé vers lui et j'ai posé la carte de méditation sur la table, en la faisant claquer pour l'intriguer.

Il a fait mine de ne rien remarquer.

— Je compte passer au Grille après l'émission, m'envoyer un méga oignon-bacon avec une montagne de sauce à m'en faire péter une artère !

Je me suis assis, en face de lui, et j'ai écarté le micro qui se dressait, au bout de son flexible, devant mon nez.

— Je ne travaille pas ce matin. J'ai un jour de congé.

— Qu'est-ce que tu comptes faire de ton temps libre ? Traîner à Pneus Univers ?

— Je pensais aller au bowling.

— Tu es vraiment un animal bizarroïde. Je me demande comment ta belle arrive à te supporter.

Le morceau de Glenn Miller s'est achevé. Shamus s'est penché vers son micro, a fait un trémolo improvisé avec sa langue et a lancé, à la file, *One O'clock Jump* de Benny Goodman et *Take the A train* de Duke Ellington.

J'aime bien écouter Shamus à la radio. Il a une voix si chaude et grave que Barry White, à côté de lui, passe pour un castrat. Dans le monde de la radio, c'est Monsieur Voix de Velours.

De 1 heure à 6 heures du matin, tous les jours sauf le dimanche, Shamus diffuse « la musique qui a permis aux GI's de gagner la Seconde Guerre mondiale », comme il dit, et raconte mille anecdotes de cet autre âge.

Le reste de la journée, KPMC délaisse la musique pour les débats et les reportages radiophoniques. Les cadres de la radio préféreraient fermer l'antenne durant cette plage nocturne de faible écoute, mais la licence qui leur est accordée exige une diffusion 24 heures sur 24 et 7 jours sur 7.

Ce désintérêt de la direction pour cette tranche horaire permet à Shamus d'avoir une liberté totale sur l'antenne. Et rien ne lui plaît plus que de retourner, avec sa poignée d'auditeurs insomniaques, à l'âge d'or des *big band*. À cette époque, prétend-il, on faisait de la « vraie » musique, avec de « vrais » musiciens, et les mots vérité, raison et bonne volonté signifiaient encore quelque chose en ce monde.

La première fois que je l'ai entendu tenir ce discours, je lui ai fait part de mon étonnement. Comment pouvait-il regretter une période où la ségrégation raciale était aussi vive ?

— Je suis noir, aveugle, intelligent et réaliste. Aucune époque ne saurait être facile pour moi. Mais au moins, en ce temps-là, la culture était une vraie culture, ça ressemblait à quelque chose.

Telle avait été sa réponse.

Et aujourd'hui, il disait à son public :

— Fermez les yeux, imaginez le Duke dans son smoking blanc et venez avec moi, venez avec Shamus Cocobolo prendre le train « A » pour Harlem.

Sa mère l'avait baptisé Shamus parce qu'elle voulait que son fils entre dans la police[1]. Mais lorsqu'il était devenu aveugle à l'âge de trois ans, ce beau plan de carrière avait eu du plomb dans l'aile. Quant au patromyme « Cocobolo », il lui venait de son père, en provenance directe de la Jamaïque.

---

1. Shamus : terme argotique pour policier, détective privé. *(N.d.T.)*

Shamus a enfin ramassé la carte de plastique et l'a tenue sur la tranche, entre le pouce et l'index.

— C'est une carte de crédit ? Tu as trouvé une banque assez inconsciente pour t'en accorder une ?

— Je voudrais que tu me dises ce qui est écrit dessus.

Il a passé un doigt sur la carte, non pour déchiffrer le message, mais simplement pour explorer l'objet.

— Oh, Le Magicien ! Je n'ai pas besoin d'une carte de méditation pour planer quand j'écoute Count Basie, Satchmo ou Artie Shaw !

— Tu sais donc ce que c'est ?

— Ces deux dernières années, mes auditeurs n'ont pas cessé de m'envoyer des cartes comme ça, avec toutes sortes de pensées dessus, comme si les aveugles ne pouvaient pas danser et qu'ils n'avaient que la méditation pour se distraire ! Ne le prends pas mal, Le Magicien, mais je ne pensais pas qu'un jour tu m'offrirais l'un de ces trucs New Age pour babas attardés ; j'avoue que tu me déçois un peu.

— Trop aimable. Mais ce n'est pas un cadeau pour toi.

— Voilà qui me soulage. Alors quoi ? Une curiosité subite ?

— On ne se refait pas.

— D'accord. Ça ne me regarde pas.

Il a lu l'inscription du bout des doigts et a annoncé :

— Père du mensonge.

— Du mensonge ?

— Oui. Le contraire de la vérité.

Cette expression ne m'était pas inconnue mais, pour je ne sais quelle raison, je ne parvenais plus à trouver sa signification – peut-être parce que mon esprit s'y refusait ?

— Le diable ! m'a éclairé Shamus. Le menteur et le père du mensonge, le père du mal, sa majesté Satan... Que se passe-t-il, Le Magicien ? La religion te semble soudain trop fade ? Tu as besoin d'un petit shoot de soufre pour faire frissonner ton âme ?

— Cette carte n'est pas à moi.

— À qui appartient-elle ?

— Une infirmière à l'hôpital m'a dit de foncer dans le désert, pied au plancher, et de jeter cette carte par la fenêtre, et de laisser le vent se charger de l'emporter.

— Pour qu'un gentil garçon comme toi, gagnant honnêtement sa vie derrière les fourneaux, ait cette chose en sa possession, tu as dû croiser le chemin de gens particulièrement tordus.

Il a poussé la carte vers moi au moment où je me levais.

— Ne laisse pas traîner cette abomination ici.

— Je croyais que ce n'était qu'un truc New Age pour babas attardés ?

Shamus a relevé la tête et j'ai vu mes deux visages dans le bleu de ses lunettes.

— J'ai connu un sataniste autrefois. Le type disait qu'il haïssait sa mère, mais il devait l'aimer au fond... Parce que les flics ont retrouvé la tête de la mère dans le freezer, dans un sac en plastique avec des pétales de roses pour qu'elle sente bon.

J'ai ramassé la carte noire.

— Merci pour ton aide, Shamus.

— Fais gaffe à toi, Le Magicien. Un phénomène comme toi ça ne se trouve pas à tous les coins de rue. Si tu mourais soudainement, ça ferait un grand vide.

44.

L'aube rouge est arrivée et un croissant de soleil comme le cimeterre d'un bourreau a soudain tranché l'horizon.

Quelque part à Pico Mundo, un tueur, s'apprêtant à commettre un massacre, regardait la même aurore en préparant une collection de chargeurs de rechange pour son pistolet-mitrailleur.

Je me suis garé dans l'allée devant chez moi, et j'ai coupé le moteur. Il fallait que je sache si l'assassin de Robertson avait tué aussi Rosalia Sanchez. Mais il m'a fallu deux ou trois minutes pour trouver le courage de sortir de la voiture.

Les rapaces de nuit s'étaient tus. Curieusement, les corbeaux ne donnaient pas encore de la voix… d'ordinaire, ils réveillaient tout le quartier dès les premières lueurs du jour.

J'ai gravi les marches du perron ; la moustiquaire était fermée, mais derrière, la porte d'entrée était ouverte. Les lumières dans la cuisine étaient éteintes.

J'ai plaqué mon visage contre le filet. Rosalia était assise à sa table, les mains repliées sur sa tasse de café. Elle paraissait en vie.

Mais les apparences peuvent être trompeuses. Son cadavre pouvait se trouver dans une autre pièce, et cette Rosalia n'être qu'une apparition, assise là où elle se trouvait la veille, lorsque le tueur avait toqué à sa porte…

Je ne sentais pas l'odeur du café frais.

D'habitude, quand elle attend ma venue pour que je lui confirme qu'elle est visible, les lumières sont allumées. Jamais, je ne l'ai vue ainsi, assise dans le noir.

Rosalia a relevé la tête et m'a souri quand je suis entré dans la cuisine.

Je l'ai regardée avec insistance, n'osant parler, de crainte qu'elle ne soit qu'une âme errante et qu'elle ne puisse me répondre.

— Bonjour, Odd Thomas...

J'ai poussé un soupir de soulagement.

— Vous êtes en vie.

— Bien sûr que je suis en vie. Je sais que je ne suis plus une jeune fille depuis longtemps, mais est-ce que j'ai l'air morte?

— Visible, je voulais dire. Vous êtes visible.

— Oui, je sais. Les deux policiers me l'ont dit, c'est pour ça que je n'avais pas besoin que tu viennes me le dire ce matin.

— Des policiers?

— C'était bien agréable de le savoir de si bon matin. J'ai éteint les lumières et je suis restée là, à regarder l'aube se lever. (Elle a montré sa tasse.) Tu veux un jus de pomme, Odd Thomas?

— Non, merci, madame. Deux policiers, dites-vous?

— Des gentils garçons.

— À quelle heure était-ce?

— Il y a une grosse demi-heure. Ils s'inquiétaient pour toi.

— Pourquoi?

— Ils ont dit que quelqu'un avait entendu un coup de feu venant de chez toi. C'est ridicule, non? Je leur ai dit que je n'avais rien entendu.

Un appel anonyme, évidemment. Et l'auteur n'était autre que l'assassin de Robertson.

— Je ne vois pas sur quoi tu aurais pu tirer dans ton appartement. Je leur ai dit que tu n'avais pas de souris. (Elle a porté sa tasse à ses lèvres et a bu une lampée de jus de pomme.) Tu n'as pas de souris, au moins?

— Non, madame.

— Ils voulaient aller jeter un coup d'œil. Ils se faisaient vraiment du souci pour toi, les braves garçons. Bien élevés et tout. Ils se sont essuyé les pieds. Et n'ont touché à rien.

— Ils sont entrés dans mon appartement?

Elle a avalé une autre gorgée de jus de pomme.

— C'étaient des policiers et ils s'inquiétaient pour toi. Et ils ont été bien soulagés de voir que tu ne t'étais pas tiré une balle dans le pied ni rien.

Heureusement que je n'avais pas laissé Robertson dans ma baignoire !

— Odd Thomas, tu n'es pas venu hier soir prendre les cookies que j'ai faits pour toi. Avec noix et pépites de chocolat. Tes favoris.

Une assiette, pleine de gâteaux, protégée par un film plastique, trônait sur la table.

— Merci, madame. Vos cookies sont les meilleurs. (J'ai ramassé l'assiette.) Je me demandais... je pourrais vous emprunter la voiture quelques heures ?

— Mais tu viens d'arriver avec...

Je suis devenu rouge tomate, plus écarlate encore que le soleil levant.

— C'est vrai.

— Alors tu me l'as déjà empruntée, a-t-elle dit sans le moindre accent sarcastique. Inutile de demander deux fois.

J'ai récupéré les clés sur la patère à côté du réfrigérateur.

— Merci Mrs. Sanchez. C'est très gentil de votre part.

— Tu es un gentil garçon, Odd Thomas. Tu me rappelles mon neveu Marco. En septembre, cela fera trois ans qu'il est invisible.

Marco, avec toute sa famille, était à bord de l'un des deux avions qui s'étaient écrasés contre le World Trade Center.

— Tout le temps, je me dis qu'il va redevenir visible, mais cela fait si longtemps... ne t'avise pas de devenir invisible, Odd Thomas !

Parfois, Rosalia me brisait le cœur.

— Je ferai de mon mieux.

Quand je me suis penché pour lui faire un baiser sur le front, elle a posé une main sur mon crâne et m'a regardé droit dans les yeux.

— Promets-le-moi.

— Croix de bois, croix de fer.

45.

Quand je me suis garé devant chez Stormy, la camionnette banalisée n'était plus là.

Ce n'était donc pas pour veiller sur elle que l'équipe avait été dépêchée. Comme je le supposais, ils s'étaient postés ici au cas où Robertson me suivrait ; quand j'avais débarqué chez Wyatt Porter, après qu'on lui eut tiré dessus, ils avaient compris que je n'étais pas chez Stormy et ils avaient levé le camp.

Robertson dormait à présent d'un sommeil sans fin, sous la garde du fantôme d'une jeune prostituée... mais son assassin et ex-partenaire courait toujours. Cet acolyte n'avait aucune raison de s'en prendre à Stormy ; en outre, elle avait un 9 mm chez elle, et elle n'hésiterait pas en faire usage.

Mais l'image du trou noir dans la poitrine de Robertson m'obsédait ; et je ne pouvais l'occulter en fermant les yeux ou en détournant la tête, comme j'avais pu le faire quand j'avais ouvert la chemise du cadavre... Pis encore, maintenant c'était dans la poitrine de Stormy que je voyais ce trou ; et je pensais aussi à la jeune femme qui m'avait sauvé des coyotes, les bras croisés avec pudeur sur ses seins et ses blessures.

J'ai piqué un sprint vers la maison, monté les marches du perron quatre à quatre et j'ai ouvert la porte avec son imposte vitrée.

À la hâte, j'ai sorti la clé de ma poche ; elle m'a échappé des mains. Je l'ai rattrapée en vol alors qu'elle rebondissait sur le plancher. Enfin, je suis entré dans l'appartement...

Du salon, j'ai vu Stormy dans la cuisine ; je me suis approché.

Elle se tenait à côté de l'évier, coupait un pample-mousse avec un petit couteau. Une petite pile de pépins s'amoncelait sur le coin de la planche à découper.

— Quelle mouche te pique, Oddie?

— Je t'ai crue morte.

— Puisque je ne le suis pas, tu veux petit-déjeuner?

J'ai failli lui annoncer qu'on avait tiré sur Wyatt Por-ter.

— Si j'étais du genre à me droguer, je t'aurais bien demandé une omelette aux amphétamines avec trois pots de café noir. Je n'ai pas beaucoup dormi. J'ai besoin de rester éveillé, pour clarifier mes idées.

— J'ai des beignets au chocolat.

— C'est un bon début.

On s'est installés à la table de la cuisine, elle, devant son pamplemousse, moi devant une boîte de beignets et un Pepsi – un vrai, avec sucre et caféine!

— Pourquoi pensais-tu que j'étais morte?

Elle se faisait déjà du souci pour moi. Je ne voulais pas l'inquiéter davantage.

Si je lui parlais de Wyatt Porter, je devrais alors lui parler du cadavre de Robertson dans ma baignoire, lui apprendre qu'il était déjà mort quand on l'a vu dans le cimetière, lui narrer mes mésaventures à l'église de la Comète qui Murmure et révéler l'existence de cette carte de méditation satanique...

Elle ne voudrait plus alors me lâcher d'une semelle. Elle insisterait pour m'accompagner partout... et je ne voulais pas la mettre en danger.

J'ai poussé un soupir en secouant la tête.

— Je ne sais pas. Il y a des bodachs partout. Des hordes entières. J'ignore ce qui va arriver, mais ça va être terrible. Et j'ai très peur.

Elle a tendu sa cuillère vers moi, d'un air menaçant.

— Ne me demande pas de rester à la maison aujourd'hui.

— Je voudrais que tu restes à la maison aujourd'hui.

— Tu as entendu ce que je viens de dire?

— Et toi, tu as entendu ce que je viens de dire?

On s'est regardé en silence, en finissant notre bou-chée.

— Je reste à la maison, aujourd'hui, si tu restes avec moi, a-t-elle articulé.

— On en a déjà parlé. Je ne peux pas laisser ces gens mourir. Je dois faire quelque chose…

— Et moi, je ne vais pas rester enfermée toute une journée en cage parce qu'un fauve se balade dans la nature.

J'ai vidé mon Pepsi d'un trait. J'aurais bien aimé croquer quelques comprimés de caféine ; et aussi respirer des sels pour dissoudre une bonne fois les brumes de la fatigue qui m'enveloppaient. Et surtout, j'aurais tant voulu être comme tout le monde, sans ce don particulier, sans ce poids que je devais transporter partout avec moi, en plus de ma panse pleine de beignets au chocolat.

— Il est plus dangereux qu'un fauve.

— Je m'en fiche. Il pourrait être plus méchant qu'un tyrannosaure que ça ne changerait rien. J'ai une vie à vivre – et pas une seconde à perdre si je veux pouvoir m'acheter mon propre commerce d'ici quatre ans.

— Sois réaliste. Une journée de congé ne va pas t'empêcher de réaliser ton rêve.

— Chaque jour que je passe à m'approcher de mon but, c'est ça réaliser mon rêve. C'est le chemin qui compte, pas la destination.

— Pourquoi est-ce que je tente encore de te raisonner ? Je sais pourtant que c'est peine perdue.

— Tu es un grand homme d'action, Oddie chéri. Personne ne te demande d'être, en plus, persuasif.

— Je suis un grand homme d'action et un cuistot plus grand encore.

— Le mari idéal !

— Je vais prendre un autre beignet.

Même si elle savait que je n'accepterais pas sa proposition, elle a quand même tenté sa chance :

— D'accord. Je prends un jour de congé, mais je vais avec toi. On fait équipe toute la journée, je vais là où tu vas.

Là où j'allais (guidé, espérais-je, par mon magnétisme psychique), c'était à la rencontre de l'assassin de Robertson, vers cet inconnu qui se préparait, à présent, à mettre à exécution le plan démoniaque qu'ils avaient fomenté ensemble. Et je ne voulais pas que Stormy soit à mes côtés au moment du combat final.

— Non. Continue à vivre ton rêve. Remplis des cornets, fais des milk-shakes, et deviens la meilleure vendeuse de glace de la Terre. Pour réaliser ses rêves, même les plus humbles, il faut de la persévérance.

— Tu as trouvé ça tout seul, Oddie l'Étrange, ou c'est une citation ?

— Tu n'as pas reconnu ? C'est toi que je cite !

Elle m'a lancé un sourire attendri.

— Tu es plus intelligent que tu en as l'air.

— Ce n'est pas très difficile. Où déjeunes-tu à midi ?

— J'emmène ma gamelle, comme d'hab. C'est moins cher et je peux rester comme ça à la boutique pour avancer le boulot.

— Ne change rien. Ne t'approche pas d'un bowling, ni d'un cinéma. Ne va nulle part.

— Je peux m'approcher d'un terrain de golf quand même ?

— Non !

— Un golf miniature, alors ?

— Je suis sérieux.

— Une salle de jeux vidéo ?

— Tu te souviens de ce vieux film, *L'Ennemi public* ?

— Et un parc d'attractions, je peux ?

— James Cagney est un gangster et il prend le petit déjeuner avec sa poule...

— Je ne suis la poule de personne !

— À la fin, la fille l'agace tellement qu'il lui balance à la figure son demi-pamplemousse.

— Et quelle est la réaction de la fille ? Elle le castre sur-le-champ, j'espère ? En tout cas, moi, c'est ce que je ferais aussi sec.

— *L'ennemi public* date de 1931. On ne montrait pas, à cette époque, des castrations à l'écran.

— Hollywood était vraiment déconnecté de la réalité, à ses débuts. Heureusement, ils ont ouvert les yeux depuis. Tiens, prends mon pamplemousse, moi je prends mon couteau... on va refaire la scène.

— Tout ce que je veux dire, c'est que je t'aime et que je m'inquiète pour toi.

— Je t'aime aussi, chéri. Alors je te promets de ne pas aller manger sur un banc dans un golf miniature. Je déjeunerai au magasin. Et si je renverse du sel, j'en jetterai une pincée par-dessus mon épaule pour conjurer le sort. Et même la salière entière !

— Merci. Mais je n'ai pas abandonné pour autant l'option « pamplemousse volant ».

46.

En arrivant devant la maison des Takuda sur Hampton Way, aucun bodach en vue. La veille, pourtant, ils grouillaient partout dans la propriété.

Au moment où je me garais, la porte roulante du garage s'est relevée et Ken Takuda a sorti sa Lincoln Navigator en marche arrière.

Me voyant marcher vers lui, il s'est arrêté et a baissé sa fenêtre.

— Bonjour, monsieur Thomas.

Il est la seule personne à s'adresser à moi d'une façon aussi formelle.

— Bonjour, monsieur. Belle journée, n'est-ce pas ?

— Merveilleuse, je dirais ! Une journée pleine de promesses, de possibilités, comme tous les jours de l'existence.

Mr. Takuda était professeur à l'université d'État de Pico Mundo. Il enseignait les lettres modernes.

Pour quelqu'un dont la matière consistait à étudier des œuvres morbides, cyniques, pessimistes et profondément misanthropes, écrites par des auteurs dépressifs qui se tuaient à petit feu à doses d'alcool ou de drogue ou qui allaient se tirer sous peu une balle dans la tête, le professeur Takuda était remarquablement joyeux.

— Je voudrais un conseil, monsieur Takuda, ai-je inventé. Finalement, je crois que je vais m'inscrire à la fac, passer un doctorat et me diriger vers l'enseignement de la littérature, comme vous.

Je l'ai vu pâlir, ce qui donnait à son teint asiatique une nuance verdâtre.

— Oh... vous savez, monsieur Thomas, même si je suis un farouche partisan de l'éducation, je ne conseille-

rais à personne d'embrasser une carrière universitaire,
hormis peut-être en sciences. Notre microcosme est un
cloaque de gens haineux, aigris, et égocentriques. Tout
ce que je veux, à présent, c'est prendre ma retraite, après
vingt-cinq ans passés dans cet Enfer, et me mettre à
écrire, comme Ozzie Boone.

— Mais vous paraissez si heureux.

— Comme Jonas dans le ventre de la baleine, monsieur Thomas… Si on se laisse aller au désespoir, c'est la
mort assurée. Alors il faut faire contre mauvaise fortune
bon cœur et tenir le coup.

Il m'a fait un grand sourire.

Ce n'était pas la réponse que j'attendais, mais j'ai
poursuivi mon plan boiteux dans l'espoir de connaître
son programme de la journée et peut-être de découvrir
où l'ex-associé de Robertson comptait frapper.

— J'aimerais quand même vous parler de ce projet.

— Le monde n'a pas assez de bons cuisiniers et bien
trop de professeurs pompeux… mais d'accord, nous en
parlerons si vous y tenez. Appelez-moi à mon bureau
à l'université. Mon assistant vous trouvera un rendez-
vous.

— J'aurais aimé pouvoir en discuter avec vous dès
ce matin, monsieur Takuda.

— Pourquoi est-ce si urgent ? Et d'où vous vient cet
intérêt si soudain pour l'enseignement ?

— Je dois réfléchir sérieusement à mon avenir. Je
vais me marier samedi.

— Serait-ce avec Miss Bronwen Llewellyn ?

— Oui, monsieur.

— Monsieur Thomas, vous avez là une belle option
au bonheur, ce serait vraiment dommage de la gâcher
dans l'enseignement ou le trafic de drogue. J'ai cours ce
matin, et deux entretiens avec des étudiants. Ensuite, je
déjeune et je vais au cinéma avec ma famille, je crois
qu'il vous faudra attendre jusqu'à demain pour que nous
puissions discuter de cette très mauvaise idée.

— Où comptez-vous déjeuner ? Au Grille ?

— Les enfants choisiront. C'est leur journée à eux.

— Quel film allez-vous voir ?

— Cette histoire de chien avec un extra-terrestre.

— N'y allez pas. C'est nul, ai-je dit sans avoir, évidemment, vu le film.

— C'est un succès, pourtant.

— Non, non, ce n'est pas bien.

— Il y a eu de bonnes critiques.

— Randall Jarrell dit que les critiques sont de la vermine d'un jour et que l'art est éternel.

— Appelez mon assistant à l'université. On en parlera demain.

Il a remonté sa vitre, a passé la marche arrière, et s'en est allé vers l'université. Il avait rendez-vous avec ses étudiants et plus tard, avec la mort.

47.

La petite Nicolina Peabody, âgée de cinq ans, était tout habillée de rose – baskets, short et T-shirt ; même sa montre était rose, du bracelet au cadran où figurait la face hilare d'un cochon.

— Quand je serai grande et que je pourrai acheter mes vêtements toute seule, m'a expliqué la fillette, je porterai toujours du rose... du rose, du rose et encore du rose, tous les jours, toute l'année !

Levanna Peabody, qui allait avoir sept ans, a levé les yeux au ciel.

— Et tout le monde te prendra pour une putain ! a-t-elle lancé.

Viola, qui revenait dans le salon avec un Tupperware contenant le gâteau d'anniversaire, s'est écriée :

— Levanna ! C'est très vilain de dire ça ! Encore un gros mot et tu es punie pour deux semaines.

— C'est quoi une putain ? a demandé Nicolina.

— Une fille qui s'habille en rose et qui embrasse les garçons pour de l'argent, a répondu Levanna d'un air savant.

Viola m'a confié le gâteau.

— Il me reste à prendre leurs livres d'activités et on peut s'en aller.

J'ai fait rapidement un tour d'inspection dans la maison. Pas de bodach tapi dans un coin.

— Si j'embrasse les garçons gratuitement, je peux alors porter du rose et pas être une putain ? a demandé Nicolina.

— Si tu embrasses plein de garçons sans leur demander de l'argent, tu es une catin, a rétorqué l'aînée.

— Levanna ! Ça suffit !

— Mais maman, il faut bien qu'elle apprenne, un jour ou l'autre, comment tourne le monde.

Voyant mon amusement, Nicolina s'est sentie pousser des ailes et a contre-attaqué avec une belle assurance :

— D'abord, tu sais même pas ce qu'est une putain... tu fais semblant de le savoir.

— Si, je le sais ! a insisté Levanna.

J'ai conduit les filles jusqu'à la voiture de Mrs. Sanchez garée le long du trottoir.

Après avoir fermé la maison, Viola nous a rejoints. Elle a posé les livres sur la banquette arrière entre les deux fillettes et s'est assise à l'avant. Je lui ai donné le gâteau et j'ai refermé sa portière.

C'était une matinée typique du Mojave : un soleil aveuglant et pas un zeste de vent. L'azur, un chaudron de céramique bleue, renvoyait sur terre ses ondes brûlantes.

Les ombres s'étiraient vers l'ouest, devant le soleil encore bas dans le ciel, comme si elles voulaient se sauver et rejoindre la tanière de la nuit derrière l'horizon. Dans la rue, tout était immobile, hormis ma propre ombre glissant sur le macadam.

Autant que je pouvais en juger, il n'y avait pas de bodach en maraude dans le secteur.

Au moment où j'ai démarré le moteur, Nicolina a relancé la discussion interrompue :

— Je n'embrasserai jamais les garçons, d'abord ! Juste maman, Levanna et tata Sharlene.

— Tu voudras embrasser les garçons quand tu seras plus grande, a annoncé Levanna, jouant les oracles.

— Non. Jamais !

— Tu le feras.

— Non ! a insisté Nicolina. Juste toi, maman et tata Sharlene. Et Cheevers aussi.

— Cheevers est un garçon, a rétorqué Levanna tandis que je m'engageais dans la rue en direction de la maison de Sharlene.

Nicolina a lâché un petit rire.

— Cheevers est un ours.

— Un « garçon » ours.

— Mais il est en peluche.

— N'empêche que c'est un garçon. J'ai donc raison. Tu embrasseras des garçons ; la preuve, tu commences déjà.

— Je ne veux pas devenir une catin. Je veux devenir docteur pour les chiens !

— Ça s'appelle un vétérinaire et les vétérinaires ne portent pas « du rose, du rose et encore du rose » !

— Eh bien, je serai la première vétérinaire rose !

— D'accord... si un jour mon chien est malade et que tu es une vétérinaire toute rose, je te l'apporterai quand même, parce que je sais que tu le soigneras bien.

J'ai fait de nombreux détours, en surveillant mes arrières dans le rétroviseur, avant de rejoindre Maricopa Lane.

Pendant le trajet, Viola a appelé sa sœur avec mon téléphone portable pour lui annoncer sa venue avec ses filles.

Sharlene habitait une maisonnette blanche avec des volets bleus. Sous l'auvent, peint en bleu également, quatre rocking-chairs et une balancelle offraient un espace accueillant et convivial.

À notre arrivée, Sharlene se balançait dans l'un des fauteuils à bascule. C'était une femme forte, avec un grand sourire et une voix chaude et mélodieuse de chanteuse de gospel – ce qu'elle était d'ailleurs.

Posey, la chienne golden retriever, s'est levée à notre approche et a agité sa queue en panache, toute contente de voir arriver les fillettes. Bien qu'elle ne soit pas attachée, elle est restée sagement à côté de sa maîtresse, obéissant à un ordre à peine chuchoté.

J'ai déposé le gâteau dans la cuisine et j'ai poliment décliné les offres successives de Sharlene : non merci, je ne voulais pas de limonade, ni de beignets aux pommes, ni de cookies (dont elle m'a présenté trois variétés), ni de craquants aux cacahuètes « faits maison ».

Couchée sur le dos, les quatre pattes en l'air, Posey montrait son ventre pour que les fillettes la gratouillent, ce qu'elles se sont empressées de faire.

Je me suis accroupi à côté d'elles et j'ai interrompu ces câlins pour souhaiter bon anniversaire à Levanna. Et j'ai embrassé les deux fillettes pour leur dire au revoir...

Elles paraissaient si petites, fragiles comme des brindilles – un rien aurait suffi à les casser. Et cette vulnérabilité me terrifiait.

Viola m'a raccompagné à la porte.

— Tu devais me montrer une photo du type...

— C'est inutile. À présent, il est... hors jeu.

Elle m'a regardé avec ses grands yeux, animée d'une confiance aveugle que je ne méritais pas.

— Odd, dis-moi la vérité devant Dieu, vois-tu encore la mort en moi ?

J'ignorais ce qui allait se passer. Et pourtant, malgré le soleil du désert qui frappait mon visage, je sentais un nuage d'orage s'approcher, lourd et chargé de tonnerre. Avoir changé leur programme de la journée (pas de sortie au cinéma, ni de dîner au Grille) devait suffire à les sauver. Du moins l'espérais-je.

— Tu es en sécurité maintenant. Toi et les filles.

Elle chercha mon regard, et je n'ai pas osé détourner les yeux.

— Et toi, Odd ? Pour ce qui va arriver... tu sais comment t'en sortir indemne ?

Je me suis forcé à sourire.

— Je sais tout de l'Autre monde et au-delà... c'est toi qui l'as dit, tu te souviens ?

Elle m'a regardé un long moment, les yeux vrillés dans les miens, et puis elle m'a serré dans ses bras. On est restés enlacés comme ça un certain temps.

Je n'ai pas demandé à Viola si elle avait vu la mort en moi. Elle n'avait jamais prétendu avoir ce don de voyance... et pourtant, j'étais persuadé qu'elle l'avait vue.

48.

Longtemps après que se fut terminée l'émission de radio de Shamus Cocobolo et que les notes de Glenn Miller eurent traversé la stratosphère pour se perdre dans le cosmos, je sillonnais les rues de Pico Mundo, mais cette fois sans même un CD d'Elvis Presley pour me soutenir le moral. Je roulais dans le silence et sous un soleil de plomb en me demandant où étaient passés les bodachs.

J'ai fait halte à une station-service pour faire le plein d'essence et aller aux toilettes. Dans le miroir crasseux au-dessus du lavabo, j'ai surpris mon reflet : un type hagard, les orbites creusées, l'air hanté.

Dans la boutique, j'ai acheté une bouteille 50 cl de Pepsi et un flacon de comprimés à la caféine.

Avec l'assistance chimique des cachets et du Pepsi, conjuguée au sucre des cookies de Rosalia, je pouvais rester éveillé. En revanche, aurais-je encore suffisamment les idées claires pour éviter la pluie de mitraille imminente ? Cela restait une question en suspens.

Ne connaissant ni le nom, ni le visage de l'ex-associé de Robertson, mon magnétisme psychique était incapable de me guider vers ma cible. Je ne pouvais continuer à rouler ainsi au petit bonheur la chance...

C'est donc avec un objectif précis en tête que j'ai mis le cap sur Camp's End.

Wyatt Porter avait mis la maison de Robertson sous surveillance la veille, mais cet ordre avait été levé. Avec le chef de la police entre la vie et la mort et tout le service sous le choc, quelqu'un avait apparemment décidé de réaffecter les équipes.

Finalement, peut-être le chef Porter n'avait-il pas été abattu dans le seul but de me mettre un deuxième meurtre sur le dos ? Peut-être l'acolyte de Robertson avait-il voulu éliminer Wyatt pour désorganiser la police de Pico Mundo, afin qu'elle soit plus lente à réagir lorsque le massacre commencerait ?

Au lieu de laisser la Chevrolet au bout de la rue, je me suis garé juste devant la petite maison jaunâtre à la porte bleue et j'ai marché d'un pas assuré vers l'abri de voiture.

Mon permis de conduire a, encore une fois, été mon sésame. Et j'ai pénétré dans la cuisine.

Pendant une minute, je suis resté immobile sur le seuil, l'oreille aux aguets. Le ronronnement du réfrigérateur, les craquements du bois qui travaillait sous l'effet de la chaleur.

J'étais seul, j'en étais sûr.

Je me suis rendu directement dans le bureau. Pour l'instant, il n'était pas transformé en terminus pour trains de bodachs.

Sur le mur, au-dessus des meubles de rangement, McVeigh, Manson et Atta me regardaient comme s'ils étaient vivants.

J'ai une nouvelle fois fouillé les tiroirs du bureau, à la recherche de noms. Lors de ma première visite, j'avais jugé le petit carnet d'adresses sans valeur, mais cette fois, je l'ai examiné attentivement.

Le carnet contenait à peine quarante noms et adresses. Aucun n'a attiré mon attention.

Je n'ai pas relu les relevés d'opérations bancaires, mais j'ai songé aux cinquante-huit mille dollars en liquide que Robertson avait débité de son compte durant les deux derniers mois. Il avait plus de quatre mille dollars dans ses poches quand il est mort.

Quand on est un psychopathe fortuné, et que l'on veut s'offrir un massacre, que peut-on avoir pour cinquante-quatre mille dollars ?

Malgré le manque de sommeil, et la migraine due aux comprimés de caféine, la réponse m'est apparue évidente : un massacre haut de gamme taille XXL. Le grand jeu, avec mitraillettes, explosifs, gaz toxiques… à peu près tous les gadgets possibles, à l'exception peut-être d'une bombe atomique !

Quelque part dans la maison, il y a eu un bruit de porte. Pas un claquement sonore. Juste le *clic* ! d'un battant que l'on referme d'une pression du pouce, le pêne d'une serrure qui retrouve son logement.

Sans bruit, mais rapidement, je me suis dirigé vers le seuil et j'ai passé la tête dans le couloir.

Aucun intrus. Sinon moi.

Les portes de la salle de bains et du placard étaient ouvertes, comme à mon arrivée.

Dans la chambre, l'armoire était équipée de portes coulissantes. Elles ne pouvaient avoir fait ce bruit de serrure.

Sachant que la mort attend au tournant le timoré comme l'imprudent, je me suis approché du salon. Personne.

La porte battante de la cuisine ne pouvait pas, non plus, avoir fait ce son métallique. La porte d'entrée était fermée, comme je l'avais laissée.

Dans le coin à gauche du salon, une armoire. Dans l'armoire : deux vestes, quelques cartons scotchés, un parapluie.

Dans la cuisine, personne.

Peut-être avais-je entendu quelqu'un *sortir* ? Ce qui signifiait, qu'à mon arrivée, un intrus se trouvait dans la maison et qu'il avait attendu le moment opportun pour filer...

Des gouttes de transpiration ont perlé sur mon front. Une autre a descendu ma colonne jusqu'au coccyx.

Et la chaleur du Mojave n'y était pour rien.

Je suis retourné dans le bureau et j'ai allumé l'ordinateur. J'ai regardé les logiciels de Robertson, parcouru les fichiers et j'ai trouvé une collection d'horreurs téléchargées sur Internet : de la pornographie sado-maso, des sites pédophiles. Et bien sûr, des documents sur des tueurs en série, des mutilations rituelles et autres cérémonies sataniques.

Rien de tout cela ne me mènerait à son acolyte, du moins pas assez vite pour éviter le massacre. J'ai éteint l'appareil.

Si j'avais eu du gel désinfectant, comme l'infirmière à l'hôpital, je m'en serais versé une demi-bouteille sur les mains.

Lors de ma première visite, j'avais fait une fouille rapide des lieux, ce qui avait suffi à me convaincre d'aller trouver Wyatt Porter pour l'avertir du danger. Même si un compte à rebours s'égrainait dans ma tête, je devais, cette fois, tout passer au crible (par chance, c'était une petite maison).

Dans la chambre à coucher, dans l'un des tiroirs de la commode, j'ai trouvé une panoplie de couteaux, à l'allure étrange. Des phrases en latin étaient gravées sur certaines lames.

Même si je ne lisais pas le latin, je sentais que ces mots avaient une signification aussi inquiétante que le fil des lames sur lesquelles ils étaient gravés.

D'autres couteaux portaient des hiéroglyphes de la garde jusqu'à la pointe. Ces pictogrammes étaient aussi obscurs que le latin, mais j'ai pu reconnaître certains motifs – des flammes, des rapaces, des loups, des serpents, des scorpions...

Dans un autre tiroir, j'ai découvert un calice d'argent, portant des inscriptions obscènes. Le métal était lustré, et froid dans la main.

Ce calice impie était la réplique parodique de la coupe utilisée lors des messes catholiques pour boire le vin. Les anses ouvragées représentaient des crucifix à l'envers : des christs la tête en bas. Des phrases latines cerclaient le pourtour du récipient, et ses flancs étaient décorés d'hommes et de femmes s'adonnant à la sodomie.

Dans le même tiroir, j'ai déniché un ciboire laqué de noir affublé d'autres décorations pornographiques. Sur les côtés et le couvercle, des images peintes à la main mettaient en scène des hommes et des femmes copulant non pas ensemble, mais avec des chacals, des hyènes, des chèvres et des serpents.

Dans une église ordinaire, le ciboire contient les hosties, le pain de l'eucharistie. Cette boîte débordait de galettes noires parsemées de taches rouges.

D'ordinaire le pain azyme des hosties dégage une odeur faible mais agréable. Le contenu de ce ciboire exhalait une odeur diaphane également, mais infecte – mélange d'herbes moisies, d'allumettes brûlées et de vomi.

La commode renfermait d'autres ustensiles sataniques mais j'en avais assez vu.

Comment des adultes pouvaient-ils prendre au sérieux ces rites sataniques grandguignolesques qu'Hollywood accommodait à toutes les sauces ? Un adolescent de quatorze ans, peut-être, parce que la poussée d'hormone pouvait lui endormir la moitié des neurones. Mais les adultes ? Même un psychopathe comme Bob Robertson et son copain inconnu, tout aussi avides de sang et dérangés qu'ils soient, devaient bien, dans des accès de lucidité, mesurer l'absurdité et le ridicule de ces mises en scène dignes d'Halloween ?

J'ai remisé ces accessoires à leur place.

Un toc-toc m'a fait sursauter. Le tapotement de doigts sur quelque chose...

Je me suis tourné vers la fenêtre, persuadé de voir un visage derrière la vitre... un voisin peut-être ? mais non, il n'y avait que la lumière du désert, l'ombre des arbres et l'herbe brune du jardin.

On a toqué encore, pas plus fort que la première fois. Ce n'étaient pas les trois ou quatre petits coups ordinaires, mais un staccato de petits chocs, durant au moins quinze ou vingt secondes.

J'ai traversé le salon pour m'approcher de la fenêtre à côté de la porte d'entrée ; j'ai écarté les rideaux crasseux. Personne sur le perron.

La Chevrolet de Rosalia était la seule voiture garée dans la rue. Le chien qui errait la veille était encore là, arpentant le trottoir la tête et la queue basses.

Je me suis souvenu du raffut qu'avaient fait les corbeaux lors de ma première visite... j'ai levé la tête, l'oreille tendue.

Au bout d'une minute, voyant que les bruits ne recommençaient pas, je suis retourné dans la cuisine. Par endroits, le vieux linoléum craquait sous mes pieds.

Je ne risquais pas de trouver le nom du partenaire de Robertson dans une cuisine, mais j'ai quand même inspecté les tiroirs et les placards. La plupart étaient vides :

quelques assiettes, cinq ou six verres, une petite collection de couverts.

Je me suis approché du réfrigérateur, me souvenant des paroles de Stormy, pour vérifier, cette fois, s'il ne renfermait pas des têtes coupées. Derrière la porte : des cannettes de bière et de soda, un morceau de jambon en boîte dans une assiette, un reste de tarte aux fraises, et la panoplie classique de sauces et condiments.

À côté de la pâtisserie, emmaillotées dans du cellofrais, quatre bougies noires et des cierges de vingt centimètres de longueur. Peut-être les rangeait-il ici pour éviter que le suif ne ramollisse et se déforme à la chaleur ?

À côté des bougies, un pot sans étiquette, contenant apparemment des dents. Après examen, j'ai reconnu des molaires, des prémolaires, des incisives, des canines. Des dents humaines. Il y avait de quoi garnir au moins cinq ou six bouches.

J'ai regardé ce pot un long moment, tentant d'imaginer comment Robertson avait rassemblé cette curieuse collection. Puis j'ai décidé qu'il ne valait mieux pas le savoir et j'ai refermé la porte.

Si le réfrigérateur n'avait pas contenu ces objets mystérieux, je n'aurais pas ouvert le compartiment congélateur. Mais à présent, je voulais faire une fouille exhaustive.

Le congélateur, sous le réfrigérateur, était équipé d'un casier roulant. Dans la fournaise de la cuisine, un nuage de vapeur s'est élevé du réceptacle quand je l'ai tiré.

Parmi le contenu, j'ai reconnu aussitôt les deux boîtes rose et jaune de Burke & Bailey ; les glaces que Robertson avait achetées la veille. Noix-sirop d'érable et chocolat-mandarine.

En plus des deux boîtes de glaces, le casier renfermait dix Tupperware pourvus de couvercles rouges, comme ceux destinés à conserver des lasagnes. Je ne les aurais pas ouverts si les deux en haut de la pile n'avaient porté des étiquettes : HEATHER JOHNSON. JAMES DEERFIELD.

Je cherchais bien des noms, n'est-ce pas ?

Quand j'ai soulevé ces deux Tupperware, j'ai vu que les autres, dessous, étaient également étiquetés : LISA BELMONT, ALYSSA RODRIGUEZ, BENJAMIN NADER...

J'ai d'abord ouvert Heather Johnson. Sous le couvercle rouge, il y avait les seins d'une femme.

49.

Des souvenirs. Des trophées. Des reliques pour nourrir l'imagination, pour pimenter les nuits solitaires !

J'ai lâché la boîte, comme si elle avait été brûlante, et j'ai repoussé le casier d'un coup de pied.

J'avais dû tourner le dos au congélateur, et me précipiter vers l'évier sans m'en rendre compte, car je me suis retrouvé penché au-dessus de la cuve, luttant contre un haut-le-cœur qui faisait remonter dans mon œsophage les cookies de Rosalia Sanchez.

Au cours de ma vie, j'ai vu beaucoup d'horreurs. Certaines plus sinistres encore que le contenu de ces Tupperware. Mais l'expérience ne m'a pas immunisé contre le dégoût, et la cruauté humaine a sur moi toujours le même pouvoir dévastateur, cette impression d'avoir soudain les jambes en coton...

J'aurais bien voulu me laver les mains et me passer la tête sous l'eau, mais je n'osais pas toucher le robinet de Robertson. Ni même son savon.

Dans le congélateur, neuf boîtes attendaient encore d'être ouvertes. Mais quelqu'un d'autre s'en chargerait. J'en avais, pour ma part, assez vu.

Le dossier au nom de Robertson ne renfermait qu'une page de calendrier, celle du 15 août ; j'en avais conclu que sa carrière de meurtrier ne débuterait qu'à cette date... mais la présence de ces reliques congelées suggérait que ses faits d'armes étaient peut-être déjà nombreux.

J'étais trempé de sueur, le front brûlant et le dos glacé. À quoi bon prendre une douche à l'hôpital ?

10h02 à ma montre.

Le bowling n'ouvrait pas avant 13 heures. La première séance du film avec le chien et l'alien commençait à la même heure.

Si mon rêve prémonitoire devait se réaliser, il me restait moins de trois heures pour neutraliser le partenaire de Robertson.

Par réflexe, j'ai décroché mon téléphone portable de ma ceinture, ouvert le clapet, tiré l'antenne. J'ai enfoncé le bouton « ON ». Et j'ai regardé le logo du fabricant apparaître sur l'écran avec son petit jingle électronique.

Wyatt Porter n'avait sans doute pas repris conscience. Et quand bien même, il aurait l'esprit embrumé par l'anesthésie, la morphine ou je ne sais quel antalgique, par la douleur aussi. Il n'aurait pas les idées assez claires pour donner des instructions à ses hommes.

Je connaissais tous les policiers de Pico Mundo, à divers degrés. Mais aucun d'entre eux n'avait conscience de mes pouvoirs paranormaux et aucun n'était un ami comme Wyatt Porter.

Si je faisais venir la police dans cette maison, leur montrais le contenu du congélateur et les suppliais de trouver le nom de l'assassin de Robertson, il leur faudrait des heures pour réagir. N'ayant pas mon sixième sens pour sentir l'imminence du massacre, ni assez confiance en moi pour me croire sur parole, ils ne mesureraient pas l'urgence de la situation.

Ils me garderaient au poste le temps pour eux de mener leur enquête. À leurs yeux, je serais aussi suspect que Robertson, car j'étais entré dans sa maison illégalement. Qui leur disait que ce n'était pas moi qui avais découpé ces reliques et les avais placées dans le congélateur de Robertson pour l'incriminer ?

S'ils retrouvaient le cadavre de Robertson et si le chef Porter – Dieu m'en garde ! – succombait à une complication post-opératoire, je serais, à tous les coups, arrêté et inculpé pour meurtre.

J'ai éteint le téléphone.

Sans nom pour orienter mon magnétisme psychique, sans personne à qui demander de l'aide, je me retrouvais dans une impasse.

Il y a eu un bruit dans une autre pièce ; pas le déclic d'une serrure, cette fois, ni des petits coups répétés, mais un choc, un objet qui tombe et qui se brise au sol.

Trop surpris pour prendre des précautions, j'ai foncé vers les portes battantes, tout en essayant de raccrocher mon téléphone à ma ceinture. Il m'a échappé des mains et est tombé par terre. Je n'ai pas pris le temps de le ramasser et me suis précipité dans le salon.

Une lampe gisait au sol, le socle de céramique en mille morceaux.

Je me suis rué vers la porte d'entrée côté rue et suis sorti sur le perron. Personne sur la pelouse ! Personne sur le trottoir ! De rage et de frustration, j'ai claqué le battant. Toute la maison en a tremblé. Et ce bruit avait quelque chose de satisfaisant, après tout ce temps à marcher sur la pointe des pieds ! Une saine colère !

J'ai couru dans le couloir, à la recherche de l'intrus. La chambre, le débarras, le bureau, les placards, la salle de bains. Personne !

Les corbeaux sur le toit n'avaient pas renversé la lampe. Ni un courant d'air, ni un séisme.

Je suis revenu dans la cuisine pour récupérer mon téléphone et sortir de la maison et je suis tombé nez à nez avec Robertson…

50.

Pour un mort qui n'avait plus à supporter les vicissitudes de la vie en ce bas monde, Robertson était encore animé d'une belle férocité ; il était aussi furieux que lors de notre dernière rencontre à l'église St. Barthélemy. Son corps pâle de champignon rayonnait de puissance, malgré son aspect spongieux. Son visage rond, aux traits effacés, était creusé par la rage.

Pas de blessure, pas de trou ni de tache sur le devant de sa chemise. À l'inverse de Tom Jedd, qui se promenait avec, à la main, son bras sectionné et s'en servait même pour se gratter le dos, Robertson était dans le déni absolu de sa propre mort ; il ne portait aucun stigmate de son trépas, comme Penny Kallisto qui ne présentait au cou aucune marque de strangulation (elles n'étaient apparues qu'en présence de Harlo Landerson, son assassin).

Dans un état de grande agitation, Robertson tournait en rond dans la cuisine, le regard rivé sur moi, les yeux plus sauvages et avides que ceux des coyotes à l'église de la Comète qui Murmure.

En découvrant les activités de Robertson, j'avais fait de lui un danger potentiel pour son collaborateur. J'avais, involontairement, signé son arrêt de mort, mais ce n'était pas moi qui avais appuyé sur la détente. Pourtant à l'évidence, il me haïssait davantage que son meurtrier, sinon il aurait couru un autre gibier.

Du four au réfrigérateur, du réfrigérateur à l'évier, il tournait en rond dans la cuisine, pendant que je me baissais pour récupérer mon téléphone par terre. Mort, Robertson m'inquiétait bien moins que lors de notre rencontre à l'église lorsque je le croyais vivant.

Au moment où j'ai raccroché mon téléphone à ma ceinture, Robertson est venu dans ma direction et s'est planté devant moi. Ses yeux étaient gris et froids comme l'acier, mais on y sentait brûler toute sa fureur.

J'ai soutenu son regard et n'ai pas reculé. J'avais appris à ne pas montrer ma peur dans ce genre de situation.

Son visage épais avait toujours cet air spongieux de champignon, mais d'une espèce solide et charnue, comme un bolet. Ses lèvres exsangues étaient retroussées, découvrant une rangée de dents qui n'avaient pas souvent vu de dentifrice.

Il s'est penché vers moi et a refermé sa main droite sur ma nuque.

Autant les mains de Penny Kallisto étaient sèches et chaudes, autant celle de Robertson était humide et glacée. Ce n'était pas sa véritable main, bien entendu, que je sentais là, seulement un mirage, une manifestation de son esprit; mais la nature de ces contacts, l'impression qu'ils laissaient, en disaient long sur l'âme.

Même si je ne voulais pas montrer mon dégoût, je me suis recroquevillé intérieurement; j'imaginais cette main tripotant les reliques dans le congélateur. Contempler ces sinistres trophées ne pouvait le satisfaire... peut-être les faisait-il décongeler, pour accentuer le plaisir tactile, pour raviver les souvenirs de chacune de ses victimes, pour nourrir ses pulsions? Il touchait et caressait la peau, pinçait, malaxait, pétrissait la chair, y déposait de tendres baisers.

Aucun esprit, quelle que soit sa noirceur, ne peut faire de mal à une personne vivante par contact direct. C'est notre monde, ici, pas le leur. Leurs coups de poing nous passent au travers, et leurs morsures ne peuvent entailler notre épiderme.

Voyant qu'il ne parvenait à me faire peur, Robertson a lâché ma nuque. Sa fureur avait décuplé; elle distordait son visage en un faciès de gargouille haineuse.

Pour les morts, il n'existait qu'un seul moyen d'atteindre les vivants. Si leur âme était suffisamment maligne, si leur cœur était assez noir pour s'emplir d'un fiel inex-

pugnable, ils parvenaient à concentrer leur fureur démoniaque en un nœud d'énergie noire et à le projeter sur
des objets inanimés.

C'est ce qu'on appelle des esprits frappeurs. Une telle
entité, un jour, a détruit ma magnifique chaîne hi-fi,
ainsi que ma jolie plaque commémorative du concours
d'écriture que j'avais remportée au lycée.

Comme à la sacristie de St. Barthélemy, le courroux
de Robertson s'est déchaîné dans la cuisine, et je voyais
ses mains nimbées d'un halo d'énergie. L'air vibrait
autour de ses doigts, ondulait en cercles concentriques.

Les portes des placards, touchées par ces ondes,
s'ouvraient et se fermaient frénétiquement, faisant un
raffut de tous les diables, comme autant de mâchoires
haineuses dans une assemblée. Les assiettes jaillissaient
des étagères, fendant l'air dans des sifflements, tels des
disques lancés par un discobole invisible.

J'ai évité un verre qui a fini sa course contre le four,
en projetant un shrapnel scintillant. D'autres verres ont
fusé, mais ils sont passés loin de moi et ont explosé contre
les murs, les placards, les plans de travail.

Les esprits frappeurs sont animés d'une fureur aveugle,
ardente, qu'ils ne peuvent ni diriger, ni maîtriser. Ils ne
peuvent vous viser expressément ; si vous êtes touché,
c'est un heureux hasard. Mais, même par hasard, on peut
fort bien se retrouver décapité.

Accompagné par le tambourinement des portes de
placards qui claquaient à qui mieux mieux, Robertson
projetait des salves d'énergie tout azimut. Deux chaises
se sont mises à danser sur place, tapant des pieds sur le
linoléum, cognant contre les montants de la table.

Sur la cuisinière, les boutons ont tourné tout seuls.
Quatre anneaux de flammes ont percé la pénombre de la
cuisine d'un halo bleu.

En faisant attention aux objets volants, je me suis
écarté de Robertson et me suis dirigé vers la porte.

Un tiroir s'est ouvert et une gerbe de couverts en a
jailli, dans une tornade de métal scintillante, comme si
une armée de fantômes affamés se bousculaient pour
faire ripaille.

J'ai vu ces ustensiles fondre vers moi, passer au travers de Robertson comme s'il n'avait aucune consistance; j'ai détourné la tête et levé mes bras devant mon visage pour me protéger. Mais les couverts m'ont trouvé aussi sûrement que le fer trouve un aimant, et une averse de métal s'est abattue sur moi. Une fourchette a percé mes défenses et m'a heurté au front avant de ricocher sur mon cuir chevelu.

Quand tous les projectiles sont tombés derrière moi en une pluie tintinnabulante, j'ai lentement baissé les bras.

Tel un grand troll accomplissant une danse de sabbat sur une musique sinistre que lui seul pouvait entendre, Robertson faisait de grands moulinets avec ses bras, rejetait la tête en arrière, ouvrait la bouche béante, comme un loup hurlant à la lune, mais sans émettre aucun son.

Le compartiment supérieur du Frigidaire s'est ouvert, vomissant par terre bière, sodas, restes de jambon et de tarte aux fraises, en une flaque poisseuse et répugnante. Bouchons, capsules... tout a sauté... le liquide a jailli en geysers des boîtes qui tournoyaient au sol.

Le réfrigérateur tout entier s'est mis à vibrer, cognant l'habillage de bois. La vitre du casier à légumes s'est brisée, les étagères sont tombées.

En poussant du pied les cannettes de bière et les couverts jonchant le sol, j'ai poursuivi mon chemin vers la porte donnant sous l'abri de voiture.

Un grondement assourdissant m'a prévenu qu'un projectile pesant et mortel fondait vers moi.

J'ai fait un écart sur la gauche, en dérapant, un pied sur une cuillère tordue, l'autre sur une flaque de bière.

Avec sa cargaison sinistre encore congelée, le Frigidaire m'a raté d'un cheveu et a heurté le mur si violemment que les parpaings ont bougé derrière l'enduit de plâtre.

Un dernier plongeon et je me suis retrouvé dehors, dans l'ombre de l'abri de voiture; j'ai claqué aussitôt la porte derrière moi.

À l'intérieur, la tempête a continué de faire rage; des chocs, des explosions, des tornades de fer-blanc, de verre et de formica.

Je doutais que Robertson, dans son état de fureur, ne me suive, du moins pas avant un certain temps. Une fois lancé dans un processus de destruction, un esprit frappeur s'abîme dans un vortex de colère jusqu'à épuisement total, avant de rejoindre, en âme exsangue et hagarde, son purgatoire entre notre monde et le suivant.

51.

À la station-service où j'avais trouvé le Pepsi et les comprimés de caféine, je suis allé m'acheter une autre bouteille de soda, un flacon de désinfectant et des pansements adhésifs.

Le caissier à l'air ahuri a posé les pages sports du *Los Angeles Times* et s'est exclamé :

— Hé, vous saignez !

La courtoisie n'est pas seulement la « bonne » façon de parler aux gens, c'est aussi la plus simple. La vie est tellement pavée de conflits qu'il n'y a aucune raison d'en créer de nouveaux.

À cet instant, toutefois, j'étais de très mauvaise humeur. Le temps filait à une allure effarante, l'heure du massacre approchait à grands pas, et je n'avais toujours aucun indice quant à l'identité du partenaire de Robertson.

— Dites, vous savez que vous saignez ? a insisté le vendeur.

— Je m'en doute.

— Ce n'est pas beau à voir.

— Désolé.

— Que vous est-il arrivé ?

— Une fourchette.

— Une fourchette ?

— Oui. J'aurais dû manger avec une cuillère.

— Vous vous êtes planté tout seul une fourchette dans le front ?

— Non, elle a sauté.

— Qui ça ?

— La fourchette.

— Une fourchette qui saute ?

— Oui. Elle m'a foncé sur le front.

Le type a cessé de compter ma monnaie et m'a regardé d'un air suspicieux.

— C'est la vérité. Une fourchette m'a foncé sur la tête.

Le caissier a décidé de ne pas pousser plus avant la conversation. Il m'a rendu ma monnaie, emballé mes courses et s'est replongé dans la lecture de son journal.

Dans les toilettes de la station-service, je me suis nettoyé le visage, j'ai désinfecté la plaie et tamponné la blessure avec des serviettes en papier. L'entaille n'était pas profonde et le sang a bientôt cessé de couler.

Encore une fois, je regrettais de n'avoir, parmi mes dons, celui de la guérison spontanée.

Une fois posé le pansement, je suis retourné dans la Chevrolet. Assis derrière le volant, moteur en marche, air conditionné à fond, j'ai bu d'un trait mon Pepsi.

À ma montre : 10h48. Mauvaise nouvelle.

J'avais mal partout. Les yeux me brûlaient. J'étais las, fatigué, tout faible. Peut-être avais-je encore toutes mes capacités mentales, mais si je devais affronter en face à face l'acolyte de Robertson, j'avais peu de chances de remporter la victoire, car mon adversaire avait certainement passé une bien meilleure nuit que moi.

J'avais avalé deux comprimés de caféine moins d'une heure plus tôt, je ne pouvais en prendre d'autres. Et déjà les sucs gastriques me rongeaient l'estomac comme de l'acide chlorhydrique ; j'étais à la fois épuisé et sur les nerfs, ce qui n'était pas le meilleur état pour engager une lutte à mort.

Même si je n'avais aucun indice – ni nom, ni visage – pour orienter mon magnétisme psychique, j'ai sillonné les rues au petit bonheur, dans l'espoir que la chance me sourie.

Le ciel du désert brûlait comme du fer chauffé à blanc. L'air même semblait en feu, comme si le soleil, éloigné de la Terre de huit minutes-lumière, venait de se transformer en supernova et que nous vivions nos derniers instants avant d'être carbonisés par un tsunami de lumière.

Chaque rayon heurtant mon pare-brise me transperçait la rétine. Je n'avais pas mes lunettes de soleil. J'aurais bientôt un mal de tête carabiné à côté duquel la fourchette plantée dans mon front paraîtrait une simple pichenette.

Je roulais au hasard, me fiant à mon intuition, et je me suis retrouvé à Shady Ranch, l'un des nouveaux quartiers résidentiels sur les hauteurs de Pico Mundo qui, dix ans plus tôt, était encore le domaine des serpents à sonnettes. Des gens vivaient là, à présent ; peut-être cette communauté comptait-elle en son sein un psychopathe s'apprêtant à perpétrer un bain de sang ?

Shady Ranch, « Le ranch ombragé », n'avait jamais été, ni de près ni de loin, un ranch ; ce n'en était pas un non plus aujourd'hui, à moins de considérer chaque maison comme une pâture à bestiaux. Et en ce qui concernait les ombres, ces collines en avaient moins que les autres quartiers de Pico Mundo, car les arbres étaient loin d'être parvenus à l'âge adulte.

Je me suis garé devant chez mon père, dans l'allée, mais je ne suis pas descendu tout de suite de la voiture. Il me fallait un certain temps pour me préparer à cette épreuve.

À l'image de ses occupants, la maison, d'inspiration méditerranéenne, avait quelque chose de faux et de clinquant. Sous le toit de tuile rouge, l'alternance de fenêtres et de murs de plâtre beige traduisait moins un choix architectural que le diktat de normes industrielles.

Je me suis penché vers la buse de la climatisation et j'ai fermé les yeux, laissant courir l'air froid sur mes paupières. Des mouches fantomatiques voletaient devant mes rétines, reliques de l'ardeur de la lumière du désert. Ce ballet silencieux, curieusement, m'a apaisé... jusqu'à ce que le trou béant dans la poitrine de Robertson me revienne en mémoire.

J'ai coupé le moteur, suis sorti de l'habitacle et suis allé sonner chez mon père.

À cette heure de la matinée, il devait être encore chez lui. Il n'avait jamais travaillé de sa vie et ne se levait pas avant 9 ou 10 heures.

Mon père a ouvert la porte et marqué un instant de surprise.

— Odd ? Tu n'as pas appelé pour dire que tu passais.

— Non. Je n'ai pas appelé.

Mon père a quarante-cinq ans, c'est un bel homme avec des cheveux épais encore très bruns. Il a un corps d'athlète dont il est très fier – une fierté qui se mue bien souvent en vanité.

Il était torse nu, en short. Il entretenait son bronzage à coups de lotions et d'huiles solaires.

— Qu'est-ce qui t'amène ?

— Je ne sais pas.

— Tu n'as pas l'air en forme.

Il a reculé d'un pas. Il craignait les germes.

— Je ne suis pas malade. Juste fatigué. Je n'ai pas dormi. Je peux entrer ?

— On ne faisait pas grand-chose. On vient de finir de déjeuner et je m'apprêtais à me faire une séance d'UV...

Était-ce un « oui » ou un « non » ? Dans le doute, j'ai franchi le seuil et j'ai refermé la porte derrière moi.

— Britney est dans la cuisine, a-t-il annoncé en me conduisant vers le fond de la maison.

Les volets étaient fermés, une douce pénombre régnait dans les pièces.

J'ai déjà vu les lieux en pleine lumière. La maison est richement meublée. Mon père aime le luxe et le confort.

Il a hérité d'une coquette rente. Tous les mois, il reçoit un joli chèque qui lui permet d'avoir un mode de vie que bon nombre lui envient.

Même s'il a beaucoup d'argent, il en veut davantage encore. Il voudrait élever son train de vie et il peste contre les termes du testament qui le contraignent à vivre sur les rentes sans pouvoir avoir accès au capital.

Ses parents avaient été bien inspirés de mettre cette clause dans l'héritage. Sinon, il y a longtemps qu'il n'aurait plus rien et qu'il serait devenu SDF.

Mon père est toujours à la recherche de coups financiers pour faire fortune du jour au lendemain – le dernier en date étant la vente de terrains sur la lune. S'il avait dû gérer son argent, il ne se serait pas contenté de dix ou quinze pour cent de bénéfice et aurait investi de grosses sommes dans des projets risqués, dans l'espoir de doubler ou tripler la mise en une nuit.

La cuisine est spacieuse, avec un niveau d'équipement digne de celle d'un restaurant, et pourvue de tous les gadgets et accessoires culinaires imaginables, alors que mon père dîne dehors au moins six ou sept soirs par semaine ! Avec son plancher en érable massif, ses meubles de rangement de style marine, ses plans de travail en granit poli, ses fours et ses fourneaux en acier chromé, la pièce ressemble à un décor lustré de magazine.

Britney aussi semble sortir tout droit des pages d'un magazine ; c'est à vous en donner le tournis. À notre arrivée dans la cuisine, elle posait devant la fenêtre, sirotant une coupe de champagne, et regardait les serpents de soleil ondoyer à la surface de la piscine.

Son bikini miniature à lacets aurait donné des envies lubriques à un réalisateur blasé de films pornos et, à la fois, elle le portait si élégamment qu'elle aurait pu figurer dans les pages «mode» de *Cosmopolitan*.

Elle n'avait que dix-huit ans, mais paraissait plus jeune encore – elle répondait donc aux critères de sélection paternels : avoir moins de vingt printemps et passer pour une nymphette.

Quelques années plus tôt, il avait eu des ennuis avec la justice pour avoir cohabité avec une fille de seize ans. Il avait prétendu ne pas connaître son âge véritable. Les bons offices d'un avocat, payé à prix d'or, ainsi qu'un gros chèque versé aux parents de la fille lui avaient permis d'éviter la prison, et de sauver ses cheveux longs et son bronzage de surfeur californien.

Au lieu de me souhaiter la bienvenue, Britney m'a lancé un regard noir et soupçonneux, avant de reporter son attention vers le bassin turquoise.

Britney ne m'aime pas. Elle est persuadée que mon père me donne de l'argent, et, par conséquent, que c'est autant de moins qu'elle peut dépenser. Ses inquiétudes sont sans fondement. Mon père ne m'a jamais donné ne serait-ce qu'un dollar et s'il m'offrait de m'aider financièrement, je refuserais. Je ne veux pas un cent de lui.

Le danger pour elle était tout autre et elle aurait été bien inspirée de s'en soucier : primo, elle était avec mon père depuis cinq mois, or la longévité moyenne de ses liaisons était de l'ordre d'une demi-année. Secundo, la malheureuse allait bientôt fêter ses dix-neuf ans; elle approchait donc dangereusement de l'âge limite.

Il y avait du café frais. J'ai demandé une tasse et me suis servi. Puis je me suis installé sur un tabouret à l'îlot central.

Toujours mal à l'aise en ma compagnie, mon père déambulait dans la cuisine pour rincer la coupe vide de Britney, essuyer le comptoir qui était d'une propreté immaculée, réarranger les chaises derrière la table.

— Je vais me marier samedi.

Cette nouvelle l'a surpris. Son mariage avec ma mère avait été bref et il avait regretté son geste sitôt après lui avoir juré fidélité. Mon père n'était pas fait pour le mariage.

— Avec cette Llewellyn ?

— Oui.

— Tu crois que c'est une bonne idée ?

— La meilleure que j'aie jamais eue.

Britney s'est retournée pour me scruter de ses yeux de lionne. Noces signifiaient cadeaux de mariage, dons parentaux en tout genre et elle s'apprêtait à défendre bec et ongles ses intérêts.

Britney ne m'inspirait aucune colère. Mais une grande tristesse. Il n'était nul besoin d'être devin pour savoir que cette fille allait être très malheureuse dans sa vie.

Et elle me faisait un peu peur aussi, je dois le reconnaître, parce qu'elle était d'humeur changeante et pouvait piquer des colères terribles. Pis encore, elle avait un ego si démesuré qu'il n'y avait pas la moindre place en elle pour le doute ou le questionnement, et elle ne pouvait imaginer un jour pâtir des conséquences de ses actes.

Mon père aimait les filles colériques, chez qui la fureur couvait juste sous la surface, ne demandant qu'à jaillir. Plus ce signe de désordre psychologique était présent, plus cela excitait mon père. Le sexe, sans le piment du danger, l'ennuyait.

Toutes ses maîtresses avaient ce profil. Et trouver ces perles instables ne semblait pas lui demander de grands efforts ; c'étaient elles qui venaient à lui, attirées, sans doute, par ses vibrations ou ses phéromones.

Un jour, il m'avait expliqué que plus une femme était soupe au lait, plus elle était chaude au lit – un exemple d'enseignement paternel dont je me serais bien passé !

Pendant que je faisais descendre trente centilitres de café dans mon estomac plein de Pepsi, il m'a demandé :

— Ta Llewellyn est en cloque ?

— Non.

— Tu es trop jeune pour te marier. C'est à mon âge qu'on songe à poser ses valises.

Une assertion adressée à Britney. Mon père ne l'épouserait jamais. Plus tard, elle se souviendrait de cette promesse. Et quand il la mettra dehors, le combat sera digne de *Mothra contre Godzilla* !

Tôt ou tard l'une de ces furies, un jour de mauvaise humeur, lui réglera son compte pour de bon. Et je crois que, plus ou moins consciemment, il le sait.

— Qu'est-ce que tu as au front ?

— Un pansement.

— Tu as fait la fête, cette nuit, c'est ça ?

— Non, pas la fête.

— Tu t'es battu ?

— Non. Ce serait plutôt un accident de travail par fourchette interposée.

— Un quoi ?

— Une fourchette qui m'a sauté à la figure.

Cette assertion, apparemment, avait le don d'agacer les gens. Le visage de mon père s'est aussitôt durci.

— À quoi tu marches en ce moment ?

— À la caféine, ai-je admis.

— La caféine, mon cul !

— Au Pepsi aussi. Et au chocolat. Il y a de la caféine dans le chocolat, tu savais ? Alors je me suis enfilé depuis hier des cookies au chocolat, des beignets au chocolat…

— Samedi, ce n'est pas un bon jour. On ne peut pas se libérer samedi. On a prévu des trucs que l'on ne peut pas annuler.

— C'est pas grave. Je comprends.

— Il aurait fallu me prévenir plus tôt.

— Pas de problème. Je ne pensais pas de toute façon que tu serais libre.

— Il faut vraiment avoir un petit vélo dans la tête, a déclaré Britney, pour annoncer ses noces trois jours avant la cérémonie !

— Tout doux, Britney, a lancé mon père.

Mais le moteur psychologique de la fille ne connaissait pas la marche au ralenti.

— Putain de merde, c'est un taré total !

— Cela ne fait pas avancer beaucoup le débat, chérie, l'a réprimandée mon père, mais d'un ton tout miel.

— Quoi ! C'est pas vrai peut-être ? On en a parlé des dizaines de fois. Il n'a pas de voiture, il habite dans un garage...

— Au-dessus, ai-je rectifié.

— ... il porte les mêmes vêtements tous les jours, il est copain avec tous les barjos de la ville, et il rêve de devenir flic comme un ramasseur de balles rêve de devenir champion de tennis. C'est un dingue, je te dis. Il n'est pas normal.

— Je ne veux pas me disputer avec toi, ai-je dit.

— Un siphonné du carafon qui débarque ici défoncé à je ne sais quelle merde, et qui se met à parler de mariage et de fourchette sauteuse. Il faut appeler un chat un chat !

— C'est vrai que je ne suis pas normal, ai-je répondu en toute sincérité. Je le sais et je le reconnais. L'affaire est entendue. Ce n'est donc pas la peine de s'exciter.

Mon père a voulu se montrer rassurant, mais ses paroles sonnaient faux.

— Mais non. Ne dis pas ça. Tu es normal.

Il ignorait l'existence de mon don. À l'âge de sept ans, quand mon sixième sens a gagné en force et en puissance, je ne suis pas venu le trouver pour lui demander conseil.

Je lui ai caché ma différence, en partie parce que j'étais sûr qu'il allait me harceler pour que je lui donne les numéros gagnants de la loterie – ce dont j'étais parfaitement incapable. Je l'imaginais déjà m'emmenant sur les plateaux télé, pour me montrer comme un animal de foire, pour vanter mes dons, ou alors me vendant par actions à des spéculateurs voulant faire de moi le premier système psychique de prévisions boursières en temps réel.

— Je crois savoir, à présent, pourquoi je suis venu ce matin, ai-je dit en descendant de mon tabouret.

Je me suis dirigé vers la porte ; mon père m'a suivi.

— J'aurais vraiment aimé que tu choisisses un autre samedi.

Je me suis retourné vers lui :

— Si je suis venu ici, c'est parce que j'avais peur d'aller voir ma mère.

Britney s'est approchée de mon père, elle a plaqué son corps quasiment nu contre lui et a refermé ses bras sur son torse, les mains posées bien à plat. Il n'a fait aucune tentative pour la repousser.

— Il y a quelque chose qui m'obsède, ai-je expliqué, en m'adressant davantage à moi-même qu'à ces deux-là. Quelque chose qu'il faut que je sache… ou que je fasse. Et, d'une certaine manière, cette chose est liée à ma mère. Je crois qu'elle a la réponse.

— Des réponses ? a-t-il articulé. Comme tu sais, ta mère est bien la dernière personne qui puisse donner des réponses.

Me lançant un sourire torve, Britney a commencé à caresser le poitrail et le ventre musclés de mon père, en passant sa main de bas en haut, puis de haut en bas.

— Assieds-toi, a-t-il annoncé. Je vais te faire un autre café. Si tu as un problème, il faut en parler.

La main de Britney s'attardait sur le ventre, ses doigts effleuraient la ceinture du short.

Il voulait que je voie le désir qu'il suscitait chez cette jeune Lolita. La fierté pathétique de l'étalon, et cette fierté phagocytait tout son esprit et l'empêchait de voir l'humiliation de son fils.

— Hier, c'était l'anniversaire de la mort de Gladys Presley, ai-je dit. Son fils a pleuré pendant des jours après sa mort, et pendant un an son chagrin s'est vu sur son visage.

De fines rides sont apparues sur le front paternel saturé de Botox, mais Britney n'a pas eu de réaction, trop captivée qu'elle était par son petit jeu. Ses yeux luisaient de moquerie ou de triomphe, tandis que sa main s'insinuait plus bas sous le short.

— Il adorait son père aussi. Demain, c'est l'anniversaire de la propre mort d'Elvis. Je vais tenter de lui remonter le moral, lui dire comme il a eu de la chance depuis le jour de sa naissance.

Je suis sorti de la cuisine, puis de la maison.

Mon père n'a pas cherché à me rattraper. Je savais qu'il n'en ferait rien.

52.

Ma mère habite le vieux centre de Pico Mundo, dans une jolie maison victorienne – un héritage des parents de mon père.

Au moment du divorce, elle avait récupéré cette charmante demeure avec tout son contenu et touchait une coquette pension indexée sur le coût de la vie. Puisqu'elle ne s'était pas remariée (et ne se remarierait sans doute jamais), cette pension serait une rente à vie.

La générosité n'est pas le fort de mon père. C'est parce qu'il craignait ma mère qu'il s'est montré aussi magnanime et qu'il lui a offert une vie confortable. Même si ça lui coûtait de partager sa rente mensuelle avec son ex-femme, il n'osait pas renégocier les termes du contrat. Ma mère obtenait toujours ce qu'elle voulait.

Il payait pour sa propre sécurité et pour avoir le droit de refaire sa vie (c'était à ça, selon lui, que servait une pension alimentaire). Il était donc parti de la maison quand j'avais un an, en m'abandonnant derrière lui.

Avant de sonner à la porte, j'ai passé la main sur la balancelle installée sous l'auvent, pour m'assurer qu'elle était propre. Elle pourrait s'asseoir là et moi, je m'installerais sur la rambarde.

On discutait toujours dehors. Je m'étais juré de ne plus jamais remettre les pieds dans cette maison, même si je devais survivre à ma mère.

Après avoir sonné deux fois sans obtenir de réponse, j'ai fait le tour de la bâtisse.

La propriété est vaste. Deux grands chênes de Californie se dressent juste derrière la maison, la plongeant dans une pénombre quasi permanente. Plus loin, le terrain est à découvert et le soleil, sans entraves, peut baigner de ses rayons un savant jardin de roses.

Ma mère s'occupait des rosiers. Comme une dame d'un autre âge, elle portait une robe d'été jaune avec un chapeau assorti.

Malgré les larges pans du chapeau qui masquaient son visage, je savais qu'elle n'avait rien perdu de sa beauté depuis notre dernière rencontre quatre mois plus tôt.

Lorsqu'elle avait épousé mon père, elle avait dix-neuf ans et lui, vingt-quatre. Elle en avait quarante à présent, mais en paraissait dix de moins.

Sur les photos de mariage, elle semblait avoir seize ans ; elle était belle à couper le souffle, et paraissait si vulnérable, si jeune pour être une épouse. Aucune des conquêtes de mon père n'avait égalé sa beauté.

Même aujourd'hui, avec ses quarante ans, si elle se trouvait dans la même pièce que Britney, elle avec sa robe d'été, la jeunette dans son bikini à lacets, la plupart des hommes seraient attirés par ma mère. Et si elle avait envie d'être la reine du moment, elle leur aurait fait oublier jusqu'à la simple existence de la petite nymphette.

Je me suis approché sans annoncer ma présence. Elle a tourné la tête vers moi, s'est redressée et a battu un moment des paupières, comme si elle avait devant elle un mirage.

— Odd, mon garçon, tu as dû être un chat dans une autre vie pour t'approcher comme ça sans bruit !

Je me suis forcé à sourire, mais ce n'était guère convaincant.

— Bonjour, M'man. Tu es resplendissante.

On était forcé de lui faire des compliments ; mais en vérité, elle était toujours resplendissante.

Si elle avait été une étrangère, je l'aurais trouvée plus belle encore, mais notre histoire commune diminuait la pureté de son aura.

— Approche, chéri, regarde comme elles sont magnifiques...

Je me suis engagé dans l'allée bordée de roses, faisant crisser sous mes pieds les petits gravillons de granit.

Certaines fleurs aux pétales rouge sang formaient des gerbes écarlates chatoyant au soleil. D'autres étaient des coupes de feu, des calices orange, jaunes. D'autres encore étaient roses, pourpres, pêche... la roseraie était une symphonie de couleurs ; le jardin était décoré comme pour un jour de fête.

Ma mère m'a fait une bise. Ses lèvres n'étaient pas glacées ; encore une fois, cela m'a surpris.

Elle a désigné le rosier devant moi :

— Ce sont des John F. Kennedy. Elles sont merveilleuses, n'est-ce pas ?

D'une main, elle a soulevé une fleur mature si lourde qu'elle faisait ployer la tige.

Aussi blancs que des os desséchés au soleil du Mojave, avec une nuance de vert, les pétales étaient étonnamment épais et doux au toucher.

— On dirait qu'ils sont en cire, ai-je dit.

— Exactement ! Ils sont parfaits, tu ne trouves pas ? J'aime toutes mes roses, mais celles-ci sont mes préférées.

Moi, je ne les aimais pas... et ce n'était pas uniquement parce que c'étaient les roses préférées de ma mère... leur perfection me paraissait artificielle. Les plis soyeux des pétales semblaient cacher en leur centre mille promesses mystérieuses. Mais c'étaient de fausses promesses... Cette blancheur de neige, cette rigidité cireuse – et l'absence de parfum – ne traduisaient ni la pureté, ni la passion, mais la mort.

— Tiens, je te l'offre, a-t-elle dit en sortant un petit sécateur de sa poche.

— Non, ne la coupe pas. Laisse-la grandir. Ce serait du gâchis de me la donner.

— C'est absurde. Tu n'auras qu'à l'offrir à ta petite copine. Bien présentée, une seule belle rose peut en dire davantage qu'un bouquet.

Elle a tranché la tige à environ vingt centimètres du bouton.

J'ai tenu la fleur sous la corolle, entre le pouce et l'index, sur une zone dépourvue d'épines.

J'ai jeté un coup d'œil à ma montre. Le parfum enivrant des fleurs ne ralentissait pas le temps. Il filait toujours aussi vite. L'ex-associé devait à présent rouler vers sa destination funeste.

Ma mère avançait dans la roseraie avec une grâce de reine, dispensant ses sourires aux têtes inclinées de ses sujets multicolores.

— Je suis contente que tu sois venu me rendre visite. Que me vaut cet honneur?

— Je ne sais pas trop au juste, ai-je répondu, en marchant un pas derrière elle. J'ai un problème et...

— Les problèmes n'ont pas le droit de cité ici! a-t-elle répliqué d'un ton de remontrance. De l'allée, côté rue, à la grille du fond, les soucis sont *persona non grata*.

Conscient des risques, j'ai poursuivi sur ce terrain dangereux. Les gravillons sous mes pieds auraient pu tout aussi bien cacher des sables mouvants.

Je ne voyais pas d'autre façon de procéder. Je n'avais pas le temps de jouer à ses petits jeux.

— Il y a une chose dont je dois me souvenir ou que je dois faire... mais je bloque. Mon intuition m'a mené ici parce que... parce que je pense que tu peux m'ouvrir les yeux, m'aider à voir ce qui m'a échappé...

Mes paroles risquaient de lui rester parfaitement incompréhensibles. Comme mon père, elle ignorait mon don...

Très jeune, j'avais compris que si je lui compliquais l'existence en lui révélant ma particularité, ce fardeau serait si pesant pour elle qu'il signerait son arrêt de mort. Ou le mien.

Ma mère voulait mener une vie sans stress, sans la moindre contrainte. Elle n'acceptait d'autres devoirs ou obligations que ceux envers elle-même.

Pour elle, ce n'était pas de l'égoisme. Mais une question de survie, car le monde, à ses yeux, était plus contraignant qu'elle ne saurait le supporter.

Si elle acceptait la vie avec tous ses problèmes, c'était la dépression nerveuse assurée. Par conséquent, elle gérait le monde avec la distance glacée d'une despote et préservait son fragile équilibre en se tissant un épais cocon d'indifférence.

— Peut-être qu'en discutant un peu, je pourrais comprendre, exactement, ce qui m'amène ici, pourquoi j'ai pensé que tu pouvais m'aider...

L'humeur de ma mère peut changer en un instant. La dame aux roses était trop fragile pour relever un tel défi, et la fée lumineuse a laissé place à la walkyrie furieuse.

Ma mère m'a regardé en plissant les yeux, ses lèvres pâles et pincées de colère, comme si son regard noir pouvait m'envoyer dans une autre dimension.

D'ordinaire, cela aurait effectivement suffi.

Mais le soleil, boule incandescente d'un feu nucléaire, montait vers son zénith, me rapprochant de l'heure fatidique du massacre. Je ne pouvais pas recommencer à errer dans les rues de Pico Mundo, sans un nom ou un visage, pour me guider.

Quand elle s'est aperçue que je n'allais pas la laisser immédiatement retrouver ses roses rassurantes, elle m'a lancé d'une voix tranchante comme de la glace pilée :

— Il a été tué d'une balle dans la tête, tu le sais.

Cette déclaration m'a laissé perplexe, et pourtant elle semblait avoir un rapport mystérieux avec l'horreur qui se tramait.

— Qui ça ?

— John F. Kennedy (elle a montré ma rose). Ils l'ont abattu d'une balle dans la tête, lui ont fait sortir la cervelle du crâne.

— Mère, ai-je commencé (j'employais rarement ce terme pour m'adresser à elle), aujourd'hui, c'est différent. J'ai vraiment besoin de ton aide. Des gens vont mourir, sinon. Beaucoup de gens...

C'était la pire chose que je pouvais lui dire... Elle n'avait pas les capacités émotionnelles pour assumer une telle responsabilité.

Elle a arraché la rose que j'avais à la main et l'a écrasée.

N'ayant pas lâché assez vite, la tige avait frotté contre mes doigts et une épine s'était fichée dans mon pouce.

Elle a jeté les restes de la fleur au sol, a fait demi-tour, et s'est éloignée à pas vifs vers la maison.

Je ne comptais pas baisser les armes. Je l'ai rattrapée et j'ai marché à côté d'elle, en la suppliant de m'accorder quelques minutes pour que je puisse y voir plus clair, comprendre pourquoi, en désespoir de cause, j'étais venu ici, chez elle.

Elle a pressé le pas et je l'ai imitée. Le temps d'atteindre le perron derrière la maison, elle courait, les pans de sa robe voletant comme des ailes, sa main plaquée sur son chapeau pour l'empêcher de tomber.

Elle a claqué la porte moustiquaire derrière elle. Je me suis arrêté sur le seuil, n'osant aller plus loin.

Je m'en voulais de la harceler ainsi, mais j'étais à bout, moi aussi.

Je l'ai appelée à travers le grillage de plastique :

— Je ne m'en irai pas. Pas cette fois! Je n'ai nulle part où aller.

Elle ne répondait pas. Derrière la moustiquaire, j'apercevais la cuisine dans le clair obscur qui filtrait des fenêtres aux rideaux tirés. La pièce était immobile et silencieuse. Ma mère devait s'être enfoncée plus profond dans la maison.

— Je suis sur le perron! ai-je crié. Je t'attends. Je t'attendrai toute la journée s'il le faut!

Mon cœur tambourinait dans ma poitrine. Je me suis assis en haut de l'escalier, les pieds sur les marches, dos à la porte de la cuisine.

Plus tard, il me paraîtrait évident que j'étais venu chez elle dans l'intention de déclencher cette crise, de contraindre ma mère à sortir son argument imparable pour défendre sa petite bulle d'égoïsme : son pistolet.

À cet instant, toutefois, la confusion était ma seule compagne; toute clarté d'esprit m'avait abandonné depuis longtemps.

53.

La base de l'épine dépassait de mon pouce. Je l'ai retirée, mais la blessure a continué à me brûler comme si l'aiguillon avait été trempé dans l'acide.

Assis, tout honteux, sur le perron de la maison maternelle, je m'apitoyais sur mon sort, comme si ce n'était pas qu'une simple épine qui avait entaillé ma chair, mais une couronne entière.

Enfant, quand j'avais mal aux dents, je ne pouvais espérer aucun réconfort de la part de ma mère. Elle appelait toujours mon père ou un voisin pour m'emmener chez le dentiste, et pendant ce temps, elle s'enfermait à double tour dans sa chambre. Elle se terrait dans son antre un jour ou deux, jusqu'à être certaine que je n'avais plus mal et que je ne risquais pas d'aller la trouver pour me plaindre.

La moindre fièvre, le moindre mal de gorge la mettait dans des états d'angoisse insurmontables. À sept ans, j'avais eu une crise d'appendicite à l'école et on m'avait transporté directement à l'hôpital; une chance, car si cela m'était arrivé à la maison, ma mère m'aurait laissé mourir dans ma chambre, pendant qu'elle aurait tenté de retrouver sa sérénité dans les livres, la musique et autres occupations élégantes qui définissaient son *perfecto mundo*.

Mes besoins affectifs, mes joies et mes terreurs, mes doutes, mes espoirs, mes misères et mes angoisses, incombaient à moi seul. Je devais les explorer et les dompter sans ses conseils ni sa compassion. Seuls les sujets qui ne troublaient pas sa tranquillité d'esprit ni n'exigeaient quelque conseil de sa part étaient autorisés.

Pendant seize ans, nous avons vécu ensemble, sous le même toit, mais chacun dans un monde différent – deux univers parallèles qui ne se croisaient jamais. Les traits marquants de mon enfance ont été la solitude et la lutte permanente pour ne pas laisser mon esprit s'atrophier faute de communication.

De temps en temps, lorsque des événements contraignaient nos mondes parallèles à se rencontrer et généraient des crises que ma mère ne pouvait ni supporter, ni esquiver, alors elle sortait son sceptre ultime du pouvoir : son pistolet. La terreur que m'inspiraient ces moments sinistres, comme le remords qui m'étreignait ensuite, rendaient ma solitude hautement préférable. Tout plutôt que de contrarier ma mère.

Tandis que je pressais mon pouce pour empêcher le sang de couler, j'ai entendu la moustiquaire cliqueter derrière moi.

Je ne voulais pas me retourner pour la regarder. Ce vieux rituel arriverait bien assez tôt.

Derrière moi, elle a articulé :

— Va-t'en.

J'ai contemplé le jeu d'ombres complexes projeté par les chênes, les roses chatoyantes au-delà…

— Non. Pas cette fois. Je ne peux pas.

J'ai regardé ma montre : 11h32. Je n'aurais pas été plus tendu si j'avais eu une bombe à retardement fixée au poignet.

La voix de ma mère était devenue sourde, écrasée par le poids que j'avais placé sur ses épaules, celui de la simple empathie pour son prochain – un fardeau qu'elle ne pouvait porter.

— Je ne peux pas me laisser entraîner sur ce terrain.

— Je sais. Mais il y a quelque chose… je ne sais pas trop quoi… quelque chose que tu pourrais faire pour m'aider.

Elle s'est assise à côté de moi sur les marches. Elle avait le pistolet dans les mains, le canon dirigé, pour l'instant, vers le fond du jardin.

Ce n'était pas un simulacre. L'arme était chargée.

— Je ne peux pas vivre de cette façon. C'est au-dessus de mes forces. Je ne peux pas. Les gens veulent toujours des choses, des vampires qui vous sucent le sang. Tous... toujours à réclamer, avides, insatiables. Tes besoins... c'est comme une veste de plomb sur moi, un poids qui m'écrase, c'est comme si on m'enterrait vivante.

Jamais, depuis des années – peut-être même était-ce la première fois ? –, je n'étais allé aussi loin que ce funeste mercredi.

— Ce qui est dingue, mère, c'est qu'après vingt ans de toute cette merde, tout au fond de mon cœur, là où ce devrait être tout noir, je crois qu'il y a encore une étincelle d'amour pour toi. C'est peut-être de la pitié, je n'en sais rien, mais ça fait mal comme de l'amour. Alors ce doit être encore de l'amour...

Elle ne voulait pas d'amour, ni le mien, ni celui de personne. Elle n'en avait pas à donner en retour. Ma mère ne croit pas en l'amour. L'amour lui fait trop peur, à cause de ce qu'il exige. Elle voulait le bon et l'agréable, des relations légères qui se contentaient de parler de la pluie et du beau temps. Son monde parfait ne comptait qu'une seule habitante ! Si elle ne s'aimait pas totalement à la folie, elle avait néanmoins une telle affection pour sa personne que sitôt qu'elle se trouvait en compagnie d'autrui elle regrettait sa propre compagnie.

En réaction à ma déclaration d'amour maladroite, elle a tourné la gueule du canon vers elle. Elle a plaqué l'arme sous son menton, en la redressant à la verticale pour ne pas rater le cerveau.

Avec des paroles et de la froideur, elle pouvait se défaire de n'importe qui, mais, dans notre relation conflictuelle, cela n'avait bien souvent aucun effet. Même si elle refusait de le reconnaître, un lien particulier unissait une mère à son enfant, et ce lien ne pouvait être brisé qu'avec des moyens de coercition radicaux.

— Tu veux appuyer sur la détente à ma place ?

Comme de coutume, j'ai détourné la tête et j'ai pris une grande inspiration pour garder mon calme ; j'ai eu l'impression que les ombres des arbres s'étaient infiltrées dans mes poumons, qu'elles étaient passées dans mon sang. Et un noir glacé a envahi mon cœur.

Immanquablement, comme à chaque fois que je refusais de voir ce spectacle, elle m'a lancé :

— Regarde-moi ! Regarde-moi ou je me fais sauter la cervelle et je crève dans mon sang à tes pieds !

À contrecœur, j'ai obéi.

— Vas-y, appuie sur la détente, petite merde. Puisque c'est ma mort que tu veux ! Appuie donc !

Je ne comptais plus le nombre de fois où elle m'avait ainsi défié.

Ma mère est folle. Les psychiatres ont toutes sortes de noms pour qualifier son mal, des mots froids et techniques de médecins. Mais dans le *dictionnaire personnel de Odd*, ça s'appelle purement et simplement de la folie.

Il paraît qu'elle n'a pas toujours été comme ça. Enfant, elle était douce, gentille, et affectueuse.

Le changement était survenu à l'âge de seize ans. Elle a commencé à être victime de brusques sautes d'humeur. Sa douceur avait cédé la place à des accès de colère qu'elle ne parvenait à contenir qu'en s'isolant.

Une psychothérapie et des médicaments n'avaient pu lui faire retrouver son ancienne nature. À dix-huit ans, elle avait arrêté tous les traitements ; personne ne s'y était opposé, parce qu'à l'époque, elle n'était pas totalement enfermée dans un univers solipsiste, dangereuse et délirante, comme elle le serait quelques années plus tard.

Lorsque mon père l'avait rencontrée, elle était simplement cyclothymique et juste suffisamment inquiétante pour exciter l'ego paternel. Mais le mal avait empiré dans les années suivantes, et mon père avait pris la poudre d'escampette.

Elle n'avait jamais été internée parce qu'elle parvenait parfaitement à se maîtriser quand on ne la forçait pas à avoir des relations avec autrui au-delà de son seuil limite. C'est à moi qu'elle réservait ses menaces de suicide (ou occasionnellement de meurtre), alors qu'elle offrait au monde extérieur un semblant de normalité.

Grâce à ses revenus substantiels qui la dispensaient de travailler et à son mode de vie de recluse, peu de gens à Pico Mundo connaissaient son mal.

Sa beauté exceptionnelle l'aidait aussi à préserver ses secrets. À beau visage, belle âme… Les gens n'imaginaient pas que derrière cette perfection physique se cachait un esprit malade et torturé.

Sa voix s'est mise à vibrer de rage :

— Je maudis la nuit où ton idiot de père t'a mis dans mon ventre !

Je suis resté de marbre. Ce n'était pas la première fois que j'entendais ça. Elle m'avait déjà dit bien pis.

— J'aurais dû t'arracher avec une aiguille à tricoter et te jeter aux ordures. Mais j'aurais eu des clopinettes au divorce ! Tu étais mon ticket gagnant.

Quand je vois ma mère dans cet état, ce n'est pas de la haine que je perçois en elle, mais de l'angoisse, du désespoir… peut-être même de la terreur. Je ne saurai jamais la douleur et l'horreur qui pouvaient l'habiter.

Lorsqu'elle est seule, quand on ne lui demande rien, je pense qu'elle est satisfaite de son sort, sinon heureuse – et c'est là ma seule consolation, qu'elle puisse connaître de temps en temps la paix.

— Soit tu arrêtes de me sucer le sang, soit tu appuies sur la détente, espèce de petite merde !

L'un de mes souvenirs d'enfance les plus vifs, c'est une nuit pluvieuse de janvier… J'avais cinq ans et j'avais la grippe… Quand je ne toussais pas, j'appelais ma mère en pleurant. Partout dans la maison, ma mère entendait mes pleurs. Impossible, pour elle, de s'isoler.

Elle est alors venue dans ma chambre et s'est étendue à côté de moi, comme n'importe quelle mère venant s'allonger à côté de son enfant pour le réconforter, mais ma mère avait son pistolet à la main. Et elle a menacé de se tuer si je ne me taisais pas. C'était ainsi qu'elle obtenait toujours mon silence, mon obéissance, ma soumission totale.

Cette nuit-là, j'ai ravalé ma peine comme j'ai pu et contenu mes larmes, mais je ne pouvais rien faire contre le feu qui brûlait ma gorge. Pour ma mère, chaque quinte de toux était un message de reproche lui rappelant ses devoirs maternels. Et ces appels réitérés la mettaient au supplice, la poussaient, à chaque fois un peu plus, vers un gouffre sans fond.

Voyant que les menaces de suicide ne réduisaient pas ma toux au silence, elle a plaqué le canon sur mon œil droit. Et m'a dit de regarder dedans, de regarder le point brillant de la balle qui m'était destinée, tout au fond du conduit noir.

On est restés longtemps comme ça, avec la pluie qui cognait aux carreaux de ma chambre. Jamais, je n'ai connu une telle terreur, aussi pure, aussi absolue que cette nuit-là.

Avec le recul des années, je ne pense pas qu'elle m'aurait tué, ni ce soir-là, ni les autres fois. Tuer quelqu'un – moi ou quelqu'un d'autre – c'était se condamner au type même d'interactions avec autrui qu'elle tentait désespérément d'éviter. On lui demanderait alors des explications, on exigerait des réponses. On voudrait savoir la vérité, entendre des remords et voir la justice rendue. C'était bien plus qu'elle ne pourrait supporter, et ils en voudraient toujours davantage, jamais ils ne seraient rassasiés.

J'ignorais si elle allait, aujourd'hui encore, tourner l'arme vers moi et je ne savais pas trop quelle serait ma réaction cette fois-ci. J'étais venu ici chercher une confrontation, un électrochoc susceptible de m'éclairer, de me montrer le chemin pour trouver l'associé de feu Robertson. Mais comment? Quel indice cherchais-je au juste? Tout était si confus…

Elle a alors baissé le pistolet pour le plaquer sur son sein gauche – une autre pantomime dont elle a le secret; une balle volatilisant le cerveau d'une mère est un symbole moins fort qu'une balle lui déchirant le cœur.

— Si tu ne me laisses pas tranquille, si tu continues à me sucer le sang comme un vampire, alors pour l'amour du Ciel, appuie sur la détente, abrège mes souffrances!

En pensée, j'ai vu la poitrine perforée de Robertson, une image qui me hantait depuis près de douze heures.

J'ai voulu refouler cette vision dans les profondeurs de ma mémoire, dans ce cloaque où j'enfouis les souvenirs trop rétifs qui veulent remonter à la surface.

Et brusquement, je me suis aperçu que c'était pour cette raison que j'étais venu ici : pour forcer ma mère à jouer son infâme rituel du suicide qui était au cœur de notre relation depuis deux décennies, pour que je puisse voir de nouveau ce pistolet plaqué sur sa poitrine, pour qu'elle me force, malgré mon dégoût et mon horreur, à regarder... *regarder*.

La veille, dans ma salle de bains, je n'avais pas eu le courage d'observer la plaie de Robertson.

J'avais senti qu'il y avait quelque chose d'étrange, qu'il y avait là un mystère à éclaircir, mais pris de nausée, j'avais détourné les yeux et reboutonné la chemise.

Ma mère me tendait le pistolet, crosse en avant :

— Vas-y, petite merde, prends-le, prends-le, tue-moi et finissons-en, ou alors va-t'en et fiche-moi la paix !

11h35 à ma montre.

La voix de ma mère était vibrante de fureur, de démence haineuse :

— J'ai tellement regretté que tu ne sois pas mort-né... mort-né !

En vacillant, je me suis relevé et j'ai descendu les marches du perron.

Dans mon dos, ma mère crachait ses démons comme autant de couteaux pour me lacérer :

— Tout le temps que je t'ai porté, j'ai cru que tu étais mort à l'intérieur, mort et pourri !

Le soleil, astre nourricier de la terre, versait du lait bouillant dans le ciel, dissolvant l'azur en une coupe blanche. Même les ombres des chênes vibraient sous la chaleur. Une honte si cuisante m'envahissait, pendant que je quittais la maison de ma mère, que je n'aurais pas été surpris de voir l'herbe s'embraser sous mes pas.

— Mort à l'intérieur ! criait-elle. Mois après mois, j'ai senti ton fœtus pourrir et grossir dans mon ventre, répandre son poison dans tout mon corps.

À l'angle de la maison, je me suis retourné pour la regarder... une dernière fois – parce que c'était la dernière fois que je la voyais, j'en étais sûr.

Elle avait descendu les marches, mais ne m'avait pas suivi. Sa main droite tremblait contre sa hanche, le pistolet pointé vers le sol.

Je n'avais pas demandé à naître. Juste à être aimé.

— Je n'ai rien à donner, disait-elle. Tu entends ? Rien ! Rien ! Tu m'as empoisonnée, tu m'as remplie de

pus et de pourriture et maintenant je suis contaminée !
Tu m'as détruite !

Je lui ai tourné le dos – un adieu définitif – et j'ai
couru vers la rue.

Connaissant mes géniteurs et mon enfance, parfois
je me demande comment je ne suis pas devenu fou. Peut-
être le suis-je au fond.

54.

En roulant bien plus vite que la vitesse autorisée, j'ai foncé vers les faubourgs de Pico Mundo ; malgré moi, je pensais à la mère de ma mère, mamie Sugars.

Ma mère et ma grand-mère vivent dans deux zones totalement distinctes de mon esprit, deux territoires de ma mémoire qui n'entretiennent d'ordinaire aucun commerce. J'aimais mamie Sugars et je préférais oublier qu'elle était la mère de sa fille démente.

Les imaginer ensemble soulevait en moi des interrogations douloureuses, une cohorte de questions auxquelles je ne voulais pas chercher de réponses – je faisais montre en ce domaine d'une résistance de longue date.

Pearl Sugars savait que sa fille était mentalement instable, pour ne pas dire déséquilibrée, et qu'elle avait cessé de prendre ses médicaments depuis sa majorité. Mamie Sugars devait se douter que sa fille ne pourrait supporter la grossesse ni la responsabilité d'avoir un enfant.

Et pourtant, elle n'était pas intervenue pour me sauver...

Première raison : elle avait peur de sa fille. J'en ai eu la preuve à maintes reprises. Les sautes d'humeur de ma mère, et son tempérament colérique, terrifiaient ma grand-mère... ce qui était pour le moins curieux, puisque mamie Sugars n'avait d'ordinaire pas froid aux yeux et n'hésitait pas à se battre avec des types qui la dépassaient de deux têtes.

En outre, Pearl Sugars aimait trop sa vie sans attaches pour poser ses valises et élever un petit-fils.

L'appel du large, le strass des grandes parties de cartes dans des villes de légende (Las Vegas, Reno, Phoenix, Albuquerque, Dallas, San Antonio, La Nouvelle-Orléans, Memphis), le besoin d'aventure la tenaient éloignée de Pico Mundo plus de la moitié de l'année.

À sa décharge, mamie Sugars ne pouvait imaginer la cruauté de ma mère à mon égard. Elle ignorait que j'étais élevé sous la menace d'une arme à feu.

Au moment où j'écris ces lignes, personne n'est au courant du rite du pistolet, excepté ma mère et moi. Même à Stormy, qui connaît pourtant tous mes secrets, je ne lui ai pas confié celui-là. Seul Little Ozzie, quand il lira ce manuscrit, saura tout de mes rapports avec ma mère.

La honte et le regret, jusqu'à présent, m'ont incité à passer sous silence cet aspect de mon existence. Je suis assez vieux, même si je n'ai que vingt ans, pour savoir que je n'ai aucune raison de me sentir honteux ou coupable, que je suis la victime, non le tortionnaire. Et pourtant, j'ai tellement vécu avec ces deux sentiments qu'ils sont désormais ancrés en moi à jamais.

Quand je donnerai ce texte à Ozzie, j'en rougirai d'embarras. Et pendant qu'il lira ce passage, j'irai me cacher le visage sous un coussin comme une autruche.

Les consciences infectées déchargent leurs secrets sur les sourds oreillers[1].

Shakespeare, *Macbeth*, acte V scène 1.

Si j'inclus cette allusion littéraire, ce n'est pas uniquement pour vous faire plaisir, Ozzie. Ce constat amer trouve un écho en moi. Ma mère a contaminé mon esprit avec un virus si puissant que je ne suis pas même parvenu à confier mes secrets de victime à mon oreiller... je les emporte avec moi, chaque nuit, sans pouvoir m'en libérer.

Et en ce qui concerne mamie Sugars, je me demande, à présent, si ses absences et sa vie aventureuse, combinées à son goût du jeu et son tempérament insatiable,

---

1. Traduction François-Victor Hugo. (*N.d.T.*)

ont été des facteurs déterminants dans les problèmes psychologiques de ma mère.

Pis encore : le mal de ma mère pourrait-il être d'origine non pas psychologique mais purement et exclusivement génétique ? Peut-être Pearl Sugars souffrait-elle, à un degré moindre, de la même psychose que sa fille, sauf que celle de mamie se manifestait sur un mode éminemment plus sympathique ?

Les tendances solipsistes de ma mère étaient peut-être la simple inversion du nomadisme de ma grand-mère. La sécurité matérielle si chère à ma mère (et si « chèrement » acquise puisqu'il lui avait fallu surmonter son dégoût d'être enceinte) pouvait être la réplique en négatif du goût invétéré de grand-mère pour le risque et les jeux de hasard.

Par conséquent, tout – ou presque tout – ce qui faisait le charme de mamie Sugars provenait en réalité du même dysfonctionnement mental qui avait transformé ma mère en tortionnaire. Cette constatation me troublait, pour des raisons évidentes certes, mais aussi pour d'autres, plus mystérieuses, qu'il me faudra sans doute encore vingt ans d'existence pour éclaircir – si tant est qu'il me reste vingt années à vivre.

À mes seize printemps, Pearl Sugars m'a demandé de l'accompagner sur les routes. À l'époque, j'étais déjà comme aujourd'hui : un garçon qui voit les morts avec des obligations, des responsabilités, des missions à accomplir... Je n'avais d'autre choix que de décliner son offre. Si les circonstances m'avaient permis de voyager, d'aller de tournoi en tournoi, d'aventure en aventure, la vie quotidienne, avec son stress, ses contraintes et ses aléas, m'aurait peut-être révélé une Pearl Sugars moins agréable que celle que je connaissais.

Je veux croire que mamie Sugars pouvait éprouver de l'amour authentique, à l'inverse de ma mère, et je veux croire qu'elle m'a aimé – aimé vraiment. Si, sur ces deux points, je me trompe, alors toute mon enfance n'aura été qu'une terre désolée.

N'ayant pu chasser ces idées noires de mon esprit, je suis arrivé à l'église de la Comète qui Murmure d'une humeur aussi sinistre que la litanie de palmiers morts qui entourait les vieux bâtiments menaçant de crouler.

Je me suis garé devant le hangar où les trois coyotes m'avaient encerclé. Cette fois, pas de comité d'accueil canin.

Ce sont des chasseurs nocturnes. Durant la fournaise de la journée, ils se réfugient au fond de leur tanière.

La prostituée morte, la charmeuse de coyotes, n'était pas là non plus. J'espérais qu'elle avait trouvé son chemin vers l'Autre Monde, mais je doutais que mon laïus mièvre ait suffi à la convaincre de déménager.

Dans le sac en plastique qui me faisait office de valise, j'ai pris la lampe torche, la paire de ciseaux et la boîte de lingettes.

Dans mon appartement, quand j'avais préparé mon sac, je m'étais demandé pourquoi je m'encombrais de lingettes et – article plus saugrenu encore – d'une paire de ciseaux. Mais mon subconscient, lui, devait savoir que j'en aurais besoin à un moment donné.

Notre inconscient nous connaît mieux que nous-mêmes. Même si nous ne voulons pas le reconnaître.

Quand je suis descendu de voiture, la chaleur du désert était écrasante. Une chape de plomb et de silence pesait sur les lieux ; tout était immobile, figé, comme un paysage de neige enchâssé dans du plastique.

Mais ma montre me confirmait que le temps ne s'était pas arrêté pour autant : 11h57.

Deux palmiers desséchés projetaient leurs ombres squelettiques sur le sol devant le hangar ; on avait l'impression qu'ils avaient été plantés là, il y a bien longtemps, pour saluer le retour d'un messie qui ne s'était jamais montré... Mais moi, j'étais revenu pour examiner un mort, pas pour le faire se relever...

Quand je suis entré dans le bâtiment, j'ai eu l'impression de partager le sort de Shadrach, Meschach et Abednego, jetés dans le four de Nabuchodonosor, sauf qu'aucun ange ne viendrait me sortir de cette fournaise putride.

La lumière acide et aveuglante du désert transperçait les hublots, formant des colonnes de feu, mais elles

étaient si espacées les unes des autres qu'elles n'éclairaient rien ; j'ai dû sortir ma lampe électrique.

J'ai suivi le couloir crasseux jusqu'à la quatrième
porte et je suis entré dans la chambre rose, temple jadis
dédié à la fornication, transformée aujourd'hui en crématorium à combustion lente.

55.

Aucun curieux ou charognard n'était venu pendant mon absence. Le cadavre était là où je l'avais laissé, un pan du drap ouvert, un pied exposé, le reste du corps enveloppé dans son suaire de fortune.

La chaleur de la nuit et le soleil du matin avaient précipité la décomposition. La puanteur était pire ici que dans le reste du hangar.

La touffeur et l'odeur ont été deux uppercuts au ventre. En hoquetant, je suis sorti de la chambre, à la recherche d'air frais pour contenir mes haut-le-cœur.

J'ai sorti une lingette du paquet que j'avais pris avec moi ; elle était parfumée au citron ; je l'ai déchirée en deux, j'ai confectionné deux manchons de fortune que j'ai enfoncés dans mes narines.

En respirant par la bouche, je ne sentais plus l'odeur de pourriture. Mais quand je suis entré pour la seconde fois dans la chambre, mon estomac s'est quand même révulsé.

J'aurais pu trancher le lacet restant (celui aux pieds ayant sauté la veille) et tirer un grand coup sur le drap pour sortir le cadavre de son enveloppe. Mais la pensée de voir ce corps en décomposition rouler au sol, comme s'il était animé, m'a convaincu d'employer une autre méthode.

En rassemblant mon courage, je me suis agenouillé à côté du mort, et j'ai posé la lampe au sol.

J'ai pris le lacet entre mes doigts et ai délicatement écarté les brins. Les ciseaux étaient suffisamment aiguisés pour trancher trois épaisseurs de drap d'un coup. J'ai commencé à couper le tissu avec précaution, l'idée d'entailler les chairs dessous me dégoûtait.

Le visage est apparu en premier entre les pans. Si j'avais commencé d'en bas, il m'aurait suffi de couper jusqu'à la hauteur du cou pour découvrir la blessure – et cela m'aurait évité cette vision de cauchemar.

Le temps et la chaleur avaient fait leur œuvre sinistre. Le visage – que je voyais à l'envers – était enflé, sombre, presque noir, et marbré de vert. La bouche béait. Une fine cataracte s'était formée sur chaque œil, mais je voyais encore nettement la démarcation entre le blanc et l'iris.

Lorsque je me suis penché au-dessus du visage pour poursuivre la découpe, le mort m'a léché le poignet.

J'ai poussé un cri d'horreur en faisant un bond en arrière et j'ai lâché les ciseaux.

Dans la bouche ouverte du cadavre, une chose noire bougeait; sous le coup de la surprise, je n'ai pas reconnu tout de suite ce que c'était... Une fois sortie de la cavité, la chose s'est dressée sur ses quatre pattes arrière, en brandissant en l'air ses quatre membres antérieurs d'un air menaçant. Une tarentule!

D'une claque de revers, un geste trop vif pour qu'elle ait une chance de piquer, j'ai envoyé l'araignée à l'autre bout de la pièce. Elle a roulé au sol et est partie se cacher dans un coin sombre.

Quand j'ai ramassé les ciseaux à terre, ma main tremblait tellement que j'ai dû prendre une longue inspiration pour retrouver mon calme.

Tout en redoutant que d'autres visiteurs se soient glissés sous le suaire, attirés par la chair odorante, j'ai continué à couper le drap. Par bonheur, j'ai pu découvrir la poitrine sans faire d'autres mauvaises rencontres.

Dans mon sursaut face à la tarentule, l'un des bouchons dans mon nez avait sauté. Lorsque les dernières molécules de parfum au citron se sont évaporées, j'ai senti de nouveau l'odeur de décomposition, mais un peu moins fort que la première fois parce que je respirais par la bouche.

La tarentule n'était plus dans son coin, elle escaladait le mur rose de ses huit pattes velues.

Trop tendu et trop pressé par le temps, j'ai déchiré la chemise en arrachant les boutons. L'un d'entre eux m'a sauté au visage, les autres ont rebondi au sol.

J'ai chassé tant bien que mal de mon esprit l'image de ma mère plaquant le pistolet sur sa poitrine et j'ai braqué le faisceau de la lampe sur la blessure. Luttant contre mon dégoût, je me suis approché de l'orifice et j'ai vu ce qui m'avait semblé étrange la première fois.

J'ai posé la lampe et j'ai pris trois lingettes. Je les ai empilées pour confectionner un tampon et j'ai nettoyé les coulures qui maculaient les abords du trou.

La balle avait transpercé un tatouage, juste sur le cœur. Un rectangle noir qui avait la même taille que la carte de méditation que j'avais trouvée dans son porte-feuille. Au centre de ce rectangle, il y avait trois hiéro-glyphes rouges.

Gavé de caféine, inquiet, les yeux chassieux, je n'arri-vais pas à déchiffrer ce message que je voyais à l'envers. J'ai contourné Robertson pour me mettre face à lui ; son regard laiteux semblait me suivre.

J'ai redressé la lampe pour vérifier où se trouvait l'araignée. Elle n'était plus sur le mur, mais progressait au plafond, dans ma direction. Sitôt que la lumière l'a touchée, elle s'est immobilisée.

J'ai braqué le faisceau vers la blessure et me suis aperçu que les hiéroglyphes étaient en réalité de simples lettres, dans une calligraphie fleurie. P... D... La troi-sième lettre avait été détruite par l'impact, mais au vu des traits subsistants, ce ne pouvait être qu'un M.

PDM. Ce n'était pas un mot, mais un sigle. Grâce à Shamus, le sens ne laissait aucun doute : Père du Men-songe.

Robertson avait le nom de son maître gravé sur son cœur.

Trois lettres : PDM. Trois lettres... j'avais vu une autre suite de trois lettres quelque part, récemment...

Soudain, le souvenir de l'agent Simon Varner est remonté à ma mémoire : au volant de la voiture de patrouille sur le parking du bowling, penché à la por-tière, son visage gentil de présentateur d'émission pour enfants, ses yeux de nounours, son gros bras posé sur la vitre ouverte, avec ce tatouage de gang qui l'embar-rassait. Rien d'élaboré comme le tatouage de Robertson, ni en finesse, ni en calligraphie. Pas d'encadrement noir,

pas de couleur. Juste un sigle en lettres grossières : T...
quelque chose. TDP, je crois.

L'agent Varner, de la police de Pico Mundo, portait-il
sur son bras le nom du maître de Robertson ?

Si TDP étaient les initiales de l'un des nombreux
noms du diable, alors Varner appartenait au même club
que Robertson.

Les noms du malin ont défilé dans ma tête : Satan,
Lucifer, le Vieux Serpent, Belzébuth, le père du Mal, sa
Majesté satanique, Apollyon, Bélial...

Je ne voyais pas quel nom pouvait correspondre à
l'inscription sur le bras de Varner, mais j'étais certain
que j'avais trouvé l'ex-partenaire de Robertson.

Au bowling, il n'y avait pas de bodachs autour de Varner, alors que Robertson avait droit à une belle escorte.
Si j'avais vu des bodachs autour du policier, j'aurais alors
compris sa véritable nature...

Craignant que l'on puisse relever mes empreintes, j'ai
glissé mon tampon de lingettes souillées dans la poche
de mon jean. J'ai ramassé les ciseaux, me suis redressé
et j'ai balayé le plafond avec le faisceau de ma lampe. La
tarentule était juste au-dessus de moi.

Les tarentules sont des animaux farouches. Elles
n'attaquent pas les êtres humains.

Je suis sorti de la pièce en courant ; j'ai entendu
l'araignée tomber au sol, un bruit mou mais sonore. J'ai
claqué la porte et essuyé mes empreintes sur la poignée
avec mon T-shirt. J'ai aussi nettoyé le bouton de la porte
d'entrée avant de sortir du bâtiment.

Parce que les tarentules sont craintives d'ordinaire et
parce que je ne crois pas aux coïncidences, j'ai piqué un
sprint vers la Chevrolet, j'ai jeté la paire de ciseaux et la
lampe dans le sac, démarré le moteur et écrasé l'accélé-
rateur. Je suis sorti de l'église de la Comète qui Murmure
sur les chapeaux de roues, en soulevant un nuage de
sable et de poussière ; je voulais rejoindre la grande route
avant d'être encerclé par une légion de tarentules, une
armée de coyotes et une masse grouillante de crotales,
aux ordres de Lucifer.

56.

Ce n'était pas TDP, mais PDT ! C'était ça le sigle sur le bras de Simon Varner ! Cela m'est revenu en mémoire d'un seul coup, alors que je roulais vers le centre-ville. PDT : Prince des Ténèbres !

Pour le commun des mortels, un sataniste en costume gothique, accomplissant des messes noires avec un calice décoré d'obscénités, n'était guère différent d'un membre de la Confrérie du Hérisson coiffé d'une grosse toque en fourrure – peut-être moins bien intentionné, mais tout aussi toqué. Les types qui se déguisent pour paraître méchants sont supposés aussi inoffensifs que ceux qui se baladent avec des lunettes à monture d'écaille, le pantalon à feu de plancher remonté jusqu'aux aisselles, en arborant un écusson dans le dos scandant : « Jar Jar Binks Président ! »

Si, jusqu'à aujourd'hui, je pouvais croire que les satanistes n'étaient que de gentils attardés jouant aux méchants, le contenu des Tupperware dans le congélateur de Robertson m'avait ramené à la triste réalité.

Puisque je savais, à présent, qui était le partenaire de Robertson, je me faisais fort de le retrouver grâce à mon sixième sens. Sachant que sous l'emprise de mon magnétisme psychique (que Stormy appelait parfois mon syndrôme MP, ou tout simplement mon MP), je pouvais, de temps en temps, tourner sans crier gare à un carrefour, je m'efforçais de ne pas rouler trop vite.

Pour exercer mon MP, je me coupais du monde extérieur et focalisais mon esprit sur la cible – en l'occurrence, Varner – et non sur l'endroit où je me trouvais ou sur la destination vers laquelle m'emportait mon don. Je le saurais forcément en arrivant sur les lieux.

Dans cet état, mon esprit conscient se relaxait, et des pensées éparses fusaient, presque aussi nombreuses que mes brusques changements de direction. Cette fois, l'une de ces pensées avait trait à la sœur aînée de ma mère, Cymry, que je n'avais jamais rencontrée.

Aux dires de ma mère, Cymry a épousé un Tchèque, prénommé Dobb. Mon père, quant à lui, soutient que Cymry ne s'est jamais mariée.

Ni mon père, ni ma mère ne sont des champions de la vérité. Mais, en ce cas présent, je crois plus volontiers la version paternelle affirmant que je n'avais aucun oncle, originaire de Tchécoslovaquie ni d'ailleurs.

Selon mon père, Cymry est un monstre, mais il n'en dit pas davantage. Cette assertion rend ma mère folle de rage ; elle prétend que, au contraire, Cymry est un don du ciel.

Voilà un jugement étrange quand on sait que ma mère n'a jamais cru en Dieu.

Lorsque, la première fois, j'ai parlé de Cymry à mamie Sugars, elle a fondu en larmes. Je ne l'avais jamais vue pleurer auparavant. Le lendemain, les yeux encore bouffis, elle avait repris la route pour aller participer à un tournoi de poker à des centaines de kilomètres.

La deuxième fois, lorsque je lui ai demandé de me parler de Cymry, elle s'est mise en colère, agacée de me voir revenir sur le sujet. Jamais, non plus, je ne l'avais vue se mettre en colère. Elle est devenue froide et distante, alors qu'elle était toujours si chaleureuse avec moi. Et ce comportement me rappelait par trop celui de ma mère.

Après ça, je me suis bien gardé de parler de Cymry.

J'imagine que dans une clinique, quelque part, j'ai une tante, gavée de médicaments, qui doit me ressembler un peu. Mais, à l'inverse de moi, elle a eu le tort, enfant, de parler de son don.

C'est sans doute pour cette raison que mamie Sugars, malgré tous ses gains au jeu, n'avait rien laissé en héritage. Tout son argent avait dû servir à alimenter un fonds pour payer les soins de Cymry.

Au fil des ans, mon père avait laissé filtrer, à son insu, quelques indices qui m'avaient convaincu que le sixième sens de Cymry, aussi étrange fût-il, était accompagné de mutations physiques. Elle faisait peur aux gens non seulement par ce qu'elle disait, mais aussi par son aspect.

Souvent, un bébé ayant une mutation à la naissance en développe d'autres ensuite. Ozzie prétend – et ce n'est pas le romancier qui s'exprime – qu'un bébé sur quatre-vingt-huit mille naît, comme lui, avec six doigts à une main. Des centaines, sinon des milliers, d'entre eux vivent aux États-Unis, et pourtant combien d'adultes à six doigts connaissez-vous ? Aucun, parce que la plupart de ces bébés naissent avec d'autres difformités auxquelles ils succombent dans les premières années.

Les enfants à six doigts suffisamment robustes pour survivre se font retirer ce doigt supplémentaire par opération chirurgicale. « Et ils vivent parmi nous, disait Little Ozzie, en se faisant passer pour des "terriens" à cinq doigts. »

Je pense que c'est la vérité, parce que Ozzie est fier de son sixième doigt et qu'il adore collecter des informations sur « ses frères mutants de race supérieure aux mains de pickpockets ». Son autre mutation, aux dires d'Ozzie, est à l'origine de son talent d'écrivain. C'est grâce à une altération des gènes qu'il est capable d'écrire aussi vite et aussi bien et de sortir autant de best-sellers.

Je rêve de temps en temps à tante Cymry. Ce ne sont pas des rêves prémonitoires. Ils sont pleins de regrets. De tristesse aussi.

Il était 12h21. Je rêvassais à tante Cymry, tout en ayant conscience du temps qui s'enfuyait. Me laissant porter par mon MP, je m'attendais à rencontrer Varner dans les environs immédiats du bowling ou du cinéma multiplex où la première séance commençait dans une demi-heure. Mais contre toute attente, mon sixième sens m'a conduit au centre commercial de Green Moon.

Détail curieux pour un mercredi après-midi : le parking était plein. L'immense bannière annonçait que la grande braderie d'été commençait aujourd'hui, à 10 heures et durerait jusqu'à la fin de la semaine.

Quelle foule...

57.

Une galaxie de soleils scintillait sur les pare-brises des voitures, un océan de lumière aveuglant. J'ai cligné des yeux sous le choc.

Les grands magasins occupaient les extrémités nord et sud du centre commercial. Entre les deux, une succession de boutiques spécialisées.

Mon MP m'a conduit vers la grande enseigne de la pointe nord. J'ai contourné le bâtiment et me suis garé derrière, près d'une rampe menant aux aires de livraison en sous-sol.

Trois places plus loin, une voiture de patrouille noir et blanc. Pas de flic en vue.

Si c'était le véhicule de Varner, il était déjà dans le centre commercial.

Mes mains tremblaient. Les touches de mon téléphone étaient si petites... J'ai dû m'y reprendre à deux fois avant de parvenir à composer le numéro du Burke & Bailey.

Je voulais dire à Stormy de quitter le magasin tout de suite, de sortir du centre commercial par l'issue de secours la plus proche, de monter dans sa voiture et de s'en aller, n'importe où, mais loin, très loin.

Au moment où ça sonnait, j'ai raccroché. Son destin n'était pas de croiser le chemin de Varner, mais si je lui disais de se sauver, elle risquait de se trouver dans la ligne de mire lorsqu'il sortirait son arme.

Sa destinée était de vivre avec moi pour toujours. La machine diseuse de bonne aventure l'avait annoncé. La carte était punaisée au-dessus de son lit. La Mère Gitane nous l'avait donnée, contre une seule pièce de vingt-cinq cents, alors que l'autre couple, malgré tout l'argent versé, n'avait pu s'offrir cette prédiction.

Simple logique : si je n'interférais pas, il n'arriverait rien à Stormy. Mais si elle changeait ses plans à cause de mon affolement, je pouvais modifier le cours des événements : la foi – il fallait avoir la foi en notre destin.

Mon devoir n'était pas de prévenir Stormy mais d'arrêter Simon Varner avant qu'il ne passe à l'action, avant qu'il ne tue qui que ce soit.

C'était un typique « plus-facile-à-dire-qu'à-faire ». Varner était un policier, moi non. Il avait sur lui au moins une arme à feu, moi pas. Il était plus grand, plus fort, et parfaitement entraîné pour neutraliser n'importe quel citoyen énervé. Il avait tous les avantages – sauf un : mon sixième sens.

L'arme avec laquelle il avait tué Robertson était sous mon siège. Je l'avais mise là, la veille, dans l'intention de m'en débarrasser.

Je me suis penché, ai fouillé à tâtons sous les ressorts à la recherche du pistolet. J'ai refermé les doigts sur la crosse ; j'avais l'impression de tenir la Mort dans ma main.

Après quelques hésitations, j'ai trouvé la commande d'éjection du chargeur. Neuf balles. Des douilles de cuivre. Un chargeur quasiment plein. La seule balle manquante se trouvait dans le cœur de Robertson.

J'ai remis le chargeur en place.

Le pistolet de ma mère avait une sécurité. Un point rouge indiquait que le cran de sécurité était désengagé.

Mais ce modèle n'était pas équipé de ce dispositif. Peut-être la sécurité était-elle intégrée au mécanisme ? Peut-être fallait-il appuyer deux fois sur la détente ?

En revanche, rien n'empêchait mon cœur de faire *boum ! boum !*

Ce n'était pas la mort que je tenais dans ma main, mais *ma* mort.

J'ai posé le pistolet sur mes cuisses, et j'ai composé le numéro du portable de Wyatt Porter, pas sa ligne professionnelle. Les touches paraissaient avoir encore rapetissé, comme si c'était le téléphone de la chenille fumeuse de narguilé d'*Alice au pays des merveilles*... Je suis toutefois parvenu à entrer les sept chiffres au premier essai et j'ai enfoncé la touche appel.

Karla Porter a décroché à la troisième sonnerie. Elle était toujours dans la salle d'attente. Elle avait pu voir son mari à trois reprises, pendant cinq minutes.

— Il était réveillé la dernière fois, mais très faible. Il savait qui j'étais. Il m'a souri. Mais il avait du mal à parler, et ce n'était pas cohérent. Ils l'assomment de sédatifs pour améliorer la cicatrisation. Je ne crois pas qu'il pourra parler avant demain.

— Mais il va s'en sortir?

— C'est ce qu'ils disent. Et je commence à y croire.

— Je l'aime, ai-je articulé en entendant ma voix se briser.

— Il le sait, Odd. Il t'aime aussi. Comme son fils.

— Dites-le-lui, surtout.

— C'est promis.

— Je rappellerai.

J'ai coupé la communication et j'ai lâché le téléphone sur le siège côté passager.

Le chef de la police ne pouvait pas m'aider. Personne ne pouvait m'aider. Et il n'y aurait pas, cette fois, de prostituée morte pour arrêter ce coyote avide de sang. J'étais tout seul.

Mon intuition me disait de ne pas prendre le pistolet. Je l'ai de nouveau caché sous le siège.

Quand j'ai coupé le moteur et suis sorti de la voiture, le soleil ardent était à la fois le marteau et l'enclume, et forgeait le monde entre ses rayons et leurs réflexions.

Mon magnétisme psychique fonctionne aussi bien en voiture qu'à pied; il a aussitôt guidé mes pas vers la rampe des livraisons, vers l'antre frais des sous-sols.

58.

Avec son plafond bas, et ses perspectives de béton gris, l'aire de livraison et le parking réservé aux employés ressemblaient à un tombeau antique, creusé dans les sables de l'Égypte, comme si un pharaon honni avait été enterré là, dans une sépulture à bas prix, sans or ni ornements d'aucune sorte. Il régnait dans cette immense alcôve une atmosphère menaçante.

Les quais de déchargement surélevés formaient un long plateau, et de gros camions, çà et là, étaient garés en marche arrière. Au niveau de la grande surface, les poids lourds pouvaient contourner les quais et accéder directement à une énorme salle de déchargement donnant dans les réserves du magasin.

L'endroit bourdonnait d'activité, entre les livreurs qui déchargeaient la marchandise des camions et les manutentionnaires préparant leurs chariots pour regarnir les gondoles après la fermeture du magasin.

Je me suis faufilé entre les rayonnages de marchandises, les chariots, les tourniquets et les piles de caisses et de cartons. On y trouvait de tout, des robes de soirée aux gadgets culinaires, en passant par les articles de sport, sans compter les rayons parfums, maillots de bain, chocolats fins.

Personne ne m'a demandé ce que je faisais ici, et quand j'ai pris une batte de base-ball en bois, dans un conteneur qui en comptait des centaines, personne ne m'a dit quoi que ce soit.

Une autre caisse débordait de battes en aluminium. Ce modèle ne me convenait pas. J'en préférais une lourde et bien équilibrée. On peut casser un bras avec une batte en bois et briser un genou encore plus facilement.

J'ignorais si j'aurais besoin de m'en servir. Mais mon MP m'avait conduit à elle alors j'ai suivi son conseil. Je ne voulais pas être pris au dépourvu.

Le base-ball était mon unique activité extrascolaire quand j'étais au lycée. Comme je l'ai dit plus tôt, j'étais le meilleur batteur de l'équipe, même si je ne pouvais jouer que les matchs à domicile.

Et j'ai continué à pratiquer. Le Pico Mundo Grille possède son équipe. Nous jouons contre d'autres établissements et diverses entreprises et organisations ; on leur fiche une raclée tous les ans.

Les Fenwick et les chariots électriques allaient et venaient dans un concert de *bip ! bip !* et de coups de Klaxon. Je m'écartais de leur chemin, mais continuais à avancer, même si je n'avais aucune idée de l'endroit où mes pas m'emportaient.

En pensée, je voyais Simon Varner, avec son air gentil, ses yeux de nounours. Et PDT sur son avant-bras. Trouver ce salaud. Vite !

Une double porte battante menait dans un couloir – sol de ciment brut, murs peints. J'ai hésité : prendre à droite ou à gauche ?

Mon estomac s'est contracté. Il me fallait des anti-acides.

Et une plus grande batte. Et un gilet pare-balles. Et des renforts aussi. Mais je n'avais rien de tout ça. Je devais continuer à avancer tout seul.

Sur la droite, des portes étiquetées : TOILETTES, BUREAU DES LIVRAISONS, SERVICE ENTRETIEN.

Trouver Simon Varner. Visage gentil. Prince des ténèbres. Sentir son champ d'attraction, me laisser porter par les lignes de forces...

J'ai croisé deux hommes, puis une femme, et encore un homme. On s'est souri, salués de la tête. Aucun d'entre eux n'a paru surpris par ma présence.

Je suis arrivé près d'une porte estampillée : SÉCURITÉ. J'ai marqué un temps d'arrêt ; c'était à la fois ici et, en même temps, pas vraiment...

Quand mon MP fonctionne, je « sais », sans équivoque, quand je suis arrivé à destination. Mais cette fois c'était juste une sensation... Il y a une différence... peut-être pas très claire pour vous, mais, pour moi, parfaitement tangible.

J'ai posé ma main sur la poignée ; j'ai hésité.

Dans mon esprit, j'ai entendu Lysette Rains qui me disait la veille au soir, chez Wyatt Porter : « Avant j'étais une simple prothésiste ongulaire et maintenant, je suis une styliste diplômée en nail art. »

Je jure sur ma vie (et ma vie était réellement en jeu puisque je fonçais droit vers une fusillade) que je ne savais pas pourquoi je me remémorais ces paroles à cet instant précis.

Sa voix a résonné à nouveau : « Il m'a fallu du temps pour me rendre compte comme on est seuls en ce monde ; mais une fois qu'on s'en aperçoit… alors l'avenir vous paraît vraiment terrifiant. »

J'ai lâché la poignée.

Je me suis écarté de la porte.

Une galopade de chevaux ferrés sur des pavés n'aurait pas fait plus de bruit que le tambourinement de mon cœur dans ma poitrine.

Mon instinct est un adjudant autoritaire et quand il sonne l'assaut, je ne tergiverse pas sous prétexte que je ne suis pas prêt. J'ai refermé mes deux mains sur le manche de ma batte, bandé mes muscles et j'ai fait une prière au grand Mickey Mantle, le demi-dieu des stades.

La porte s'est ouverte ; un type est sorti dans le couloir en roulant des mécaniques, tout de noir vêtu : Rangers, combinaison à capuche, cagoule sur le visage et gants.

Il avait un fusil d'assaut si gros, si démesuré, qu'on se serait cru dans un vieux film de Schwarzenegger. À sa ceinture, une dizaine de chargeurs de rechange.

Il regardait à gauche en sortant de la pièce. Je me tenais sur la droite – mais il a senti ma présence aussitôt et dans le même mouvement il a pivoté la tête vers moi.

N'étant pas du genre à jouer petit bras, je lui ai donné un grand coup, bien au-dessus de la zone de frappe autorisée, en pleine tête.

Un coup à tomber raide. Et c'est ce qui s'est passé.

Le couloir était désert. Personne n'avait rien vu. Pour le moment.

Il fallait que l'affaire reste discrète. Si jamais le chef Porter ne pouvait me couvrir, la police allait m'assaillir de questions...

J'ai lancé la batte dans la pièce, le fusil-mitrailleur, et j'ai attrapé le gars par le haut de sa combinaison et l'ai traîné à l'intérieur. J'ai refermé aussitôt la porte.

Au sol, parmi des chaises renversées et des tasses de café brisées, trois vigiles – morts. De toute évidence, ils avaient été abattus avec un pistolet équipé d'un silencieux, car les déflagrations étaient passées inaperçues. Leurs visages exprimaient la surprise.

Cette image me mettait au supplice. Ces hommes avaient péri parce que j'avais été trop lent à réagir.

Je sais que je ne suis pas responsable de toutes les morts que je n'ai pu empêcher. Je ne peux pas porter tout le poids du monde sur mes épaules, comme Atlas. Mais mon cœur ne suit pas ce raisonnement.

Douze grands moniteurs, chacun divisé en quatre écrans, montraient quarante-huit vues transmises par les caméras de surveillance du magasin. Dans toutes les allées, il y avait un monde fou. La braderie avait attiré le chaland des quatre coins du comté de Maravilla.

Je me suis agenouillé au pied du tireur et ai ôté sa cagoule. Le nez était brisé, sanguinolent ; sa respiration ronflait dans la gorge encombrée de sang. Son œil droit allait enfler jusqu'à ne plus pouvoir s'ouvrir. Une bosse naissait déjà sur son front.

Ce n'était pas Simon Varner, mais Bern Eckles, le jeune policier invité au barbecue, parce que Karla et Wyatt voulaient jouer les marieurs et le présenter à Lysette Rains !

59.

Bob Robertson n'avait pas qu'un seul partenaire, mais deux! Peut-être même davantage! Ils étaient suffisamment nombreux pour organiser des sabbats dans les bois, comme les sorcières d'antan! Un de plus et ils auraient pu former un groupe de rock satanique... jouer leur propre musique pour leurs messes noires, faire des concerts, avoir des ristournes aux assurances maladie et même des réductions à Disneyland!

Au barbecue du chef de la police, il n'y avait aucun bodach autour de Bern Eckles... Il y en avait des dizaines qui accompagnaient Robertson (et c'est ce qui avait rendu Mr. Champignon suspect à mes yeux) et pas un seul autour de Eckles et de Varner... Était-ce un hasard? Et si les bodachs avaient conscience de mon don? Et s'ils m'avaient manipulé?

J'ai tourné Eckles sur le côté, pour ne pas qu'il risque de s'étouffer dans son propre sang, et j'ai cherché dans la pièce quelque chose pour le ligoter.

Il ne reprendrait pas conscience, sans doute, avant dix minutes. Et quand il se réveillerait, il se tordrait de douleur en quémandant des antalgiques et ne serait certainement pas en mesure de prendre sa mitraillette pour achever sa mission...

Mais, par sécurité, je lui ai ficelé les mains et les chevilles avec du fil de téléphone. J'ai bien serré les nœuds et tant pis si je lui coupais la circulation!

Eckles et Varner étaient nouveaux à la police de Pico Mundo. Ils avaient été embauchés à seulement un ou deux mois d'intervalle.

Ces deux-là se connaissaient avant de débarquer à Pico Mundo, j'en mettais ma main à couper! Varner était arrivé le premier et avait préparé la route à Eckles.

Robertson venait de San Diego; il avait emménagé à Camp's End avant la venue de ses deux collaborateurs. Et si ma mémoire était bonne, Varner était policier dans la région de San Diego, si ce n'était dans la ville même.

J'ignorais de quelle juridiction provenait Eckles avant d'intégrer celle de Pico Mundo. Mais il y avait fort à parier qu'il s'agissait aussi de San Diego et non de Juneau en Alaska.

Je ne sais pourquoi le trio avait choisi Pico Mundo pour perpétrer son fait d'armes. Mais un point était certain : il s'agissait d'un plan mûrement réfléchi et préparé de longue date.

Quand, au barbecue de Wyatt, j'ai suggéré que l'on se renseigne sur Robertson, le chef a demandé à Eckles de l'aider. Et cela a été la condamnation à mort de Robertson...

Il a sans doute été abattu dans l'heure qui a suivi; Eckles avait dû téléphoner à Varner depuis le domicile de Wyatt, et Varner avait descendu leur ami commun. Peut-être même Varner et Robertson se trouvaient-ils ensemble lorsque Eckles avait appelé.

Maintenant que j'avais ligoté Eckles, j'ai ouvert le haut de sa combinaison : il portait bien son uniforme dessous.

Il était venu dans la salle des gardiens en tenue de policier. Les vigiles lui avaient donc ouvert sans se méfier.

Il devait avoir son fusil et sa tenue noire dans une valise. Il y en avait justement une, par terre, ouverte... vide. Une Samsonite.

Il comptait faire un massacre dans le magasin et puis, le temps que la police arrive sur les lieux, trouver un endroit discret pour se changer. Une fois débarrassé du fusil-mitrailleur, Eckles pourrait se mêler aux autres policiers et feindre d'avoir répondu à l'appel du central, comme ses collègues.

Mais le « pourquoi » était un point bien plus obscur que le « comment ».

Certains prétendent que Dieu leur parle. D'autres que le diable chuchote dans leur esprit... Peut-être l'un de ces trois affreux pense-t-il que Satan leur a demandé d'aller faire un carton au centre commercial ?

Ou bien font-ils ça juste pour s'amuser ? Une bonne blague – parce qu'ils ont reçu une éducation très tolérante eu égard aux jeux extrêmes ? Les garçons autrefois jouaient aux cow-boys et aux Indiens et maintenant ils jouent aux psychopathes. Il ne fallait brimer aucune vocation.

Simon Varner courait toujours. Peut-être y avait-il un quatrième larron ? À ce que je sache, il n'y avait pas de nombre limite pour un sabbat...

J'ai décroché l'un des téléphones de service et j'ai appelé le 911 pour annoncer les trois meurtres. Je n'ai répondu à aucune question et j'ai posé le téléphone par terre, sans raccrocher. La police viendrait, peut-être aussi une brigade du SWAT. Dans trois minutes, quatre. Cinq au maximum.

Mais ce serait déjà trop tard. Varner aurait déjà criblé de balles les clients.

La batte de base-ball était intacte. C'était de la bonne qualité.

Même si cet accessoire de sport avait fait des miracles sur Eckles, j'avais peu de chance de prendre Varner par surprise de la même manière. Il me fallait un instrument de dissuasion plus puissant qu'un bout de bois de la marque Louisville Slugger et j'allais devoir surmonter ma phobie des armes à feu...

Sur la console devant les moniteurs : le pistolet qu'Eckles avait utilisé pour abattre les vigiles. Il restait quatre balles dans le chargeur.

Je faisais mon possible pour ne pas regarder les cadavres, mais ils attiraient irrésistiblement mon regard. Je hais la violence ; je hais l'injustice davantage encore. Tout ce que je veux, c'est être un brave cuisinier, mais le monde exige toujours de moi plus que des œufs au plat et des pancakes.

J'ai dévissé le silencieux et l'ai posé sur la console. J'ai sorti mon T-shirt de mon jean et j'ai glissé l'arme sous la ceinture.

En vain, j'ai tenté de chasser de mes pensées l'image de ma mère avec le pistolet sous le menton, puis contre son sein. Ne pas penser non plus au contact du canon quand elle l'avait plaqué contre mon œil en me disant de regarder tout au fond la balle qu'elle me réservait.

Les pans du T-shirt dissimulaient l'arme imparfaitement. Mais les clients seraient trop occupés à chercher les bonnes affaires et les vendeurs trop assaillis par ces derniers pour remarquer la protubérance sous le tissu.

Avec précaution, j'ai entrouvert la porte, juste de quoi me faufiler dans le couloir, et l'ai refermée derrière moi. Un homme s'éloignait au bout du corridor, dans la direction où je voulais aller. Je lui ai emboîté le pas, en le houspillant en pensée pour qu'il marche plus vite.

Il a tourné à droite, pour passer les portes battantes donnant dans l'aire de déchargement. J'ai dépassé en courant les ascenseurs de service et me suis dirigé vers les escaliers. J'ai grimpé les marches deux par deux.

Quelque part au-dessus de moi se trouvait Simon Varner – une bonne tête, des yeux de nounours et PDT tatoué sur l'avant-bras.

Je me suis arrêté au premier palier et j'ai poussé la porte : une réserve.

Une jolie rousse était occupée à prendre des petites boîtes sur une étagère.

— Bonjour, a-t-elle lancé gentiment.

— Bonjour, ai-je répondu. Et j'ai traversé la réserve vers la zone de vente.

C'était le rayon « articles de sport ». Noir de monde. Des hommes surtout. Beaucoup d'adolescents aussi. Les gosses fouinaient dans les bacs de skateboards et de rollers.

Plus loin, c'était les chaussures de sport. Au-delà encore, les maillots et survêtements.

Des gens partout. Partout ! Jouant du coude à coude, pressés comme des sardines en boîte. Une atmosphère de fête bon enfant. Tous si vulnérables.

Si je ne l'avais pas intercepté à sa sortie du poste de sécurité, Bern Eckles en aurait déjà tué des dizaines.

Simon Varner. Un grand type. De gros bras à la Popeye. Prince des ténèbres.

Me laissant guider par mon don comme une chauve-souris par son sonar, j'ai traversé le premier niveau vers la sortie donnant sur la galerie.

Le deuxième tireur ne devait pas s'être posté dans le même magasin. Eckles et Varner s'étaient partagé le terrain de jeu, pour mieux semer la terreur et le chaos. Et aussi pour ne pas risquer de se trouver involontairement sous le feu de l'autre.

À dix pas de la sortie, j'ai vu Viola Peabody. Elle était censée se trouver chez sa sœur!

60.

Levanna et sa petite sœur, Nicolina La-toute-rose, n'étaient pas à côté de leur mère. J'ai sondé la foule du regard ; les fillettes n'étaient nulle part.

Je me suis précipité vers Viola et l'ai prise par les épaules. Sous l'effet de surprise, elle en a lâché son sac.

— Que fais-tu ici ? ai-je demandé.

— Odd ! Tu m'as fichu une peur bleue.

— Les filles ? Où sont les filles ?

— Avec Sharlene.

— Et toi, pourquoi n'es-tu pas avec elles ?

Elle a ramassé son sac.

— Je n'avais pas encore fait les courses pour l'anniversaire de Levanna. Il me fallait un cadeau. Je suis venue ici lui acheter des rollers.

— Ton rêve ! lui ai-je rappelé. On est dans ton rêve !

Ses yeux se sont écarquillés.

— Mais je fais juste un aller-retour. Et je ne vais pas au cinéma.

— C'est ici que cela va se passer ! Ici !

L'espace d'un instant, son souffle s'est bloqué dans sa gorge et son cœur s'est arrêté de battre.

— Sors d'ici ! lui ai-je dit. Tout de suite !

L'air s'est échappé de ses poumons d'un coup ; elle a tourné la tête en tous sens, scrutant chaque client comme autant de tueurs potentiels et elle s'est dirigée vers les portes donnant sur la galerie marchande.

— Non ! me suis-je écrié. (Je l'ai retenue par le bras. Les gens nous regardaient, mais je m'en fichais.) Pas par là. C'est trop dangereux.

— Par où alors ?

Je l'ai fait pivoter.

— Au fond du magasin. Après les rayons chaussures et articles de sport. Il y a une réserve, à côté des rollers que tu viens d'acheter. Va dans cette réserve. Et cache-toi !

Elle a commencé à s'éloigner et s'est arrêtée :

— Et toi ? Tu ne viens pas ?

— Non.

— Où vas-tu ?

— Là-bas...

— Non, ne fais pas ça.

— Sauve-toi, je te dis !

Elle s'est enfin dirigée vers le fond du magasin ; je me suis précipité dans la galerie.

À la pointe nord du centre commercial, la cascade dévalait un saut rocheux artificiel de quinze mètres de haut pour donner naissance à un faux cours d'eau qui suivait toute la galerie marchande. En passant à la base de la cataracte, le grondement de l'eau ressemblait à la clameur d'une foule.

Des éclairs de lumière, des ombres mouvantes... comme dans le rêve de Viola – les frondes des palmiers qui oscillaient sous la verrière !

En levant la tête vers les cimes, vers la galerie au deuxième niveau, j'ai vu des centaines de bodachs accoudés à la balustrade, regardant le vaste patio en contrebas. Ils se bousculaient, avides, impatients, allant et venant comme des araignées excitées.

Un flot de clients s'écoulait dans la galerie au rez-de-chaussée, sinuant entre les boutiques, n'ayant aucune conscience du public malveillant qui les regardait.

Mon don précieux, mon don odieux, terrifiant, m'a entraîné vers la pointe sud, me faisant marcher de plus en plus vite, accompagné par les *glou ! glou !* du torrent de pacotille, à la rencontre de Simon Varner.

Les bodachs n'étaient plus des centaines, mais des milliers. Je n'en avais jamais vu autant. Je n'avais même jamais imaginé qu'ils pouvaient être aussi nombreux. C'était comme une foule romaine au Colisée, attendant que commence le martyre des chrétiens, qu'on lâche les lions dans l'arène, que coule le sang.

Voilà pourquoi je n'en voyais plus aucun dans les rues. Ils étaient tous ici. C'était l'heure du spectacle!

Au moment où je passais devant une boutique de spas et de jacuzzis, les déflagrations d'une arme automatique ont retenti plus loin dans la galerie.

La première rafale avait été brève. Deux ou trois secondes, tout au plus; un silence de mort était soudain tombé dans le centre commercial.

Tous les clients se sont figés, comme autant de cellules d'un même organisme. Même si l'eau continuait de couler dans son lit de ciment, elle n'émettait plus aucun bruit. Le temps s'était arrêté.

Puis un hurlement a déchiré le silence, et aussitôt ce fut un déferlement de cris. En réponse, le fusil a lâché une nouvelle salve, plus longue que la première.

Je me suis précipité vers le bout de la promenade, mais la marée de clients affolés, remontant la galerie en sens inverse, gênait ma progression. Les gens me bousculaient, me poussaient, mais je parvenais à rester debout et à avancer. Devant moi, tout près, une troisième rafale a retenti.

61.

Je ne raconterai pas tout ce que j'ai vu. Je ne veux pas. C'est au-dessus de mes forces. Les morts ont droit au respect. Les blessés à l'intimité. Les êtres aimés, à la paix.

Maintenant, je sais pourquoi les soldats, au retour de la guerre, racontent rarement à leurs familles leurs exploits, en tout cas jamais dans le détail. Ceux qui ont survécu doivent continuer à vivre au nom de ceux qui sont tombés. Mais si nous nous arrêtons trop sur la barbarie de l'homme, on ne peut plus avancer. La persévérance est impossible s'il n'y a plus d'espoir dans notre cœur.

J'ai traversé la foule paniquée et me suis retrouvé au milieu des victimes, gisant au sol, mortes ou blessées; il y en avait moins que je l'imaginais, et en même temps leur nombre me donnait le vertige. J'ai vu la serveuse blonde du bowling de Green Moon dans sa tenue de travail... et trois autres de ses collègues. Peut-être étaient-elles venues déjeuner au centre commercial avant d'aller travailler?

Malgré mes dons, je ne suis pas un surhomme. Je saigne, je souffre. Et cette vision m'était insoutenable. C'était l'épisode du lac de Malo Suerte puissance 10.

La cruauté possède un cœur humain... la terreur, la forme humaine du divin.

Ce n'était pas de Shakespeare. Mais de William Blake. Lui aussi était un homme d'exception.

Des hordes de bodachs étaient descendues des balcons pour fureter parmi les cadavres et les blessés.

Que ce spectacle me soit ou non insupportable, je n'avais pas le choix; je devais tenir. Reculer maintenant, c'était me condamner au suicide.

La mare aux carpes koï se trouvait quelques mètres plus loin. Avec sa jungle miniature. Et le banc où nous nous étions installés, Stormy et moi, avec nos glaces.

Un homme, de la corpulence de Varner, était juché dessus, en combinaison et cagoule noires. Il tenait un fusil d'assaut, modifié illégalement pour pouvoir tirer en rafales.

Quelques personnes se cachaient derrière les palmiers, se pelotonnaient dans la mare, mais la plupart avaient fui la galerie pour trouver refuge dans les boutiques, espérant se mettre à l'abri des balles ou s'échapper par des issues de secours. Derrière les vitrines – des bijouteries, des magasins de souvenirs ou d'articles culinaires, des galeries d'art – je voyais les gens se bousculer, encore si vulnérables.

À notre époque aussi violente que ses jeux vidéo, le jargon froid et clinique des progammeurs était passé dans le langage courant. « Niveau à cibles multiples » voilà comment ils auraient décrit la situation.

Varner, qui se tenait dos à moi, a arrosé de balles les boutiques. La vitrine du Burke & Bailey a volé en éclats dans une pluie scintillante.

On est destinés à vivre ensemble pour toujours. C'est ce que dit notre carte. Nos dates de naissance coïncident !

J'étais à vingt mètres de ce salaud, dix-huit mètres, plus près encore… Le pistolet était dans ma main. Sans m'en rendre compte, je l'avais sorti de ma ceinture.

Je tremblais tellement qu'il me fallait tenir l'arme à deux mains.

Je n'ai jamais utilisé de pistolet. Je déteste les armes à feu.

Vas-y, appuie sur la détente, petite merde.

J'essaie, mère. J'essaie !

Varner avait vidé son chargeur. Peut-être était-ce déjà le deuxième ? Comme Eckles, il en avait une collection sur lui.

À quinze mètres, j'ai tiré. Manqué.

Alerté par la détonation, Varner s'est tourné vers moi et a éjecté son chargeur vide.

J'ai tiré de nouveau. Manqué encore. Dans les films, jamais personne ne rate sa cible à cette distance – sauf bien sûr, si c'est le héros qui est visé, auquel cas il ne risque rien ! Mais Simon Varner n'était pas le héros. La panique montait en moi.

En revanche, Varner était d'un calme d'airain. Il a pris un autre chargeur sur sa ceinture. Il était entraîné. Ses gestes étaient rapides, efficaces.

Eckles avait tiré six balles sur les vigiles. Je venais d'en gaspiller deux. Il n'en restait alors plus que deux.

À dix mètres de distance, j'ai tiré une nouvelle fois.

Varner l'a reçue dans l'épaule gauche, mais il est resté debout. Il a chancelé un instant, s'est rétabli et a réarmé son fusil.

Une harde de bodachs, bavant d'excitation, tournait autour de nous – mais ils n'étaient visibles que de moi ; ils me bouchaient la vue ; Varner, quant à lui, avait une ligne de mire parfaitement dégagée.

Plus tôt dans la journée, je m'étais demandé si la folie ne me guettait pas. J'étais déjà totalement cinglé, voilà la vérité !

Je courais droit sur lui, fendant une mer de bodachs noire comme du satin, mon pistolet brandi droit devant moi, bien déterminé à ne pas gâcher ma dernière munition ; Varner a levé la gueule de son fusil vers moi, son fusil qui allait me couper en deux, mais j'ai continué à avancer, un pas, encore un autre et enfin, j'ai appuyé sur la détente en visant en pleine tête.

Je n'ai pas vu les dégâts causés par la balle, car son visage était dissimulé par la cagoule, mais le tissu n'a offert aucune résistance... Varner est tombé de son piédestal aussi brutalement que son Prince des ténèbres, chassé du paradis pour atterrir aux enfers. L'arme a tintinnabulé sur les dalles à ses pieds.

D'un coup de pied, j'ai poussé le fusil d'assaut, hors de sa portée. Je me suis agenouillé pour examiner Varner. Aucun doute, il était mort. Le champion du PDT était DCD !

Par sécurité, toutefois, j'ai donné un coup de pied dans le fusil pour l'envoyer plus loin. Puis un deuxième, puis un troisième encore ; il me paraissait toujours trop près...

Le pistolet dans ma main ne me servait plus à rien. Je l'ai balancé.

Les bodachs, voyant que le combat était terminé, se sont éloignés pour aller se repaître du spectacle des victimes agonisantes.

J'ai senti mon estomac se retourner. Je me suis approché de la mare et suis tombé à genoux.

Même si le mouvement des poissons colorés aurait dû achever de me faire vomir, le haut-le-cœur est passé. Je n'ai pu me purger de cette horreur, mais quand je me suis relevé, j'ai fondu en larmes.

Dans les boutiques, derrière les vitrines criblées de balles, les gens relevaient la tête.

On est destinés à vivre ensemble pour toujours. On a une carte qui le dit. La Mère Gitane ne se trompe jamais.

Tout tremblant, en sueur, j'ai essuyé mes larmes et j'ai marché vers le Burke & Bailey avec le pressentiment que l'indicible m'attendait là-bas.

Les gens se relevaient dans les décombres du glacier. Certains ont commencé à se frayer un chemin parmi les gravats et les éclats de verre pour rejoindre la galerie.

Stormy n'était pas avec eux. Peut-être s'était-elle, au moment de la fusillade, réfugiée dans l'arrière-boutique ? Ou dans son bureau ?

Brusquement, j'ai été pris de l'envie irrépressible de sortir de la boutique ; quelque chose m'appelait ailleurs… *ailleurs.* J'ai tourné les talons et me suis éloigné du Burke & Bailey, en direction de la grande surface de la pointe sud. Au bout de quelques pas, je me suis arrêté, confus, perdu. Pendant un moment, je me suis dit que c'était un réflexe de fuite, que je ne voulais pas savoir ce qui était arrivé dans la boutique…

Mais non. La sensation était immanquable. C'était encore mon magnétisme psychique. Je pensais pourtant en avoir fini. Mais c'était là une douce illusion.

62.

Le grand magasin, à cette pointe sud, se voulait plus haut de gamme que celui où Viola avait acheté ses rollers. Les articles vendus étaient de meilleure qualité.

J'ai traversé les rayons parfumerie et cosmétiques, avec leurs présentoirs élégants, leurs écrins de verre ciselé, pour donner l'illusion au chaland qu'il s'agissait de diamants.

Le rayon joaillerie était une litanie de granit anthracite poli, d'acier chromé, et de cristal, comme si ce n'était pas de simples bijoux terrestres, mais la collection personnelle de Dieu.

La fusillade avait cessé, mais clients et employés restaient prostrés derrière les comptoirs et les colonnes de marbre. Certains osaient relever la tête à mon passage, mais la plupart se recroquevillaient davantage au son de mes pas.

Même si je n'avais pas d'arme à la main, je leur paraissais dangereux. Ou alors, c'était ma tête qui leur faisait peur. Ils ne voulaient pas prendre de risque. Et je ne saurais les en blâmer.

Non seulement j'étais en pleurs, mais je parlais tout seul. C'était plus fort que moi. Je ne sais même plus ce que je disais, des propos incohérents...

Je ne savais pas où m'entraînait mon MP cette fois, et j'ignorais si Stormy était vivante ou morte au B&B. Je voulais rebrousser chemin, partir à sa recherche, mais une force plus grande m'entraînait. J'étais traversé de tics nerveux, de soubresauts, tout mon corps se révoltait contre cet appel. Je devais effectivement passer pour un fou.

Simon Varner n'avait plus un visage aussi poupin, ni des yeux de nounours endormi. Il était mort devant le Burke & Bailey.

Peut-être étais-je sur les traces de quelque chose ayant un lien avec Varner... mais quoi ? Ce besoin d'avancer sans savoir exactement qui ou quoi je cherchais était nouveau pour moi.

Je sinuais entre les étalages de robes de soirée, de chemisiers, de tailleurs de soie, de sacs à main. Devant moi, une porte : RÉSERVÉ AU PERSONNEL. Derrière, une réserve. Juste en face, une autre porte menait à un escalier de ciment.

La disposition des lieux était semblable à celle du grand magasin à la pointe nord. Les escaliers menaient à un couloir en sous-sol et aux ascenseurs de service. Plus loin, une grande double porte estampillée : LIVRAISONS.

La salle de déchargement était le centre névralgique de cette enseigne prospère, mais elle était un peu moins monumentale que celle de l'autre grande surface. Les marchandises, sur des rayonnages ou dans des cartons, attendaient d'être inventoriées, déballées, étiquetées avant d'être transportées dans les réserves ou installées directement dans les rayons.

Il y avait du monde, mais le travail semblait avoir cessé. Un groupe de magasiniers étaient rassemblés autour d'une femme en pleurs, d'autres accouraient vers elle. Dans ces sous-sols, personne n'avait pu entendre les coups de feu, mais à l'évidence, la femme venait d'apprendre la nouvelle.

Un camion de livraison se trouvait sur l'aire de déchargement : pas un trente-huit tonnes, mais un petit semi-remorque de six mètres de long, sans nom de société, que ce soit sur la cabine ou sur les flancs de la remorque. J'ai obliqué vers le véhicule.

Un grand gaillard, avec le crâne rasé et de grosses moustaches, m'est tombé dessus dès mon arrivée.

— Vous êtes venu avec ce camion ?

Sans répondre, j'ai ouvert la portière et suis monté dans la cabine. Les clés n'étaient pas sur le contact.

— Où est le chauffeur ? a-t-il demandé.

J'ai ouvert la boîte à gants. Vide. Pas même le récépissé d'assurance, pourtant obligatoire en Californie.

— Je suis le contremaître ici, a poursuivi le grand type. Vous êtes sourd ou c'est juste pour m'emmerder que vous ne répondez pas ?

Rien sur les sièges. Pas de poubelle au sol. Pas de papiers d'emballage traînant par terre. Pas de désodorisant accroché au rétroviseur.

Ce n'était pas la cabine d'un chauffeur routier, ni même celle d'un livreur.

Quand je suis descendu du camion, le contremaître a insisté :

— Où est le chauffeur ? Il ne m'a laissé aucun bordereau et la remorque est fermée à clé !

J'ai fait le tour du semi ; la remorque était équipée d'un rideau roulant. Un cadenas, relié à une chaîne, en empêchait l'ouverture.

— J'ai d'autres camion derrière. Vous ne pouvez par rester là.

— Vous avez une perceuse électrique ? ai-je demandé.

— Pour quoi faire ?

— Pour faire sauter le cadenas.

— Vous n'êtes pas le chauffeur ? Vous êtes qui, son collègue ?

— Police. Hors service.

Il était sceptique.

J'ai tendu le doigt vers la femme en pleurs autour de laquelle s'étaient rassemblés les manutentionnaires.

— Vous savez ce qu'elle a ? Vous savez ce qu'elle vient d'apprendre ?

— J'allais la voir quand vous êtes arrivé...

— Deux dingues viennent de tirer sur les gens à la mitraillette.

Son visage est devenu tout pâle, même sa moustache blonde a semblé virer au blanc.

— Vous êtes au courant qu'on a tiré hier sur le chef Porter ? C'était eux, pour préparer leur coup d'aujourd'hui.

Avec une terreur grandissante, j'ai scruté le plafond du grand hall de déchargement. Juste au-dessus, les trois niveaux du grand magasin, reposant sur de gros piliers de béton.

Les gens terrifiés, là-haut, se terraient pour échapper aux tireurs. Des centaines de personnes.

— Peut-être ces salauds, ai-je annoncé, sont-ils venus avec une arme encore plus terrible que des mitraillettes.

— Nom de Dieu... je vais chercher une perceuse, a lancé l'homme en partant en courant.

J'ai placé mes deux mains à plat sur le volet roulant puis j'ai plaqué mon front sur les lattes de métal.

Je ne sais pas trop au juste ce que j'espérais... En fait, je n'ai rien ressenti de spécial, sinon que mon magnétisme psychique était toujours actif... L'important, ce n'était pas le camion, mais ce qu'il y avait à l'intérieur.

Le contremaître est revenu avec l'outil et m'a tendu des lunettes de protection. Il y avait des prises électriques encastrées dans le sol à intervalles réguliers. Le fil de la perceuse était assez long.

L'outil était lourd. J'aimais son apparence solide. Le moteur a rugi de toute sa puissance.

Quand j'ai commencé à forer dans le trou de la serrure, des éclats de métal ont frappé mes lunettes et mon visage. Le foret s'émoussait vite, mais en quelques secondes, il a transpercé la serrure.

Au moment où je posais la perceuse et retirais les lunettes, quelqu'un a crié de loin :

— Hé, laissez ça tranquille !

Personne sur les quais de déchargement. Et puis je l'ai aperçu... Dans la rampe d'accès.

— C'est le chauffeur, m'a expliqué le contremaître.

Je ne connaissais pas cet homme. Il devait nous avoir observés, peut-être avec des jumelles, depuis le parking du personnel.

J'ai saisi les deux poignées à pleines mains et j'ai soulevé le rideau. Aidé par le système de contrepoids bien huilé, le panneau s'est escamoté rapidement.

La remorque était pleine de pains de plastique. Il y en avait des centaines de kilos.

Deux coups de feu ont retenti, une balle a ricoché sur le camion, les gens se sont mis à crier, le contremaître s'est enfui en courant.

Je me suis retourné. Le chauffeur ne s'était pas approché davantage. Il avait un pistolet – ce n'était pas la meilleure arme à cette distance.

Dans la remorque, devant les explosifs, un minuteur de cuisine, deux piles plates, des pièces métalliques, et une grappe de fils électriques. Deux fils équipés de fiches étaient plantés dans le mur de pains mortels.

Avec un sifflement aigu, une troisième balle a ricoché sur le flanc du camion. J'ai entendu le contremaître démarrer un chariot élévateur.

Le commando n'avait pas branché le système de mise à feu à l'ouverture du haillon, mais ils avaient réglé un compte à rebours très court pour être certains que personne ne pourrait désactiver la bombe à temps. Le minuteur avait un cadran de trente minutes. L'aiguille était réglée sur trois minutes.

Clic ! Deux minutes.

La quatrième balle m'a touché dans le dos. Je n'ai pas senti la douleur sur le moment, juste l'impact, qui m'a projeté sur le plancher de la remorque, le visage à quelques centimètres du cadran du minuteur.

La cinquième balle (ou la sixième je ne sais plus) a percuté un pain de plastique en émettant un bruit mou.

Une balle seule ne pouvait déclencher l'explosion. Il fallait envoyer dans les pains une décharge électrique.

Les deux fils du détonateur étaient distants d'une quinzaine de centimètres. Était-ce le « plus » et le « moins » ? Ou bien s'agissait-il d'un double circuit, au cas où le premier ne parvenait à transmettre l'impulsion électrique ? Devais-je retirer un seul fil ou les deux ?

Une sixième balle (ou une septième) m'a encore touché au dos ; cette fois la douleur a été immédiate, déchirante.

En m'écroulant, j'ai attrapé les deux fils et je suis tombé à la renverse en arrachant les fiches de l'explosif, entraînant avec moi le minuteur et tout le système de mise à feu.

J'ai fini ma chute sur le flanc, face à la rampe d'accès. J'ai vu le tireur ; il s'était approché de quelques mètres pour avoir un meilleur angle de tir.

Il aurait pu m'achever avec une dernière balle, mais il a tourné les talons et s'est enfui dans la rampe.

Le contremaître, dans le Fenwick, est passé devant moi dans un rugissement de moteur et s'est élancé à la poursuite de mon assaillant, protégé par la fourche et les bras élévateurs.

Ce n'est pas le Fenwick qui a fait fuir le tireur, mais la peur de l'explosion ; il ignorait si j'avais arraché ou non le détonateur. Il voulait s'échapper des sous-sols et du parking, aller se mettre à l'abri, le plus loin possible.

Des gens se sont précipités vers moi.

Le minuteur de cuisine cliquetait toujours. Il était par terre, à quelques centimètres de mes yeux. *Clic !* Une minute.

La douleur s'estompait... Mais j'avais froid. Terriblement froid. Les sous-sols et les quais de livraison n'étaient pas équipés de climatiseurs, et pourtant je grelottais.

Les gens étaient agenouillés autour de moi, me parlaient. Ils devaient parler des langues étrangères, car je ne comprenais pas un traître mot.

C'est drôle d'avoir si froid dans le Mojave.

Je n'ai jamais entendu l'aiguille du minuteur passer au zéro.

63.

Stormy et moi avons quitté le camp d'entraînement terrestre pour vivre le deuxième des trois volets de notre existence. Nous avons eu de grands moments dans ce second opus.

Beaucoup de voyages romantiques dans des endroits embrumés, émaillés de rencontres amusantes avec des personnages inattendus, tel Indiana Jones, qui ne voulait pas admettre qu'il était Harrison Ford, Luke Skywalker, et même ma tante Cymry, qui ressemblait beaucoup à Jabba le Hutt, mais en plus gentil, et Elvis, bien entendu.

D'autres expériences ont été plus étranges, plus sombres, pleines de fracas, hantées de hordes de bodachs excités par l'odeur du sang où je reconnaissais parfois ma mère, courant à quatre pattes avec les autres.

De temps en temps, je sentais les regards de Dieu et de ses anges posés sur moi, qui m'observaient du haut du ciel de ce nouveau monde. Ils avaient des visages immenses, faits de nuances brumeuses de vert – parfois de blanc – mais seuls leurs yeux m'étaient visibles. Dépourvus ainsi de bouches et de nez, ils auraient dû me paraître effrayants, mais ils irradiaient l'amour et la sollicitude... j'essayais toujours de leur adresser un sourire avant qu'ils ne se dissolvent dans les nuages.

Finalement, j'ai retrouvé suffisamment de clarté d'esprit pour me rendre compte qu'on m'avait opéré et que je me trouvais à l'hôpital, dans une chambre des soins intensifs du County General.

En fin de compte, j'étais encore au camp d'entraînement !

Dieu et les anges avaient été les chirurgiens et les infirmières derrière leurs masques. Cymry, où qu'elle puisse se trouver, ne ressemblait sans doute pas à Jabba le Hutt.

Une infirmière est entrée, avertie de mon retour sur terre par la télémétrie surveillant mes fonctions vitales.

— Alors, a-t-elle lancé. Voyons qui vient de se réveiller. Vous vous rappelez votre nom ?

J'ai hoché la tête.

— Vous voulez bien me le dire ?

C'est lorsque j'ai voulu répondre que je me suis rendu compte à quel point j'étais faible. Ma voix était fragile, à peine audible.

— Odd Thomas.

Pendant qu'elle s'activait à mon chevet et qu'elle me disait que j'avais été un héros et que tout irait bien, j'ai articulé dans un filet de voix :

— Stormy...

J'étais empli de terreur ; la terreur d'apprendre l'insupportable. Mais ce nom est si doux à mon cœur qu'aussitôt j'ai aimé l'entendre rouler sur ma langue.

L'infirmière n'a pas reconnu un prénom et a cru que je me plaignais d'avoir la gorge en feu. Elle m'a suggéré de sucer un glaçon. J'ai secoué la tête.

— Stormy. Je veux voir Stormy Llewellyn.

Mon cœur s'affolait. J'entendais les *bip ! bip !* du moniteur s'accélérer.

La jeune femme a appelé un docteur pour m'examiner. Il paraissait, à mon égard, pétri de respect et d'admiration. Une réaction à laquelle peu de cuistots sont habitués. Ç'en était carrément gênant.

Il a beaucoup prononcé lui aussi le mot « héros ». Beaucoup trop. Et de ma voix chevrotante, je lui ai demandé d'arrêter.

J'étais exténué, abruti de fatigue. Mais je ne voulais pas dormir, pas avant d'avoir vu Stormy. Je leur ai demandé de la prévenir.

Leur absence de réaction à ma requête m'a de nouveau donné la chair de poule. Sous les tambourinements de mon cœur, mes plaies se sont réveillées et se sont mises à battre de conserve, malgré les calmants qu'on me donnait en perfusion.

Ils jugeaient que la moindre visite, même de cinq petites minutes, me demanderait trop d'efforts ; mais j'ai tellement insisté qu'ils ont fini par céder et ils sont allés la chercher.

Quand je l'ai vue, j'ai fondu en larmes.

Elle pleurait aussi. Des larmes dans ses yeux noirs de reine égyptienne...

J'étais trop faible pour lever le bras et la toucher. Elle a passé la main entre les barreaux du lit et l'a posée sur la mienne. J'ai trouvé la force de refermer mes doigts sur les siens, un nœud d'amour.

Pendant des heures, elle avait patienté dans la salle d'attente, vêtue de cet uniforme du Burke & Bailey qu'elle détestait tant – chaussures roses, socquettes blanches, jupe rose, chemisier à rayures rose et blanc.

Dans une salle d'attente d'hôpital, il était rare de voir des personnes dans des tenues aussi gaies ; elle m'a appris que Little Ozzie était là aussi, assis sur deux chaises, en pantalon jaune et chemise hawaïenne. Viola aussi. Et Terri Stambaugh.

Quand je lui ai demandé pourquoi elle ne portait pas sa coiffe rose, elle a porté la main à ses cheveux d'un air surpris. Elle l'avait sans doute perdue dans la panique au centre commercial.

J'ai fermé les yeux et j'ai pleuré de nouveau, pas de joie cette fois, mais d'amertume. Sa main a serré plus fort la mienne, et elle m'a donné la force de m'endormir, de m'aventurer sur le territoire des rêves et de mes démons.

Plus tard, elle est revenue. Encore cinq minutes, pas plus. Lorsqu'elle m'a dit que l'on allait devoir ajourner le mariage, j'ai insisté pour que l'on ne change rien à notre programme. Ce serait samedi. Après ce qui s'était passé, la ville se montrerait conciliante et si l'oncle de Stormy ne voulait pas déroger à la règle et nous marier à l'hôpital, il nous restait toujours l'option du mariage civil.

Bien sûr, j'aurais aimé que notre union soit immédiatement suivie par une nuit de noces, notre première nuit d'amour. Mais la célébration du mariage avait toujours été, à mes yeux, plus importante que sa consommation – et encore plus à présent. Nous aurions toute la vie pour dormir nus ensemble.

Plus tôt, elle avait embrassé ma main. Cette fois, elle s'est penchée vers moi et m'a fait un bisou sur la bouche. Stormy est ma force. Elle est ma destinée.

J'ai dormi encore, en perdant toute notion du temps.

Ma seconde visite a été Karla Porter. Elle est arrivée après que l'infirmière eut relevé mon lit et m'eut enfin accordé de boire quelques gorgées d'eau. Karla m'a serré dans ses bras et m'a embrassé les joues, le front. On ne voulait pas pleurer, mais cela a été plus fort que nous.

Je n'avais jamais vu Karla pleurer. Karla est un roc. Elle est obligée d'être forte. Et aujourd'hui, elle était dévastée.

J'ai eu peur d'apprendre de mauvaises nouvelles pour Wyatt, mais non, ce n'était pas ça.

Wyatt se remettait très bien. Il allait quitter le service de soins intensifs ce matin. Il était tiré d'affaire.

Mais l'horreur du centre commercial de Green Moon, toutefois, nous avait tous marqués à jamais. Pico Mundo était définitivement mutilé.

J'étais tellement soulagé d'apprendre que le chef s'en sortirait que je n'ai pas pensé à lui demander ce que j'avais eu. Stormy Llewellyn était vivante ; la prophétie de la Mère Gitane allait s'accomplir. Rien d'autre ne comptait.

64.

Vendredi matin, vingt-quatre heures tout juste après que Wyatt Porter était sorti de l'unité de soins intensifs, le médecin m'a transféré dans une chambre individuelle.

J'ai eu droit à l'une de ces unités décorées comme des chambres d'hôtel. Celle justement où on m'avait laissé prendre une douche pendant que j'attendais des nouvelles de Wyatt.

Quand je me suis inquiété du prix et que je leur ai rappelé que je n'étais qu'un petit cuisinier, le directeur du County General est venu en personne m'assurer que l'hôpital prenait tous les surcoûts à sa charge.

Cette histoire de héros me dérangeait, et je ne voulais pas avoir de traitement de faveur. Néanmoins, j'ai accepté leur générosité parce qu'ainsi Stormy ne serait pas tenue aux heures de visite et pourrait rester avec moi vingt-quatre heures sur vingt-quatre.

La police a posté un garde devant ma porte. Personne ne me voulait du mal. La mission de cette sentinelle était de tenir au large les médias.

Les événements au centre commercial avaient, ai-je appris, fait les gros titres partout dans le monde. Je ne voulais pas lire les journaux. Et je refusais d'allumer la télévision.

Revivre ce cauchemar la nuit me suffisait amplement.

En ces circonstances, se marier ce samedi relevait de l'impossible. Les journalistes, apprenant notre projet, prendraient d'assaut la salle des mariages. D'autres problèmes entraient également en ligne de compte, si bien que nous avons dû ajourner d'un mois.

Le vendredi et le samedi, des amis nous ont apporté des fleurs et des cadeaux.

Comme j'étais heureux de revoir Terri Stambaugh! Elle avait été mon mentor, ma bouée de sauvetage, lorsque, à seize ans, j'avais décidé de me débrouiller par moi-même. Sans elle, je n'aurais eu ni emploi ni nulle part où aller.

Viola Peabody est venue sans ses filles, et n'a cessé de me répéter que sans moi, elles n'auraient plus de mère. Le lendemain, elle est revenue avec les fillettes. L'attirance de Nicolina pour le rose était liée à son goût pour les glaces de B&B; l'uniforme de Stormy lui faisait naître des étoiles dans les yeux.

Little Ozzie est venu sans Chester le Terrible. Quand je l'ai taquiné pour le pantalon jaune et la chemise hawaïenne qu'il portait dans la salle d'attente pendant qu'on m'opérait, il m'a juré ses grands dieux que jamais il n'aurait choisi une tenue aussi grotesque et qu'il avait encore sa fierté. Stormy, en fait, avait inventé cette histoire pour me faire rire quand j'avais le moral au plus bas.

Mon père est venu avec Britney, et avec de grands projets : il voulait vendre mon histoire – aux éditeurs, à la télé, au cinéma; il serait mon impresario et il gèrerait ma fortune. Évidemment, il est reparti frustré.

Ma mère n'est pas venue.

Rosalia Sanchez, Bertie Orbic, Helen Arches, Poke Barnet, Shamus Cocobolo, Lysette Rains, la famille Takuda, et tant d'autres sont venus...

Au fil des visites, quelques renseignements avaient filtré, quelques chiffres que j'aurais préféré ne pas connaître : il y avait eu quarante et un blessés. Et dix-neuf tués.

« Un miracle qu'il y ait si peu de morts! » disait-on.

Dix-neuf morts – un miracle? Dans quel monde vivons-nous?

Les autorités locales et fédérales ont examiné le stock d'explosif dans le camion; il y avait de quoi faire sauter tout le magasin et un bon tiers du centre commercial.

Il y aurait eu près de mille morts si la bombe avait explosé.

J'avais neutralisé Bern Eckles avant qu'il ne fasse d'autres victimes en plus des trois vigiles, mais il avait suffisamment de munitions sur lui pour faire une hécatombe dans le magasin nord.

La nuit, dans ma chambre d'hôpital-hôtel, Stormy s'allongeait à côté de moi et me prenait la main. Quand un cauchemar me réveillait, elle me serrait contre elle et me berçait le temps que mes larmes cessent de couler. Elle me murmurait des paroles rassurantes à l'oreille, me redonnait espoir.

Le dimanche après-midi, Karla est venue avec Wyatt en fauteuil roulant. Il savait parfaitement que je ne parlerais jamais aux journalistes, et que je refuserais tous les contrats, aussi alléchants soient-ils, pour des livres, des films et des séries télé inspirés de mes hauts faits d'armes. Il avait déjà trouvé toutes sortes d'astuces pour tenir ces vautours au large. Le chef Porter est mon bon génie, même s'il a écrasé sous son poids le fauteuil de Barney le dino.

Bern Eckles avait refusé de parler, mais l'enquête avait pu progresser rapidement grâce à un dénommé Kevin Gosset (renversé par un Fenwick) que la haine et la frustration avaient rendu loquace.

Gosset, Eckles et Varner se connaissaient depuis longtemps. À l'âge de quatorze ans, ils s'étaient intéressés au satanisme. Au début, c'était peut-être un simple jeu. Mais au fil de temps, c'était devenu plus sérieux.

En guise de rite initiatique, ils avaient perpétré leur premier meurtre un an plus tard. Ils avaient adoré ça. Et le satanisme l'exigeait. Pour Gosset, c'était « une façon de montrer sa foi ».

À l'âge de seize ans, ils avaient fait le serment à leur dieu de s'engager dans les forces de l'ordre... parce que c'était là la meilleure des couvertures et aussi parce que l'une des missions des dévots satanistes était de miner la société en infiltrant ses institutions les plus fondamentales.

Eckles et Varner étaient ainsi devenus flics, mais Gosset avait fait carrière dans l'enseignement. Corrompre les jeunes esprits était également une grande œuvre.

Les trois amis d'enfance avaient rencontré Bob Robertson, seize mois plus tôt, dans une secte satanique où ils espéraient trouver des compères partageant les mêmes valeurs. La secte s'était révélée n'être qu'un groupe de dilettantes jouant à se faire peur, mais Robertson avait retenu leur attention, car sa mère était très riche.

Leur intention première était de tuer la mère et le fils pour récupérer tout ce qui pouvait avoir quelque valeur dans la maison... mais lorsqu'ils avaient découvert que Robertson était impatient de financer de « grands coups », le trio s'était associé à lui. Ils avaient tué sa mère, déguisé le meurtre en mort accidentelle dans un incendie et avaient donné à Robertson ses deux oreilles en souvenir.

La collection de Tupperware dans le congélateur de Robertson étaient des trophées offerts par Eckles, Varner et Gosset. Robertson n'aurait jamais eu le cran de découper quelqu'un en morceaux, mais pour entretenir ses largesses, ils voulaient lui faire croire qu'il était l'un des leurs à part entière.

Grâce au soutien financier de Robertson, les trois compères avaient de grands projets. Gosset ne se souvenait plus qui avait eu l'idée de choisir une ville et d'en faire l'enfer sur terre, d'y perpétrer des massacres en série, minutieusement préparés, jusqu'à destruction totale. Ils avaient passé en revue de nombreuses localités possibles jusqu'à arrêter leur choix sur Pico Mundo. La ville idéale, ni trop grande, ni trop petite. La transformer en ruines était un projet à l'échelle humaine.

Première étape : attaquer le centre commercial de Green Moon et éliminer le chef de la police; puis, par une succession de manœuvres machiavéliques, noyauter la police de la ville. Alors la voie leur serait ouverte; la destruction inexorable de la ville serait leur passe-temps et à la fois leur grand acte de foi.

Bob Robertson avait emménagé à Camp's End parce que le quartier était discret et bon marché. Pas question de dépenser de l'argent inutilement; il voulait s'offrir la plus belle des fêtes, la plus fastueuse.

Wyatt Porter en était encore tout retourné. À moi aussi, ça m'a fichu un sacré coup. Pour finir, il nous a expliqué, à moi et à Stormy, comment il allait me protéger de la presse et m'aider à garder secret mon sixième sens. Par l'intermédiaire de Karla, je lui avais annoncé la présence du cadavre de Robertson à l'église de la Comète qui Murmure, pour qu'il puisse concocter une version qui se tienne. Il m'avait toujours couvert par le passé, et ses capacités d'invention ne laissaient pas de m'étonner, mais cette fois, j'en suis resté pantois d'admiration.

Stormy a dit que cela tenait du génie. Visiblement, il n'avait pas chômé pendant ses quelques jours de convalescence.

65.

Mes blessures se sont révélées moins graves que je ne le craignais, et les médecins m'ont laissé quitter l'hôpital le mercredi suivant, une semaine après les événements.

Pour tromper les journalistes, on leur avait dit que je restais une journée de plus au County General. Wyatt Porter s'était arrangé pour nous transporter, Stormy et moi, à bord de la camionnette beige banalisée, celle avec laquelle Eckles s'était posté devant l'appartement de Stormy la veille de la fusillade.

Eckles me suivait ; il voulait envoyer la police chez moi dès que j'aurais franchi le seuil de ma porte pour qu'elle me surprenne en compagnie du cadavre de Robertson. Comme j'étais sorti par-derrière à son insu, Eckles avait cru que j'allais passer la nuit avec ma fiancée et il avait cessé sa surveillance.

Au sortir de l'hôpital, je n'avais aucune envie de rentrer dans mon appartement au-dessus du garage de Mrs. Sanchez. Je ne pourrais aller dans la salle de bains sans revoir le corps de Robertson gisant dans ma baignoire.

Karla et Wyatt n'étaient pas très chauds pour nous emmener chez Stormy, parce que les journalistes devaient être au courant pour nous deux. Ni Stormy, ni moi n'avions envie d'habiter chez les Porter. Nous voulions nous retrouver tous les deux, seuls, enfin. Finalement, à contrecœur, Karla et Wyatt ont accepté de nous conduire là-bas.

Même si on était assiégés par les médias, ces quelques jours passés ensemble furent une bénédiction. Les journalistes sonnaient à la porte, toquaient à qui mieux mieux, mais on n'ouvrait pas. Ils campaient dans la rue, faisaient un beau bazar! Par moment, on observait ces vautours par la fente des rideaux, mais on ne s'est jamais montrés. Nous étions ensemble **et** pour préserver ce bonheur, on aurait pu repousser une armée entière.

On mangeait beaucoup, et bien trop gras. On laissait les assiettes sales s'accumuler dans l'évier. On dormait beaucoup aussi.

On parlait de tout et de rien, mais jamais de la fusillade. Notre passé, notre futur. On faisait des plans sur la comète. On rêvait.

On a parlé des bodachs. Stormy pense toujours qu'il s'agit d'esprits démoniaques et que la chambre noire était une porte de l'Enfer.

Suite aux distorsions temporelles dont j'avais été témoin dans cette pièce, j'avais élaboré une théorie plus sinistre : peut-être, dans le futur, le voyage dans le temps sera-t-il devenu une réalité? Peut-être, pour des raisons techniques, sera-t-il impossible de voyager avec nos corps de chair; peut-être faudra-t-il avoir recours à des corps « virtuels » d'emprunt (ces enveloppes intangibles, visibles uniquement de moi, et **d'**un petit Anglais mort depuis longtemps) dans lesquels sera enchâssé l'esprit des voyageurs?

Peut-être le vent de violence qui souffle sur notre monde aujourd'hui nous a-t-il entraînés vers un avenir plus sombre encore, si brutal et corrompu que nos descendants reviennent dans le passé pour nous voir souffrir, pour s'abreuver à nos bains de sang? L'apparence des bodachs est peut-être sans rapport avec l'aspect qu'ont réellement ces nomades du futur; sans doute nous ressemblent-ils beaucoup; en revanche, les bodachs sont peut-être à l'image de leurs âmes malades.

Mais Stormy n'en démord pas; ce sont des démons de l'Enfer avec un visa touristique pour chez nous.

Cette explication est finalement beaucoup moins effrayante que la mienne et j'aimerais pouvoir y croire sans réserve.

La pile d'assiettes sales est devenue vertigineuse. Nous avons épuisé les stocks « hypercaloriques ». N'osant nous aventurer à l'extérieur, nous en sommes réduits à manger de la nourriture saine !

Le téléphone n'arrête pas de sonner. Nous avons toujours laissé le répondeur prendre les messages. Des reporters, des journalistes et consorts... On a coupé le son, pour ne plus entendre ce qu'ils disent. Et chaque soir, j'efface tous les messages sans même les écouter.

La nuit, au lit, on se serre l'un contre l'autre, on se pelotonne, on s'embrasse, sans aller plus loin. L'attente n'a jamais été une souffrance si délicieuse. Je chéris chaque instant passé avec elle; on a décidé d'ajourner notre mariage de quinze jours et non d'un mois.

Au matin du cinquième jour, les journalistes ont été chassés par la police, sous prétexte officiel qu'ils constituaient une nuisance à l'ordre public. De toute façon, ils avaient perdu de leur belle ardeur. Peut-être commençaient-ils à se demander si Stormy et moi étions réellement dans la maison?

Ce soir-là, alors que nous nous apprêtions à nous coucher, Stormy a fait quelque chose de si beau que mon cœur en a été transporté; à cet instant, j'ai su qu'avec le temps je parviendrais à oublier cette tuerie au centre commercial.

Elle est venue sans son chemisier, poitrine nue. Elle a pris ma main droite et a suivi, de son index, ma marque de naissance dans ma paume.

C'est un croissant, d'un centimètre de large sur trois de long, d'une blancheur de lait contre le rose de ma main.

La marque de Stormy est en tous points identique, sauf qu'elle est brune et qu'elle se trouve sur la courbe de son sein droit. Si je prends son sein dans ma main, les deux marques coïncident parfaitement.

On s'est souri et je lui ai dit que j'avais toujours su que la sienne était un tatouage. Mais cela ne me dérangeait pas. Au contraire. Cet effort de sa part pour prouver que nous étions faits l'un pour l'autre ne faisait que renforcer mon amour pour elle.

Sur le lit, sous la carte de la machine diseuse de bonne aventure, on s'est enlacés chastement, hormis ma main refermée en coupe sur son sein droit.

Pour moi, le temps semble toujours suspendu dans l'appartement de Stormy.

Je suis en paix dans ces pièces. J'oublie mes soucis. La légèreté des pancakes et la colère des *poltergeist* ne m'inquiètent plus.

Ici, rien ne peut m'arriver.

Ici je connais ma destinée et je suis comblé.

Ici vit Stormy, et là où elle vit, je m'épanouis.

On s'est endormis.

Le lendemain matin, alors que nous prenions le petit déjeuner, quelqu'un a frappé à la porte. Voyant qu'on ne répondait pas, une voix a lancé :

— Ouvre, Odd. Il est temps pour toi de revoir le monde !

C'était Terri Stambaugh qui criait dans le couloir.

Je ne peux rien refuser à Terri. Elle est mon mentor, ma ligne de survie. Quand j'ai ouvert la porte, j'ai découvert qu'elle n'était pas seule. Wyatt et Karla l'accompagnaient. Et Little Ozzie. Tous les gens qui connaissaient mon secret – celui de pouvoir voir les morts – étaient là, au complet.

— On t'a appelé des dizaines de fois.

— Je croyais que c'étaient des journalistes. Ils n'arrêtent pas de nous harceler Stormy et moi.

Ils sont entrés dans l'appartement et Little Ozzie a refermé la porte derrière lui.

— On prenait le petit déj. On vous offre quelque chose ?

Le chef a posé une main sur mon épaule. Son visage de chien battu, ses yeux de cocker...

— Il faut arrêter maintenant, fiston, a-t-il dit.

Karla m'a mis dans les mains une sorte de cadeau. Une chose en bronze. Une urne.

— Mon petit, a-t-elle articulé. Les autorités nous ont rendu son corps. Ce sont ses cendres.

66.

Pendant un moment, j'avais sombré dans la folie. La folie est un atavisme de famille. Nous sommes passés experts dans l'art de fuir la réalité.

Une part de moi avait su, sitôt que Stormy était entrée dans ma chambre au service de soins intensifs, qu'elle était devenue l'une de ces âmes errantes. La vérité était trop douloureuse pour l'accepter. Dans mon état, ce mercredi après-midi, reconnaître sa mort aurait été la blessure de trop. Mon cœur n'y aurait pas résisté.

Les morts ne peuvent pas parler. Je ne sais pas pourquoi. Alors j'ai parlé pour Stormy dans les conversations que nous avons eues toute cette semaine. Je disais à sa place ce qu'elle aurait dit à cet instant. Je peux presque lire dans ses pensées. Nous sommes si proches l'un de l'autre, plus proches que des amis, plus proches que des amants. Stormy Llewellyn et moi, nous sommes chacun la destinée de l'autre.

Malgré ses bandages, Wyatt Porter m'a serré dans ses bras et m'a laissé pleurer contre son épaule, comme un père avec son fils.

Plus tard, Little Ozzie m'a conduit dans le salon. Il s'est assis avec moi sur le canapé. Les coussins ont penché instantanément de son côté.

Wyatt a approché une chaise. Karla s'est installée sur l'accoudoir, à côté de moi. Terri s'est assise en tailleur à mes pieds, une main posée sur mon genou.

Ma belle Stormy se tenait à l'écart, observait la scène. Jamais je n'ai vu autant d'amour dans les yeux d'une personne, autant d'amour que dans ce regard qu'elle m'offrait en cet instant terrible.

Ozzie m'a pris la main.

— Tu dois la laisser partir, tu le sais, mon garçon.

J'ai hoché la tête. Je ne pouvais pas parler.

Aujourd'hui que j'écris ces lignes, je me souviens qu'Ozzie m'a conseillé de garder un ton léger, d'être comme le narrateur félon du *Meurtre de Roger Ackroyd* d'Agatha Christie. Je me suis permis quelques libertés avec les temps des conjugaisons. J'ai souvent employé le présent pour parler de Stormy et de notre avenir, comme si nous étions encore ensemble dans cette vie. Mais je n'ai pas pu aller plus loin.

— Elle est ici, en ce moment ? a demandé Ozzie.

— Oui.

— Elle ne t'a pas quitté un seul instant, n'est-ce pas ?

J'ai secoué la tête.

— Tu ne veux pas que l'amour que vous avez l'un pour l'autre la retienne prisonnière ici, alors qu'elle doit s'en aller.

— Non.

— Ce n'est pas juste, Odd. Ni pour elle, ni pour toi.

— Elle mérite de connaître... la grande aventure, ai-je reconnu.

— Il est temps de lui dire au revoir, Odd, a dit Terri, en songeant sans doute à Kelsey, son mari perdu.

Tout tremblant et terrifié à l'idée de vivre sans Stormy, je me suis levé du canapé et me suis dirigé d'un pas vacillant vers elle. Elle portait sa tenue du Burke & Bailey, évidemment, sans sa coiffe rose. Elle n'avait jamais été aussi jolie.

Mes amis ne savaient pas où elle se trouvait, jusqu'à ce que je pose ma main sur son visage, son beau visage, si doux, si chaud.

Les morts ne parlent pas, mais Stormy a articulé deux mots en silence, lentement, pour que je puisse lire sur ses lèvres. *Je t'aime.*

Je l'ai embrassée – mon amour perdu – un baiser d'adieu, si tendre, si chaste... Je l'ai tenue dans mes bras, mon visage enfoui dans ses cheveux, son cou.

Au bout d'un moment, elle a mis sa main sous mon menton et m'a relevé la tête.

Trois mots encore : *Sois heureux. Persévère.*

— Je te rejoindrai au service actif, lui ai-je promis. (La vie qui venait après le camp d'entraînement.)

Ses yeux... son sourire... que je ne verrai plus qu'en souvenir.

J'ai ouvert les bras. Elle a tourné les talons, a fait trois pas, a commencé à disparaître. Elle s'est retournée, j'ai tendu la main vers elle. Elle était partie.

67.

Aujourd'hui, je vis seul dans l'appartement de Stormy, au milieu de ses meubles hétéroclites. Son vieil abat-jour en soie, avec ses franges. Ses fauteuils campagnards, avec leurs repose-pieds victoriens. Ses reproductions de Maxfield Parrish et ses vases de verre colorés.

Elle n'avait jamais possédé grand-chose en ce monde, mais avec ces objets tout simples, elle avait rendu ce lieu digne d'un palais. On peut manquer d'argent, mais la plus grande richesse est celle du cœur.

Je vois toujours les morts ; de temps en temps, je dois faire quelque chose pour eux. Comme avant, mes vêtements payent un lourd tribut à cet altruisme.

Parfois, en m'éveillant la nuit, je crois entendre sa voix me dire dans l'obscurité : *Vas-y, Oddie l'Étrange, on est une équipe, raconte-moi tout.* Je la cherche des yeux, mais je ne la vois nulle part. Et pourtant, elle est quand même là. Alors je lui raconte, je lui dis tout ce qui m'est arrivé dernièrement.

Elvis traîne souvent avec moi, à présent. Il aime me regarder manger. J'ai acheté plusieurs de ses CD et on s'installe ensemble dans le salon, dans le recueillement, et on l'écoute chanter, du temps où il était jeune et vivant, du temps où il savait à quel monde il appartenait.

Stormy croit que nous passons par ce camp d'entraînement pour apprendre que si nous ne nous montrons pas persévérants, si nous baissons les bras devant les obstacles et les blessures, alors nous n'accéderons pas à notre seconde vie, celle de la grande aventure. Alors, pour pouvoir la rejoindre là-bas, j'aurai la persévérance d'un bouledogue, rien ne me découragera, mais Dieu que les épreuves sont dures et cruelles.

Je m'appelle Odd Thomas. Je suis cuisinier. Je mène une vie hors du commun, ici, dans mon *pico mundo*, mon petit monde. Mais je suis en paix.

Photocomposition
Asiatype

Impression réalisée sur CAMERON
par BRODARD ET TAUPIN
La Flèche
en mars 2007

Imprimé en France
Dépôt légal : avril 2007
N° d'édition : 91724/01 - N° d'impression : 40638